Nicolas Bourriaud

Formes et Trajets
Tome 2 : Topologies

JRP | RINGIER & LES PRESSES DU RÉEL

Nicolas Bourriaud

Formes et Trajets

Tome 2 : Topologies

Table des matières

Préface
Discours sur les interstices

L'espace qui sépare deux photogrammes, sur une pellicule de film, ne saurait se résumer à un simple vide ; il m'est toujours apparu, au contraire, comme un lieu digne d'être pleinement habité. Cet intervalle entre deux images constitue à la fois le poste imaginaire où se tient la critique d'art, le lieu d'où elle produit son discours, et sa question centrale : comment deux images se relient-elles, nous donnant ainsi l'illusion du mouvement – celle d'une pensée ? Et si elles sont du même auteur, qu'est-ce qui coordonne ces formes entre elles, fondant leur prétention à constituer une œuvre ? Lorsqu'on place côte à côte un Manet et un Warhol, un Picabia et un Kippenberger, un Parreno et un Ryman, que se disent-ils ? Qu'est-ce que cela produit ? Tout objet d'art, tout geste artistique, si on les considère en tant que tels, fonctionnent comme le photogramme d'un film. Chacun peut apprécier et commenter la beauté d'une photographie de plateau, mais celle-ci ne prendra sa valeur qu'au moment du visionnage de la totalité mouvante à laquelle elle appartient, et dont elle ne représente qu'une stase, un instant dans un processus, un point sur une ligne. Le chiffre de la critique, c'est le deux : une œuvre d'art isolée peut nous emmener vers une fausse piste, et il faut toujours demander à voir celles qui précèdent, ou celles qui suivent, pour entrevoir la direction qu'elle prend. Cet étrange espace qui sépare deux photogrammes sur la pellicule du film, on le retrouve dans la métaphysique bouddhiste sous le nom de *Vide de Turyâ* : la vie est un déploiement incessant de formes, « brèves comme des clins d'œil », auxquelles notre conscience individuelle s'efforce de conférer une continuité ; cet intervalle, qui fait office de glu, de fixatif, dispense l'illusion par laquelle nous voyons les secondes s'enchaîner les unes aux autres. Pour Jacques Lacan, il n'y a pourtant pas de vide dans la réalité, pas de trous – la réalité est une totalité sans bords. C'est à travers la représentation, à travers le régime du discours, que l'être humain produit cette angoisse typiquement humaine qui est celle du vide, et arrivant à créer des intervalles là où n'existe qu'une muette continuité. L'inconscient, selon Lacan, se construit à partir de cette béance spécifique que produit le langage en nous ; comme dans le jeu de Taquin, dans lequel la pièce manquante permet de bouger l'ensemble de la structure afin de reconstituer, case par case, une image ou un mot. Rechercher la « causalité structurale » d'une œuvre, pour reprendre le concept forgé par Jacques-Alain Miller, c'est arpenter ce vide.

On ne peut faire apparaître la ou les figures qui dominent une œuvre (ou la hantent) qu'à travers le dialogue. Autrement dit, en disposant la pensée critique de telle manière qu'elle produise ce que l'on appelle, au cinéma, le *champ/ contrechamp*. Écrire sur l'art, c'est donc s'identifier à cet intervalle qui nous permet de passer d'une image à l'autre : un visage nous parle, puis un second, qui vient répondre au premier. Mais la figure du « passeur », de l'intermédiaire, n'est pas qu'un simple motif rhétorique. Le critique essaie d'extraire du sens en s'inscrivant dans cet espace, toujours entre deux œuvres, en traçant sur un quelconque papier calque les pointillés qui relient, par le filigrane d'une intuition ou d'un concept, un artiste à ses avant-courriers, ses modèles ou ses repoussoirs. En cela, il s'agit d'un mode de pensée spécifique, qui ne se réduit ni à la philosophie de l'art ni à l'histoire, mais se base sur une interminable interlocution, un « entretien infini », pour reprendre les mots de Maurice Blanchot. Mes livres naissent d'une rumination à partir d'une idée fixe, mais les textes ici réunis sont nés de commandes. Malgré les impératifs horaires auxquels ils se voyaient contraints, ils m'ont souvent permis de combler un vide entre les deux chapitres d'un essai, d'explorer une voie étroite, de tester une idée sur un ensemble d'œuvres ou sur un artiste. Comment le travail d'untel « résistera-t-il » à tel ou tel concept ? Il m'est souvent arrivé, alors que mon intention de départ était de circonscrire une œuvre à partir d'une intuition directrice, de me rendre compte que la première me menait, insidieusement, très loin de la seconde. *Penser avec l'art* diffère ainsi profondément de cet autre type d'activité qui consiste à « produire une pensée sur l'art ». C'est pourquoi le terme d'esthétique, auquel j'ai parfois eu recours afin de qualifier, faute de mieux, tel ou tel essai rassemblant les indices de l'émergence de la *formation* d'un motif spécifique dans l'art contemporain m'apparaît, rétrospectivement, comme impropre. Et en tout cas, comme une légère forfanterie. L'on retrouve déjà ces précautions rhétoriques dans mon introduction à un entretien réalisé avec Rebecca Bournigault en 1999, qui oppose l'intervalle et la paranoïa : « Un paranoïaque est un individu qui organise le cosmos autour d'un point fixe, qui met en boucle son obsédante quête d'explication et de cohérence, au prix d'un sentiment de persécution : tout s'explique par une idée fixe, et il se trouve forcément au centre de celle-ci. Sur le plan social, les théories de la conspiration, les complots, mais aussi les grandes idéologies totalisantes, relèvent d'une certaine paranoïa : la paranoïa est une forme de pensée, la pensée « surplombante », qui regarde le monde d'en haut. Dans son *Éloge de la raison sensible*, Michel Maffesoli a proposé un terme, celui de *métanoïa* : celui qui pense au-delà. Osons donc l'hypothèse que la paranoïa serait en voie de disparition : non seulement nous ne disposons plus d'une seule théorie nous permettant de déchiffrer le monde qui nous entoure, mais l'existence de telles théories, ou de toute forme de totalisation, semble aujourd'hui chimérique. Penser au côté des choses, et non plus s'écarter du monde afin de les décoder ; accompagner les phénomènes, et non plus s'entêter à les produire. Prenons d'ailleurs ce terme de « production » : en latin, *producere* signifie « faire avancer devant soi ». Qu'est-ce qui, en art, peut s'opposer à la production, sinon la conduction, acte d'avancer avec les choses, de les accompagner. Ainsi, moins nous disposons de grands récits nous permettant de décoder l'aventure humaine en termes d'origine et de destination, et plus la culture contemporaine se recompose autour d'une recherche de l'autre, du voisinage, de proximité, d'utopies quotidiennes. *Les Grands Récits de légitimation*, pour reprendre l'expression de Jean-François Lyotard, ont laissé place à des récits partiels, des pratiques interstitielles qui viennent s'insérer dans les espaces vacants du système – et qui finiront peut-être par le faire exploser bien plus sûrement qu'une révolution. »

La cohérence d'une pensée critique n'est guère plus qu'un effet secondaire de cette recherche menée avec les artistes et leurs œuvres. Au moment de compiler ces textes, je m'aperçois cependant que la notion d'interstice hante l'esthétique relationnelle, aussi bien que la théorie de la postproduction et les racines mobiles du *Radicant*.

Ce second volume de *Formes et Trajets* rassemble des textes où l'art contemporain se voit analysé sous l'angle de l'espace et de ses modes de figuration : la topologie, la cartographie, le titre de propriété, le cadastre qui mesure et enregistre le territoire, mais aussi l'économie spécifique par laquelle l'artiste administre son domaine imaginaire. Autant d'outils qui permettent de cerner le principal personnage conceptuel du monde contemporain : le capital. La statistique, le diagramme, la carte, servent à spatialiser des données qui, sans leur appui, n'acquièrent guère plus de réalité que celle des flux et des nuées. Des nuages. L'art contemporain affronte un fantôme très concret, qui est la dépossession de l'expérience vécue. Il désigne, figure, personnifie, donne corps à tout ce sur quoi nous perdons prise, à ce qui s'est évanoui dans le chiffre ou l'information. En cela, il nous restitue le sens qui s'évanouit dans le brouillard électronique du « spectaculaire intégré » ;

il rapproche ce qui s'est éloigné, et nous permet de le maîtriser. C'était déjà le cas des bisons peints sur les parois de la grotte de Lascaux : l'homme des cavernes s'entourait déjà de cibles, ses sagaies s'essayaient contre des figures planes avant de se confronter aux circonstances réelles de la chasse. L'œuvre d'art contemporaine n'a pas tellement changé : elle se présente volontiers soit comme la rivale du monde qu'elle veut saisir, soit comme le projectile acéré qui le vise. Proposant une alternative aux modes de fonctionnements sociaux ou économiques, elle prend alors la forme d'un interstice ou d'une *zone autonome temporaire*, d'une communauté plus ou moins éphémère et plus ou moins autarcique mettant en place des relations sociales reposant sur des principes spécifiques. Toute œuvre nous introduit à un univers, mais celles-ci nous enjoignent, en sus, d'habiter pour un temps à l'intérieur d'un style comme si nous en étions les citoyens.

Toutefois, il n'existe aucune œuvre qui ne représente, en dernière instance, un modèle économique en soi, au sens où la production d'un artiste induit forcément, par métaphore ou plus directement, un système de sélection, de traitement et de distribution de la matière ou des signes. C'est là mon credo absolu, développé dans mon essai *Formes de vie* : faire œuvre est avant tout la tentative de produire l'économie de sa propre existence, indexée sur une famille de formes. Mais l'art induit toujours également une théorie de la valeur, soit qu'il ait partie liée à la plus-value qui transforme une réalité dévaluée en or esthétique, soit qu'il s'aligne sur l'échelle dominante. Il implique enfin une représentation des modes de possession légaux. Parmi les problématiques les plus importantes de ces trente dernières années, celle de l'*appropriation* apparaît comme centrale : la notion de propriété constitue le pilier de toute économie, qu'elle soit capitaliste ou non. À la notion anglo-saxonne d'art d'*appropriation*, de laquelle on peut déduire que les formes et les signes s'apparentent à des propriétés privées que tel ou tel artiste pourrait s'accaparer plus ou moins licitement, j'ai cherché à substituer celle d'usage, voire de droit de passage dans l'ensemble des territoires formels. Un style peut-il s'apparenter à une propriété privée ? Dans *Postproduction*, j'ai ainsi utilisé l'expression de « communisme formel » pour qualifier l'état d'esprit qui présidait aux pratiques artistiques actuelles : les formes existantes sont des outils à la disposition de tous, et c'est leur usage qui doit faire l'objet d'un jugement esthétique. Dans le droit suédois, il est ainsi stipulé que chacun possède un « droit d'usage temporaire » d'un territoire : on peut planter sa tente dans une propriété privée, après négociation sur la durée de sa visite. Voilà ce qui me semble une jurisprudence raisonnable pour ce qui est des formes dans l'art contemporain.

Ce volume ne pouvait s'ouvrir que sur un artiste hors normes comme Raymond Hains, qui a conçu le projet colossal de nouer l'espace-temps autour du langage, inventant à cet effet une forme artistique inédite, que l'on ne peut comparer qu'à l'entreprise littéraire menée par James Joyce. J'aurais dû le faire suivre d'une étude sur Panamarenko, mais il ne subsiste de ce texte, hélas, qu'une traduction japonaise, par la faute d'un hâtif changement d'ordinateur... Et je ne désespère pas de réunir les textes que j'ai écrits sur Erik Dietman en un volume spécifique.

Évoluons-nous dans un univers, ou dans un *multivers* ? À mes débuts, mes textes résonnaient de l'écho des voix d'Elie Faure, André Malraux ou René Huyghe ; petit à petit, celles de Benjamin Buchloch, Pierre Restany ou Rosalind Krauss leur répondirent. Mais ce n'est que maintenant que je me rends compte que cette singulière cohabitation entre des accents et des langages esthétiques si divers, entre l'iconographie métaphysique des uns et le formalisme structuraliste des autres, constitue une anomalie assumée, car productive. Mon discours sur l'art d'aujourd'hui, pour avoir conservé nombre de méthodes et d'approches appliquées à l'art ancien, charrie de multiples idiotismes qui proviennent sans doute de l'enseignement de Françoise Bardon à l'université de Poitiers, qui guida mes pas à travers les travaux d'Erwin Panofsky et de Pierre Francastel.

L'art n'est-il pas un modèle de multivers, pour reprendre l'expression de Philip K. Dick ? Entendons par là une unité structurelle où cohabitent des contradictions, des entités insécables et complexes, qui ne trouvent pas forcément de résolutions synthétiques mais se maintiennent en tension, tel un mobile. J'avoue demeurer dans un espace critique de ce type, à l'intérieur duquel la spiritualité et le ridicule, le formalisme et la narratologie, le matérialisme et la poésie, se voient placés aux deux extrémités d'une corde tendue au maximum, de manière à ce que des éclairs puissent se produire en leur milieu. En physique, dans la théorie des cordes, il apparaît que la matière ne serait pas ultimement composée de points, mais de cordes vibrantes…

[1] Au sujet de la critique d'art comme balistique, voir le texte introductif d'*Hétérochronies*, premier tome de *Formes et Trajets : Discours sur les Trajectoires*.

CHAPITRE I
Intervalles

Raymond Hains
Une rhétorique vécue (1994)

On me demandera pourquoi je raconte ces petites choses que l'opinion courante jugerait insignifiantes : on me dira que je me nuis d'autant plus que j'ai de grands devoirs à remplir. Réponse : toutes ces petites choses : nourriture, lieu, climat, récréation, sont infiniment plus importantes que tout ce que l'on a pris jusqu'ici au sérieux.
– Friedrich Nietzsche, *Ecce Homo*

Il n'est pas d'œuvre plus profondément sérieuse que celle de Raymond Hains ; mais il n'est pas non plus, dans l'art contemporain, d'œuvre qui ne prête davantage à rire – ce même rire qui accueillit jadis, au Salon des refusés, la peinture de Manet. Georges Bataille : « L'*Olympia* est le premier chef d'œuvre dont la foule ait ri d'un rire immense »... Le public de 1863 se gaussait ainsi d'un « naufrage du sujet » qu'il n'avait pas les moyens de comprendre ; celui de 1994, s'il rit moins franchement, ne comprend pas plus le naufrage du sens auquel nous convie Raymond Hains, dont les effets s'avèrent tout aussi ravageurs. Qu'y a-t-il donc de si drôle, de si nocif, de si radical, dans le travail de Hains ? Ses collègues nouveaux réalistes, s'ils tablaient sur « l'expressivité intrinsèque du réel », considéraient cette expressivité comme la garantie d'un sens : Yves Klein, Jean Tinguely ou Jacques Villeglé avaient beau déclarer la mort du lyrisme individuel et de l'intériorité, ils continuaient toutefois à penser que le « réel sociologique » en fournissait un substitut idéal : avec le Nouveau réalisme et le Pop art, le sens ne faisait que se déplacer en une sorte de révolution copernicienne. La singularité durable de l'œuvre de Raymond Hains réside dans la subtile négation de cet ordre sémiologique dont le réel constitue la pierre de touche : loin de réquisitionner un morceau du quotidien collectif comme Klein la couleur bleue, Arman l'accumulation d'objets ou Villeglé les affiches, Hains va adopter une autre logique du sens, complexe et fractale celle-là, à partir d'un fragment de réel pourtant similaire à celui qu'emploiera son compère Villeglé. D'ailleurs, ce terme d'affichistes, par lequel on associe les travaux de Mimmo Rotella, François Dufrêne, Jacques de la Villeglé et Raymond Hains, ne renvoie qu'à l'utilisation d'un matériau de base qui aboutira, on le verra, à des résultats très hétérogènes. Là où les trois premiers s'attachaient avant tout à collecter l'affiche lacérée, ou son support, en tant que réceptacle d'une pluralité de gestes anonymes, Hains s'est servi de la palissade comme d'un point de départ pour une odyssée du langage. Le socle intellectuel commun à ceux qu'on appela les affichistes n'est cependant pas négligeable. Tous, ainsi que leurs collègues nouveaux réalistes et leurs cousins américains du Pop art, attribuent à l'œuvre d'art un statut d'objet-témoin, une valeur de constat. Il y aurait beaucoup à dire sur l'influence indirecte de la photographie et du cinéma sur la peinture, et notamment sur l'invention du ready-made par Duchamp : c'est en pleine connaissance de cause, fort de sa formation initiale de photographe, que Raymond Hains peut se définir comme « un photographe qui emporte le motif au lieu de le photographier »...

Photographe sans pellicule, ce dernier diffère des autres nouveaux réalistes en ce qu'il fait servir ses constats à des fins fort éloignées de « l'expressivité intrinsèque du réel » : chez lui, il n'y a pas de signe pur doté du pouvoir de signifier en soi, contrairement par exemple à la notion d'*hygiène* de la *vision* proposée par Martial Raysse.

À cette hygiène-là, Hains oppose une véritable diététique du signe : une méthode de glanage, de préparation et de consommation des faits signifiants.

Même si le vocabulaire de Raymond Hains possède une clarté et une immédiateté visuelle qui le rapproche formellement du Pop art, il ne s'agit que d'une analogie de surface. Chez lui, l'image a beau être immédiate, elle résiste toujours à la préhension visuelle. Elle n'est qu'un indice, un leurre, l'effet d'un ricochet. D'une certaine manière, c'est l'impératif de la représentation lui-même qui se voit contesté par ses constats visuels. Dans un monde où tout doit aboutir et se résumer à une image, il oppose à celle-ci le concept de *tableau* : « regarder le monde comme un tableau » exclut de le regarder comme une simple image ; l'articulation des signes entre eux s'avère plus importante que leur valeur expressive. C'est leur jeu qui fait tableau, tandis que l'image emporte toujours les signes dans la déferlante de la signification. Il ne sera donc jamais question de représentation (Hains n'est pas figuratif) et pas davantage de présentation (comme dans le modèle duchampien), mais de *désignation* : l'œuvre de Hains ne représente rien, elle indique et désigne.

Ce texte tentera de décrire l'œuvre de Raymond Hains en tant que système, sans se laisser prendre au piège de la tautologie : il serait en effet facile de la décrire en suivant pas à pas les méandres de sa pensée, en en commentant les figures. Notre hypothèse consiste au contraire à la survoler de haut, du plus haut possible. De ne pas la prendre en bloc et à la lettre, mais dans l'économie de son foisonnement, à travers son caractère de programme, voire de *logiciel de traitement de texte*.

L'invention de la palissade

La génération de Raymond Hains est tout entière fascinée par l'espace. Or, l'homme de la palissade, à la fois totalement inscrit dans ce moment historique qu'a constitué le Nouveau réalisme, tout en le débordant largement vers l'art le plus conceptuel, se préoccupe avant tout de temporalité. Il est clair que ce registre n'est pas pour rien dans la fascination qu'il exerce sur la génération d'artistes qui apparut sur la scène artistique au début des années 1990. Son aventure artistique s'ancre dans un geste-matrice qui va déclencher un processus d'ordre temporel : l'exposition de la *Palissade des emplacements réservés* lors de la première Biennale de Paris, en 1959. Cette palissade se constituait de vingt-sept planches recouvertes d'affiches lacérées. Loin de se limiter à n'être qu'un readymade sociologique, elle forme le centre irradiant de son activité, son hologramme, en fait, puisqu'elle contient déjà virtuellement toute l'œuvre à venir. Car la palissade est l'objet symbole d'une méthode. Elle n'ouvre pas un espace, mais indique le moment de la construction. Quel est le rôle d'une palissade, sinon de partiellement masquer un chantier ? Il faut s'approcher d'elle pour « voir par les interstices quels travaux en cours se cachent derrière les planches ». La palissade est aussi un leurre : elle inaugure l'édifice du langage, tout en nous masquant sa vraie nature. En tout cas, elle fut sans conteste le « clou » de l'exposition de 1959 : or, le mot « clou » désigne aussi une clé et une barre de gouvernail. Il désigne la prise de pouvoir, l'appropriation[1]. On voit comment se lance la machine linguistique : la palissade de Hains génère des déviations verbales dont l'enchaînement le propulsera bien au-delà de l'orthodoxie nouveau réaliste. « L'invention de la palissade » ne concerne pas l'affichage, contrairement à un solide malentendu. Il ouvre la boîte de Pandore du sens : « Les mots-valises, explique Hains, décollage, palissade ou clou, sont autant de brèches par lesquelles j'ai échappé à la tentation d'enfermer le mont Blanc ou l'Himalaya dans une vitrine[2]. » C'est l'infini du mot qui triomphe du ready-made expressif... Lors de la Biennale de Paris, Hains découvre dans une encyclopédie les « entremets de la palissade », pâtisserie dont il exposera la photographie l'année suivante. Ce qui nous amène (expression clé du discours hainsien) aux *lapalissades,* ces vérités premières par lesquelles une première boucle se noue : les mots, les choses et les images se répondent dans une tautologie dynamique, par glissements et contaminations : telle cette palissade de skis Rossignol et Fischer, *La Foire aux skis* (1988), récente aventure de la matrice-palissade.

La palissade implique que Hains s'intéresse aux chantiers plus qu'aux constructions abouties. Il réalisera d'ailleurs de nombreuses enquêtes photographiques sur des chantiers comme celui du grand Louvre, ou celui du musée d'Art contemporain de Nîmes. Rien n'est jamais définitif, et surtout pas les œuvres : le rôle de l'exposition est de mettre en ordre, de ranger momentanément les éléments dérangés par l'opération artistique. L'exposition est un moment du chantier, un classeur où se voient consignées les minutes d'une véritable enquête. Car la méthode de travail de Hains consiste en de discrètes filatures qui aboutissent à des découvertes étonnantes : par exemple, le fait que l'appel du 18 Juin fut rédigé dans l'appartement de Jacques Cartier, l'un des trois frères fondateurs de l'entreprise Cartier ; ou bien l'histoire mouvementée de la découverte de la mayonnaise par une famille d'origine carthaginoise qui s'est fixée à Saint-Malo ; ou encore les aventures du marquis de Bièvre, auteur de l'article « Calembour » dans l'Encyclopédie de Diderot…

Fondée sur un geste inaugural d'appropriation du réel, l'œuvre de Hains pourrait se présenter comme un exercice de sociologie. Ses photos-constats cadrent d'ailleurs des faits bruts, comme le fait la documentation d'un chercheur. Mais il reste délibérément à côté ou en deçà du domaine d'études du sociologue, s'ingéniant à faire tourner la sociologie sur elle-même comme une toupie, tout en regroupant ses trouvailles selon un ordre personnel dont les principes n'apparaissent nulle part. Disons qu'il ne se sert pas de la sociologie comme d'un étendard, mais comme d'un chiffon. L'œuvre n'est pas la preuve d'un fait humain, mais, littéralement, une pièce à conviction : elle nourrit une conviction intime quant à la nature de la réalité. Cette conviction, contrairement à celle du sociologue ou de l'ethnologue, n'est pas annoncée en amont de la recherche : les objectifs et les cadres théoriques du travail de Hains se définissent au fur et à mesure qu'il avance, constamment à reprendre comme on le dirait d'un tissu.

Le hasard. (Attracteurs sémantiques et points de capiton)[3]

Les calembours hainsiens, ces effets de condensation linguistique et visuelle, appellent tout naturellement une référence freudienne, maintes fois évoquée par l'artiste. Par les travaux du père de la psychanalyse, on sait à quel point le « mot d'esprit » relève de l'inconscient : le lapsus, l'acte manqué, le rêve, sont les voies royales de pénétration de son fonctionnement. Ces mécanismes concernent la pratique artistique, une abondante littérature en témoigne, dans la mesure où l'artiste manque quelque chose et se trahit dans ce ratage : la psychanalyse freudienne s'attache essentiellement à l'inconscient tel qu'il se manifeste dans une œuvre. Hains, lui, a réussi à renverser le rapport de l'analyse à l'art. Tout comme le psychanalyste, il cherche à révéler les déterminismes qui reposent, ou s'agitent au contraire, sous l'apparence des choses. Son œuvre ne peut guère faire l'objet d'une démarche psychanalytique, constituant elle-même une psychanalyse sauvage du monde linguistique dans lequel nous sommes plongés. Mais, afin de préciser la nature de l'analyse Hainsienne, il importe de définir plus avant le type de déterminisme sur laquelle elle repose. De quoi les choses font-elles symptôme ? Autour de quel ordre logique se lient-elles ? Quels sont les soubassements de la nécessité selon Hains ? Il est assez instructif de comparer celle-ci à la théorie du « hasard objectif », telle qu'énoncée par André Breton. Selon ce dernier, l'individu « à l'écoute » de son inconscient attire les phénomènes « hasardeux » comme l'aimant la limaille de fer : la dérive urbaine, telle qu'il la décrit dans *Nadja* ou *Les Vases communicants* (à la suite de l'*Aurélia* de Gérard de Nerval) n'a d'autre but que de provoquer des « effets de rencontre » propres à éclairer le flâneur sur la nature de son désir. Dans la dérive surréaliste, c'est le Moi qui irradie vers la réalité, l'absorbant et la créant en retour par une dialectique qui oppose le rêve à la réalité en transposant celui-ci dans celle-là. Le hasard, pour André Breton, se donne pour but la découverte de la vérité de l'être. Or le déterminisme selon Hains s'avère bien plus complexe : le hasard (appelons ainsi l'ensemble des effets de rencontre qui génèrent du sens) ne représente pas pour lui une voie d'accès à soi-même. Le hasard ne nous ressemble pas – il ne procure que des significations passagères, contextuelles et de surface. Dans le chantier hainsien, la synchronicité des événements remet en question la notion de causalité elle-même, et d'une manière radicale : aucun ordre caché ne vient s'y substituer pour délivrer une signification globale du monde. On se souvient de Voltaire voyant dans les phénomènes visibles les traits d'une anamorphose, d'une image cryptée que Dieu seul pouvait percevoir, occupant l'unique position d'où elle prend un sens. Le déterminisme hainsien, bien plus pessimiste, n'en est pas moins joyeux : les hasards qu'il découvre et les rapprochements qu'il opère (entre Cartier, Carthage et la mayonnaise, entre le marquis de Bièvre, Jean-Pierre Raynaud et Simone de Beauvoir) ne sont pas surdéterminés par une vision positive du monde. Ce en quoi il s'avère fascinant : Hains inaugure une théorie du chaos sémantique, découpant de chatoyants motifs linguistiques, îlots de sens au sein d'un océan de désordre en perpétuel mouvement. S'il pratique l'anamorphose, c'est pour rendre le monde encore plus abstrait qu'il ne l'est en apparence, comme il le fit avec ses « photographies hypnagogiques » ou ses lunettes à verre cannelé. Ses trouvailles ne donnent à la Raison aucun grain à moudre, elles visent plutôt à la mettre en sommeil (« hypnagogie »). Telle est l'extrême modernité de Hains : posant, en un geste nietzschéen, l'existence d'un monde infini prêtant à une infinité d'interprétations, sans origine et sans but, il est l'artisan d'une flamboyante défaite de la pensée. Une défaite salutaire, revendiquée, sur laquelle l'art plante son drapeau. La condition du langage, pour Hains, est l'infini lui-même. Le projet qu'il assigne au langage, et par voie de conséquence à l'art, relève lui aussi de l'éthique nietzschéenne : l'interprétation et l'évaluation du monde.

Les rapports entre Hains et la psychanalyse ne se limitent pas à l'appréhension du « mot d'esprit », ni à Freud. Le nom de Jacques Lacan ouvre d'autres perspectives sur les activités de l'artiste. Fort curieusement, c'est par l'intermédiaire de la ville de Rome, d'où le fondateur de l'école freudienne a lancé son fameux appel de 1956, que Hains a rencontré Lacan. Plus exactement, sous les auspices de la fameuse *Sainte Thérèse* du Bernin, qu'il fréquenta assidûment durant son long séjour dans la capitale italienne et qu'il montrait systématiquement aux nombreux amis qui lui rendaient visite. De retour à Paris, Hains aperçut la sculpture qui le fascinait tant dans la vitrine d'une librairie, sur la couverture d'un livre titré… *Encore*, signé Jacques Lacan. Celui-ci partage avec Hains l'idée d'une herméneutique infinie, sans fondement autre que le jeu réglé des signifiants entre eux. Lacan nie *l'origine* dans l'inconscient, qu'il décrit comme une chaîne où les signifiants représentent d'autres signifiants. Le discours y est « retenu », fixé par les signifiants. Ce processus de fixation s'opère par l'intermédiaire de ce qu'il désigne sous le nom de « points de capiton » : moment par lequel, dans la chaîne, « un signifiant se noue à un signifié pour donner naissance à une signification ». C'est l'absence ou la défaillance de ce « capitonnage » qui donne lieu à la psychose. Comment ne pas reconnaître, dans la théorie lacanienne, cette figure du chaînage qui caractérise le travail de Raymond Hains ? Un autre point commun est l'attention qu'ils portent tous deux au nom propre : Lacan a mis au premier plan les déterminismes liés au langage, et plus particulièrement aux patronymes, ces signifiants majeurs par lesquels glissent en douceur les signifiés. Rappelons seulement l'anecdote de cet analysé qui, visitant la boutique d'antiquités sise devant le domicile du psychanalyste, y déroba une canne : il voulait s'approprier *Lacanne*… Raymond Hains : « Camille Bryen, auteur de poèmes illisibles, a-t-il pensé qu'il était né à Nantes, la ville du petit-beurre LU ? » Cette réflexion, qui accompagnait la présentation en 1983 de codes-barres « éclatés », témoigne de l'apport lacanien au système de Hains. Celui-ci, s'il s'articule autour de « points de capiton » sur lesquels trébuche le sens, n'est cependant pas réductible à un discours psychanalytique, quel que soit le degré de parenté existant entre ce système et la théorie lacanienne : car si les œuvres de Hains nous montrent que l'univers est structuré comme un langage, elles ne se limitent pas à ce constat, explorant les limites externes de ce langage et révélant un au-delà de la « langue-univers » ; à savoir, les points de basculement où la logique et la linguistique se voient prises en défaut. Dans son œuvre, l'idée de déterminisme inconscient (ou conscient, d'ailleurs) se voit détruite par la prolifération des micro-déterminations : les signes s'enchaînent, se connectent les uns aux autres, jusqu'à la fission ultime qui aboutira à l'œuvre visible. Le pot doré de Raynaud lui fait penser aux « Classiques Pauvert » où paraissent les œuvres du marquis de Biévre, la fondation Cartier abritant son exposition étant alors située dans la vallée de la Biévre, contenant le Pouce de César, devant lequel Astérix s'écrie « Gavrinis », qui est une île du Morbihan, en Bretagne, où il est né…

La psychanalyse alors ne suffit plus à soutenir cette entreprise : pour entendre le discours artistique de Hains, il nous faut avoir recours à la théorie du chaos. Et sur quoi s'appuie donc celle-ci ? Précisément, sur l'omniprésence de points critiques au-delà desquels tout peut basculer ; sur des dynamiques non linéaires, complexes et insaisissables, qui produisent un ordre ayant l'apparence d'un désordre… Force est de constater que l'unité de base de l'opus hainsien s'apparente à « l'effet papillon », déclenché par une classe de phénomènes infimes s'amplifiant jusqu'à bouleverser de fond en comble le système organisé dans lequel ils apparaissent. Si l'on part de l'hypothèse chaotique, découverte au début des années 1960 par le météorologiste Edward Lorenz, l'œuvre de Raymond Hains quitte le domaine de la pure subjectivité pour toucher celui de l'objectivité scientifique. Les systèmes dynamiques (l'atmosphère terrestre, par exemple) modélisés par les scientifiques ont permis de déceler l'existence de ces turbulences réglées ; ceux que modélise Hains, loin de représenter un folklore subjectif, font apparaître en permanence les perturbations sémantiques qui fondent notre existence. Toute culture, à l'instar des autres systèmes organisés, fonctionne selon des règles linéaires parasitées par des « systèmes non linéaires » apparemment improductifs. La grandeur de l'œuvre de Hains réside dans la prise en compte exclusive de ces lois chaotiques : elle constitue bel et bien une théorie du chaos culturel, qui reporte dans l'ordre des représentations les découvertes les plus déterminantes de la science des systèmes chaotiques. Après tout, comme le soulignent les scientifiques eux-mêmes, « les découvertes capitales proviennent souvent de personnes égarées hors des limites normales de leur spécialité[4] ». On considère que la turbulence dans les fluides provient d'un « objet abstrait, entrelacé à l'infini », baptisé « attracteur étrange ». Comment pourrait-on mieux décrire les œuvres de Raymond Hains ? Objets abstraits, elles le sont indubitablement, matérialisant tant bien que mal les cheminements de sa pensée. L'infini ? Elles sont l'aboutissement d'une infinité d'interprétations et se dirigent vers un foisonnement équivalent. Les œuvres de Hains sont les « attracteurs » sur lesquels sa pensée vient buter, puis rebondir. Après les « points de capiton » lacaniens, qui ponctuent la surface d'une pensée, les attracteurs étranges permettent de percevoir comment se structure la pensée hainsienne : un méticuleux tissage discursif du réel, que scandent de régulières poussées vers la visualité, considérée comme une sorte de « matière noire » chaotique. Chez Hains, c'est l'invisible (la logique) qui s'avère stable : au contraire, les œuvres forment d'obscurs points d'engouffrement. S'il déclare exposer afin de « mettre de l'ordre » dans son système, ne nous trompons pas sur la nature profonde de cet ordre : non linéaire, celui-ci n'est guère différent de ceux qui régissent la circulation des automobiles sur le périphérique, les circonvolutions d'une fumée de cigare ou l'évolution d'un littoral. Il s'agit là d'ordres chaotiques, régis par d'imprévisibles turbulences canalisées par des « attracteurs étranges »...

Le statut du langage et l'invention de l'existence

Le travail de Hains se présente sous la forme d'une diction du réel, un phrasé particulier que coagulent, le temps d'une exposition (celle-ci étant toujours problématique), des images ou des objets. Il s'agit finalement d'une rhétorique de l'existence, de l'établissement d'un biotexte : se définissant comme « *un photographe qui emporte le motif au lieu de le photographier* », Hains est un artiste qui vit son œuvre et condescend parfois à la montrer. Pour écrire ce biotexte, Hains utilise toutes les ressources de la rhétorique classique, procédant par décompositions, regroupements, contractions, sédimentations, et fait exploser les signifiants en de multiples éclats scintillants de sens. Trop littéraire, l'œuvre de Raymond Hains ? Elle ne l'est, en tout cas, ni plus ni moins que celle de Marcel Duchamp : elle représente la machine linguistique la plus performante depuis celle de Raymond Roussel, qui, ce n'est pas un hasard, inspira Duchamp en profondeur. En cela, Hains se révèle « nouveau réaliste » d'une manière inattendue : « Je construis, comme Tinguely, des machines. Celles de Tinguely étaient des machines-farces et attrapes, les miennes sont des pièges à mots[5]. » Plus qu'aucun autre artiste, Hains s'apparente à ces écrivains qui construisirent, à partir du langage, de véritables sculptures textuelles. Outre Roussel, on pourrait citer l'inénarrable Jean-Pierre Brisset, ce philologue du XIXe siècle qui s'acharna, de manière peu orthodoxe, à rechercher l'origine du langage. Brisset fut une sorte de médecin-légiste du langage, disséquant les mots afin de leur faire rendre leur sens. Ainsi l'expression « en société » :

« En ce eau sieds-té sieds-toi en cette eau. En seau sieds-té, en sauce y était ; il était dans la sauce, en société. Le premier océan était un seau, une sauce, une mare, les ancêtres y étaient en société[6]. » Analyse folle et infinie, décomposition de la langue à partir d'elle-même… « Il s'agit, explique Michel Foucault dans l'essai qu'il consacra à Brisset, pour une unité actuelle, de voir proliférer les états antérieurs qui sont venus cristalliser en elle[7]. » Mais Brisset travaille sur l'origine de la langue, sur les universaux qu'elle recèle et recouvre. Or, nous l'avons vu, aucune origine ne fonde les manipulations hainsiennes. Chez lui, chaque chose est à elle-même son point de fuite, à la fois origine et destination. Toutefois, à l'instar de celui de Brisset, l'univers hainsien est d'essence hologrammatique : chaque œuvre est une prise de vue qui en contient une infinité d'autres, chaque point du texte se dissémine. Deux des phrases clés de sa conversation fondent sa grammaire : « ce qui nous ramène à… », principe de liaison, s'y oppose à « ce qu'il ne faut pas confondre avec… », qui affirme une bifurcation. Machine littéraire, machine vécue… Les propositions de Roussel sont d'une tout autre nature.

Dans ses textes, l'auteur de *Locus Solus* cherche à combler, par le récit, la distance existant entre deux propositions euphoniques. S'ouvre alors une prolifération infinie et spectaculaire qui se referme petit à petit sur elle-même, une fois le texte revenu à son (presque) point de départ. Là où Brisset voyage vers la matrice du langage, Roussel construit des systèmes clos sur eux-mêmes, à l'image du tour du monde qu'il effectua à bord d'un paquebot, sans jamais ouvrir la fenêtre de son hublot.

Hains, lui, propose un itinéraire explosif, chaotique et fractal. Ni retour aux origines ni fermeture, ses périples linguistiques (et peu importe qu'il ne s'agisse pas de « littérature ») offrent l'image d'une ramification infinie et ouverte. Le pointcommun de ces trois démarches réside dans leur reconnaissance de l'antériorité du langage, et de la nécessité de fendre les mots (et les choses, en ce qui concerne Hains) pour voir ce qu'ils ont dans le ventre.
Le trait dominant de ces travaux, c'est l'affirmation de l'autonomie de la sphère linguistique. Pour en comprendre la portée, il faut se reporter aux débuts du modernisme : à Rimbaud écrivant « on me pense » dans une lettre à Georges Izambard (13 mai 1871), à Mallarmé pensant que les

mots parlaient à travers lui. Toute la modernité se base sur cette intuition d'une matérialité de la langue. Le langage va remplacer l'Homme en tant que centre du savoir, expliquait encore Foucault dans *Les Mots et les choses*, résumant ainsi la pensée structuraliste. Chez Hains, on retrouve une même reconnaissance du langage en tant qu'univers autarcique, possédant ses lois propres. Mais il ne se contente pas d'accréditer l'intuition fondamentale de la poésie moderniste et du structuralisme, il fait un extraordinaire pas en avant. Son système artistique, explique-t-il, permet de « s'inventer soi-même avec ce que l'on regarde. » Ce faisant, il donne au texte (terme entendu ici dans un sens très large), au langage qui nous « remplace », le rôle d'un vecteur de création de soi. Hains se construit à partir d'éléments linguistiques, tel un Arcimboldo vivant. Il développe une véritable éthique du voir : percevoir, c'est avancer, inventer des trajectoires, pour peu que l'on sache s'incorporer ce que l'on voit. Il faut faire de sa vie un texte, qui est l'œuvre elle-même : Hains se rend ainsi à Troyes pour y boire un verre au bar de l'Odyssée, à Lapalisse pour y acheter des « vérités » dans une confiserie, à Saint-Malo pour y visiter la maison des Magon, cette famille fortunée dont les origines se trouvent à Carthage, où ils auraient inventé la mayonnaise… Il part pour Dinard après avoir vu une photo de son grand-père devant l'hôtel Windsor de la ville, parce qu'il a vécu lui-même à l'hôtel Windsor, à Nice. Dans son existence, rien ne se perd et rien n'est hasardeux, tout est susceptible de sens. Lire sa vie, c'est l'écrire. C'est dans ce sens qu'il faut entendre sa formule fameuse : « Je prends les choses au pied de la lettre pour mieux retomber sur les miens. » Parlant des affiches arrachées, il les qualifia un jour, en les comparant à des tapisseries modernes, de « point noué du paysan de Paris »… Mais s'agissait-il de l'affiche en tant qu'objet ou bien de l'acte de *collecter ces affiches* ? Le paysan de Paris, tel que le décrit Aragon, va à la rencontre du hasard : ce « point noué », ce tissage, ce texte, c'est le comportement de l'artiste qui le met en acte.

Les œuvres de Hains s'apparentent ainsi aux *hypomnénata*, ces tablettes sur lesquelles les Grecs consignaient des règles de vie et des maximes éthiques, qui reflètent un comportement axé sur le commentaire et l'annotation. Une promenade morale. Dans ce sens, Hains est un *sémionaute*, un voyageur parmi les signes. Accumulant les fiches, annotant les livres selon un système personnel, Hains range ses trouvailles dans des valises, instrument privilégié du voyage. Toute sa vie, vécue dans des hôtels et des lieux de passage, forme avec son œuvre un tout cohérent de bout en bout. D'où le rapport intense qu'il entretient, par exemple, avec la nourriture. Le texte qui fonde notre vie, il faut l'intégrer, l'ingérer : le manger. Créer, c'est aussi manger et parler : la discussion est l'une des dimensions capitales du travail. Selon la formule d'Yves Klein, « [ses] œuvres sont les cendres de [son] art »…

L'événement

Collectant des affiches, dont les formes sont le produit d'une multitude d'interventions individuelles, Hains opère une critique radicale de la figure du *créateur* et donc de la notion de sujet tout court. Le « lacéré anonyme » est un sujet collectif. On retrouve chez le Hains photographe une même suppression du point de vue unique imposé par l'artiste : aucune trace d'un sujet, d'une conscience organisatrice, à un moment historique et à l'intérieur d'une idéologie esthétique qui le prédisposait pourtant au lyrisme individuel. *L'impression*, traditionnellement considérée comme l'origine de la prise de vue, a été immédiatement corrigée chez Hains par la surimpression… Il n'est pas anodin que, dès 1945, il se soit initié parallèlement à la technique de la photographie et à la poésie phonétique. Ces deux activités se recoupent sur un point : leur potentiel d'abstraction du sujet au profit de la matérialité de la technique et du langage. On retrouvera cette tendance dans le Nouveau réalisme, sous la plume de Pierre Restany, avec le concept d'*expressivité intrinsèque du réel* : notion centrale, mais étonnamment peu discutée. Devenant l'opérateur neutre (mais engagé par sa *responsabilité*) de l'expression, l'artiste assume la transsubstantiation du réel en art. Le sujet collectif succède au sujet individuel pour ce qui est de la production effective des signes : anticipation géniale sur ce qui est en passe, aujourd'hui, de devenir une religion du collectif, de l'humanité vague, du *socius*.

Or, qu'entend Raymond Hains dans le concept d'*expressivité intrinsèque du réel* ? Pour lui, il s'agit avant tout d'un pas vers « l'abstraction, c'est-à-dire abstraction du sujet[8] ». À cette progression vers un monde autonome du langage, « Raymond l'abstrait » (allusion à son exposition de 1963) fait correspondre un mouvement inverse, en instaurant dans son œuvre un régime nominal dans lequel les lieux sont des êtres pensants, et chaque parcelle de réel l'objet d'un acte de baptême. Il bâtit ainsi une topographie personnalisée, proche de celle que propose la « pensée sauvage », à travers des structures mythiques qui individualisent et isolent les unes des autres des parcelles de l'espace vécu. Saint-Malo, Dinard, Nice, Troyes, Jouy-en-Josas, Poitiers sont plus que de simples noms pour Hains : ils obéissent à une logique mythique et résonnent à l'intérieur de son dispositif comme autant de *sujets* autonomes. L'homme, dans ce dispositif, se voit dessaisi du privilège de signifier : il n'est plus le sujet unique autour duquel tourne le savoir, producteur exclusif du sens, mais un simple voyageur dont la tâche consiste à connecter les noms propres entre eux et à ingérer ce qu'il constate. L'équivalent moderne de ce qu'est le tatouage pour les indiens Bororo, c'est l'ingestion de l'œuvre.

Quelle est l'instance qui produit l'histoire ? Entre la structure, telle que la définissent Foucault, Barthes ou Lévi-Strauss, et le sujet de la pensée classique (la conscience autonome), le travail de Hains propose une troisième voie : celle de l'événement. On pourrait définir celui-ci comme une modalité de rencontre entre le Moi et le réel par l'intermédiaire de points de jonction proposés par le langage ; comme la création d'unités mobiles, temporaires, subsistant à leur formation par l'effet du langage, qui les fait *tenir*. De ce point de vue, l'odyssée hainsienne, très proche, l'introspection en moins, de l'entreprise autobiographique de Michel Leiris se racontant à travers les mots, n'est autre qu'un ensemble d'événements linguistiques et visuels qui forment un texte. La solution éthique qu'elle propose, que l'on peut résumer par la formule « regarder le monde comme un tableau », renverse finalement celle de Mallarmé : et si les mots devaient, un jour, aboutir à une vie ?

[1] Aude Bodet, « *L'art de se tailler en palissade* », in *Le Petit Journal de l'art*, 1992, p. 1.
[2] *Idem*.
[3] Élisabeth Roudinesco, *Jacques Lacan*, Paris, Le Seuil, p. 358.
[4] James Gleick, *La Théorie du chaos*, Paris, Flammarion, coll. Champs, p. 57.
[5] Discussion avec l'auteur, juin 1994.
[6] André Blavier, *Les Fous littéraires*, Paris, Veyrier, 1982, p. 84.
[7] Michel Foucault, p. 19.
[8] Cat. *Raymond Hains*, Poitiers, musée Sainte-Croix, p. 33.

Joseph Kosuth

Entre les mots (1998)

Si l'on mesure l'importance et la richesse intrinsèque d'une œuvre au nombre de malentendus qu'elle génère, puis à sa qualité de résistance aux malentendus, alors l'œuvre de Joseph Kosuth est bien placée pour occuper les premières loges, dans un paysage artistique où la question du sens est perpétuellement différée. En effet, plus que le problème de l'auto-définition de l'œuvre, c'est celui des processus de signification qui sous-tend le travail de Kosuth. Celui-ci ne se contente pas de définir ou de neutraliser l'image par le mot : en partant de leurs rapports, il explore des contradictions. Pour prendre un exemple, qualifier son art de « para-visuel », comme l'a fait John Perreault, est un contresens. Il importe donc de commencer en précisant ce que n'est pas l'œuvre de Kosuth : ni un règlement de comptes avec la philosophie, ni une tentative de déconstruction moderniste, ni un positivisme desséché et pragmatique. Les mots qu'il emploie ne sont pas des armes destinées à trahir l'image, ils servent à cette circularité que nous étudierons plus loin, qui constitue la structure basique de son travail. Le malentendu autour de Kosuth renvoie à un autre, plus étendu, qui a aussi touché Ludwig Wittgenstein, référence constante de l'artiste. Le philosophe viennois était perçu, jusqu'à des travaux récents, comme le père du pragmatisme anglo-saxon, analyste rigoureux des signes et des référents du langage, et rien d'autre. Par contre, on a délibérément ignoré en lui cette dimension ascétique, spiritualiste, mystique sans dieu, par laquelle il élaborait, en partant de la concrétude du langage, une sorte de théologie négative. Le fameux « ce dont on ne peut parler, il faut le taire », qui clôt le *Tractatus* de Wittgenstein, est très proche de la méthode autoréférentielle de Kosuth[1]. Le philosophe rappelle que « tout signe ne renvoie pas nécessairement à un fait possible » : il indique un mystère, une sorte de trou noir linguistique fait des « pièges du langage », qui est transcendance absolue. Et dans ce mystère, on ne peut pas aventurer le langage. Kosuth a ainsi tiré une leçon importante des écrits de Wittgenstein : les mots ne sont pas capables de cerner le visible, ni de décrire l'expérience humaine ; en tout cas, pas plus que les images. Tout langage est signifiant par ce qu'il cache, autant que par ce qu'il peut montrer. Dans cette optique, la démarche de Kosuth se situe fatalement « après la philosophie », et plus particulièrement après Wittgenstein… L'auteur de Within the context/modernism and critical practice se défend donc de toute confusion entre la science et la connaissance.

Comment, dans ces conditions, prendre au premier degré son travail sur l'autodéfinition de l'œuvre ? Comme les signes chez Matisse, les mots de Kosuth ne constituent un sens que par leur appartenance à une totalité qui les légitime, en les articulant autour d'un fait de langage. *Le langage philosophique ou théorique, écrit-il, est une parole à l'intérieur de la langue de l'art. (…) La langue de l'art est elle-même une parole*. Il ne s'agit donc pas d'établir une équivalence artificielle entre la pensée discursive et la pensée visuelle, mais de disqualifier la philosophie en la faisant bégayer. Si Kosuth reprend littéralement la théorie des « trois lits » de Platon, avec *One and three Chairs*, c'est sans aucune naïveté. Platon avait pour but de porter le doute sur l'activité artistique, en la décrivant comme un éloignement mensonger du réel, un leurre. Au contraire, Kosuth se sert des armes de Platon pour redonner à l'art une légitimité, dans le cadre nouveau d'une pratique « post-philosophique ». Comme toute grande œuvre, celle de l'Américain ne se laisse pas définir par un procédé, un « truc » ou une manière : elle s'envisage en termes d'espace. Et cette interzone entre le mot lu et le mot vu, entre l'image et l'écrit, est bien un espace radicalement personnel – méritant mieux que le terme de « nouveau ». Une telle définition d'espace n'a eu d'équivalent qu'avec Yves Klein, un autre boulimique de la pensée. Souvenons-nous que Kosuth, en 1965, gardait un exemplaire de *Dimanche/Journal d'un seul jour*, accroché sur un mur de son atelier new-yorkais. À l'occasion du vingtième anniversaire de la mort de Klein, il a d'ailleurs rendu un émouvant hommage à « Yves le monochrome » dans Art Press. Et on peut percevoir les nombreuses interventions de Kosuth dans des journaux comme *The Times* ou *The Sun* (les *Communications of Ideas*), comme des allusions directes à ce « Journal d'un seul jour », qui mettait lui aussi les postulats de l'artiste à l'épreuve du quotidien. *Text/Context*, série de textes affichés dans la rue (1979), confirme cette incursion expérimentale dans la vie quotidienne.

Tautologies

L'exercice de la tautologie, chez Kosuth, est plus proche, par ses intentions, du « Vide » de Klein que des œuvres conceptuelles de Barry ou Baldessari. Nous savons que la tautologie est une figure de rhétorique qui consiste à répéter la même idée en des termes différents. Comme l'écho : *One and three Chairs*, qui présente, selon l'un des procédés les plus connus de Kosuth, une chaise, l'image d'une chaise et sa définition, côte à côte, confronte le spectateur à un effet de court-circuit. Et lui assène une telle évidence visuelle que, paradoxalement, il en vient à douter de sa perception. Ce n'est donc que cela ? On ne peut pas sortir de ces trois termes, de cette boucle-là ? L'œil cherche immédiatement un piège, hésite entre sa perception esthétique et sa perception utilitaire, pour employer les données de la phénoménologie. Il erre entre les trois éléments de notre expérience, comme dans les films de Godard de la même

époque (1965) : le spectacle de la vie se confond avec son analyse. Kosuth explique cette première période, que résume son célèbre texte *Art after philosophy*, en disant que son but était de *décrire le modèle moderniste comme étant une tautologie*. Celle-ci constituant à la fois la présentation de l'intention de l'artiste, la description de son œuvre et une définition de l'art. C'est ce qu'il appelle la *circularité moderniste*, un « système clos ».
À travers cette « circularité », Kosuth échappe au projet moderne, basé sur la déconstruction analytique et l'auto-définition. Il se place sur le terrain du langage et de la critique, tandis que l'académie moderniste n'admet alors qu'un travail sur la « spécificité du médium ». Pourtant, il sait pertinemment bien que les artistes produisent du *sens dans la mesure où ils peuvent articuler leur propos dans le contexte, qui fournit le sens tout en le limitant.* Mais s'il tourne autour d'un « degré zéro » de l'œuvre, celui-ci se situe du côté de *l'énoncé*, pas du matériau. C'est ce qui sépare les « Ultimate paintings » d'Ad Reinhardt des auto-définitions de Kosuth, qui se limitent délibérément à leur énoncé, véritables *objets parfaits* qui accomplissent leur programme à 100 %. *Le langage du positivisme correspondait (was aptly suited) à cette tâche de description du modernisme*, écrit-il. Si les peintures noires de Reinhardt, elles, hésitent sur le seuil de leur disparition, les énoncés de Kosuth sont la disparition même, disparition de l'objet dans une circularité qui enveloppe le spectateur dans un « effet-Larsen » visuel. L'effet-Larsen naît lorsque la source du son est trop proche de son amplificateur. Dans *Five words in yellow neon*, par exemple, constitué par sa description, l'énoncé est collé au matériau ; la distorsion est là. De même, Kosuth évoque l'idée de la fenêtre : l'œil y hésite, regarde à travers sans pouvoir s'empêcher de regarder la fenêtre elle-même. On pourrait ainsi rapprocher le travail d'épure de Kosuth de celui qu'a pu accomplir un Giacometti, le drame en moins. Le sujet ne fait irruption, chez l'un comme chez l'autre, que par la fragilité de son inscription dans l'espace ; l'image est définie par sa capacité d'effacement. *Ce qui est dit ici veut suggérer une absence. (…) Ce texte rendrait lisible les conventions qui vous relient à lui, mais les voir vous rendrait aveugles à ce que c'est*, lit-on sur une affiche de la série *Text/Context*.

Traductions

La traduction est une déclinaison de la tautologie. Ces deux figures s'équivalent, en ce que la parfaite circularité qu'elles suggèrent appelle une faille, une lacune, un défaut dans la mécanique du sens. Un « point aveugle » (*Blind spot*), titre d'une pièce ultérieure. « Mon travail est fait de rapports, explique Kosuth, et pour établir ce rapport j'utilise des choses. » Toute traduction crée un rapport entre deux textes, et donc un intervalle, éclairant ou obscurcissant tour à tour certaines significations. À cet intervalle correspond d'ailleurs la différence existant entre un objet, son image et son concept (*One and three Chairs*), entre une image et un texte (*Cathexis*), entre un texte et son recouvrement (*Zéro & not*) ou son commentaire (*Fetichism-corrected*). Chez Kosuth, une part du message s'évapore toujours. Rappelons-nous les passages où Wittgenstein parle des « pièges du langage » ! Contrairement à la plupart des artistes conceptuels, Kosuth ne croit pas à une innocence, à une transparence du langage écrit, qui suppléerait aux prétendus « mensonges » du visible. C'est pourquoi il attache une grande importance à l'idée de traduction, qui est l'emblème de cette non-transparence. Dans la série *Investigations* (1971/1972) Kosuth propose le problème suivant : *Il y a sept interprètes pour une conférence internationale. (...) Chacun parle au moins une langue en plus de sa propre langue. Cinq d'entre eux parlent deux langues en plus de la leur...* Ce texte étant lui-même traduit de l'anglais en français, puis du français à l'allemand, et ainsi de suite. Pour Kosuth, il n'y a pas de source unique du sens qui le fonderait en valeur absolue, il n'y a que des déplacements à l'intérieur d'un contexte donné. Dans *Five titled meanings*, il présente cinq traductions du mot anglais « meaning » empruntées à cinq lexiques. La même année, en 1966, il donne trois définitions différentes du mot « traduire ». La problématique se noue donc, dès les origines du travail, autour des relations ambiguës existant entre le fait de *produire du sens* et de *traduire une signification*. Toute image est la traduction d'une idée. Passer d'un ordre de langage à l'autre, de l'alphabétique à l'iconographique, n'étant aucunement « naturel », Kosuth porte notre attention sur les scories de cette opération. Ce passage d'un état à un autre, qui est le sujet même de son œuvre, amène fatalement une déperdition, une altération des propriétés traditionnelles de l'œuvre d'art. C'est un problème de physique de la pensée : de la même manière, l'eau chauffée par le soleil s'évapore, se condense en un nuage avant de redevenir liquide. De l'idée à l'image, et de la forme à l'idée, le système de Kosuth fonctionne comme un *condensateur*. Seul le système, le processus, fait figure de solide. Givre d'images, buée qui opacise une vitre, une œuvre de Kosuth n'est jamais définitivement stable : elle doit changer perpétuellement d'état, se *traduire*, pour conserver la quantité d'énergie qui y est investie. Et la référence à Freud prend ici toute son ampleur… Le père de la psychanalyse ayant su déceler dans la condensation un mécanisme primordial du rêve, et Kosuth revendiquant dans sa pratique la logique supérieure du rêveur. Dans la petite cuisine onirique, la condensation est la technique spontanée de traduction d'une idée sous une forme acceptable par l'esprit, par le regroupement de plusieurs éléments en un seul. N'est-ce pas là une méthode assez voisine de celle de l'artiste ? Si Freud voyait dans le rêve le « gardien du sommeil », on pourrait supposer que Kosuth envisage l'art comme le « gardien de la pensée ». Dans ce sens-là encore, l'art est « après la philosophie ».

Commentaires

Les séries *Cathexis* et *Hypercathexis* sont une dimension supplémentaire de cette métaphysique de la circularité… Ici, sous l'angle du commentaire, Kosuth entend *parvenir à la signification en tant qu'art sous le couvert d'autres discours*. Cette opération appelle d'ailleurs une participation active du regardeur, dont le discours est pris en charge, comme redoublé par l'œuvre, érigé en boîte à vertiges. Dans Cathexis, l'image, détail agrandi d'un tableau ou d'une fresque, est renversée, car *le fait d'inverser l'image*, écrit Kosuth, *stoppe le monologue de la peinture*. Elle est ponctuée de petits x de couleur, qui semblent symboliser l'exercice du commentaire. Un dialogue infini semble s'instaurer entre l'image et le texte, entre l'œuvre et le spectateur, dans une circularité sans fin. On ne peut s'empêcher de penser, devant cette fascination pour le commentaire, à la *Kabbale* hébraïque, pour laquelle le texte n'a de valeur que s'il est commenté. Mais les procédés des kabbalistes tendaient à déchiffrer, à la lecture des textes sacrés, une vérité interdite ou cachée. Ces textes étant dictés par le divin, donc parfaits, la disposition de chaque lettre était susceptible de recéler les messages ésotériques. Kosuth : « Le monde et l'art qui le représente sont présentés comme naturels et sans problème. » L'importance du commentaire, par lequel Kosuth cherche la vérité de l'art et donc du monde, rejoint donc la pensée juive. Emmanuel Levinas écrit ainsi que « le *Dire*, c'est le fait que devant un visage, je ne reste pas simplement là à le contempler, je lui réponds ». Chaque énoncé de Kosuth semble concrétiser une question : l'absence transcendentale au cœur de chaque représentation (la tautologie), le déplacement par la condensation (la traduction), et maintenant cet « entretien infini » dont les termes sont inscrits dans l'œuvre même. L'art contient donc, en système clos, son propre processus critique, totalement auto-concentré, sans que le texte ou l'image ne soit subordonné l'un à l'autre. *Le projet de l'art*, écrit-il, *peut être vu comme les deux faces du cercle herméneutique : démystification et restauration du sens.*

Recouvrements

L'importance qu'a pris, dans son travail des années 1980, les thèmes de l'effacement, du recouvrement, indique encore un niveau supérieur de la spirale kosuthienne : commentaire et recouvrement s'équivalent, ainsi que la tautologie et la traduction. *Zéro & not* (1986) joue sur l'idée que les mots contiennent une vérité cachée. Dans cette installation in situ, on peut « lire » un texte de Freud sur le lapsus qui parcourt les murs de la salle d'exposition, chaque ligne étant recouverte d'une rature noire qui permet à peine d'en reconnaître les lettres. Il s'agit, là encore, d'un travail tautologique qui procède par déplacement. En effet, la rature désigne ce qu'elle efface, tout comme le lapsus ou l'acte manqué, qui sont eux aussi des actes de recouvrement. La pratique de la rature est donc une sorte de pléonasme, un redoublement du texte de Freud. Kosuth perçoit cette stratégie de l'effacement comme un commentaire de son propre travail. *Il faut voir l'art comme le voit l'artiste*, écrit-il à propos d'Yves Klein, *comme un cheminement, une lutte pour constituer un sens, l'effacer et le transformer*. Un an plus tard, dans la série *Word, sentence, paragraph*, Kosuth présente au mur une phrase, rayée d'un trait de néon : *De toute manière, cette phrase ne contient rien qui m'illumine, rien qui mérite d'être oublié*. La rature au néon est encore plus explicite quant à l'*impossibilité d'effacer* qui semble obséder Kosuth. Le néon immatérialise le texte, plus qu'il ne le cache. Fascinant par sa présence lumineuse et par cette rhétorique de la disparition, le texte effectue un double mouvement qui évoque les icônes, peintes sur un fond d'or. Celui-ci, selon l'angle de vision, apparaissant comme pure lumière ou comme obscurité totale. Une sombre clarté : le travail de Kosuth sur le texte n'est-il pas marqué par cette obsession du dialogue, par des allers et retours, par l'intertextualité, l'espace entre les choses plus que les choses elles-mêmes ? J'ai essayé de ne pas utiliser le mot de « dialectique », quoique tout semble nous y ramener, mais toute dialectique se conclut par une synthèse ; or Kosuth, au lieu de clore ses contradictions, exacerbe les tensions qui existent entre elles. C'est le mécanisme de la pensée mystique, qui procède par décharges contradictoires, par oxymorons. Mais Kosuth n'est pas, bien entendu, un mystique ; il ne postule aucun objet auquel sa pensée serait subordonnée. Il ne va nulle part, il est entre, entre les images, entre les textes.

[1] Elle est aussi très proche – et par là on pourrait faire éclater l'univers dans lequel on confinait jusque-là Kosuth – de la pensée de Georges Bataille, dont la théorie de la « souveraineté », opposée à la «sphère de l'activité », permettrait de creuser l'expérience de l'artiste. Mais là n'est pas notre sujet…

Alain Jacquet
La preuve par le vide (1993)

Je suis mystique au fond et je ne crois à rien.
– Flaubert

Jacquet est l'un de ces artistes pour qui l'expérience du regard relève toujours d'un fort quotient d'inefficacité, voire de la déception, et qui envisage la peinture comme la figuration d'une impossibilité, plus que comme un objet fini. Chaque œuvre prend place dans une chaîne, sans jamais en faire figure d'aboutissement. C'est d'une recherche que nous allons donc essayer de témoigner, plus que d'une production d'objets. Tout d'abord, parce que Jacquet n'a pas capitalisé sur une formule, rejoué sempiternellement la même partie, tiré des chèques en bois sur une matrice de formes. Ce jugement peut sembler paradoxal concernant le principal acteur du *Mec Art*, dont chacun connaît les multiples épreuves et déclinaisons tirées du fameux *Déjeuner sur l'herbe* de 1964. Mais c'est justement cette intuition inaugurale du tableau comme découpable et recadrable à l'infini, qui, en généralisant l'idée de matrice à tout fragment du réel, aura permis à Jacquet de ne pas enclencher la planche à billets.

Cette œuvre, s'il faut la traduire en termes d'espace, ressemblerait à un hologramme aux contours indéfinis, chaque point de l'image contenant donc la totalité du champ : toutes ses œuvres, d'une certaine manière, sont issues du *Déjeuner sur l'herbe*, sans que le regardeur soit jamais en mesure de le reconnaître visuellement. Quoique Jacquet ne rompra jamais totalement avec la trame, il préférera la déployer sur des terrains hétérogènes qu'en tirer des effets plastiques. Si son œuvre s'ouvre sur ce « déjeuner » en forme de logo, le caractère emblématique de celui-ci restera cependant lettre morte. Sa logique n'étant pas formelle, encore moins formaliste, le parcours d'artiste de Jacquet déroutera tous ceux qui se conduisent dans l'art avec l'œil rivé sur la carte d'état-major. Il faut dire qu'il accumule les handicaps : le *Mec Art*, coincé entre le Nouveau réalisme et le Pop art, ne vivra que par lui, et le privera donc de la couverture d'un « mouvement ». De plus, il arrivera sur la scène artistique au moment où le circuit américain verrouillait toutes les issues ne menant pas au Pop ou à l'art minimal, suspectant de « psychologisme » et d'« anthropocentrisme » des travaux qui, comme le sien, ménageaient une place au sujet, à l'interprétation, à l'humour. Nous avons maintenant les moyens théoriques de faire un point plus nuancé sur cette période de l'histoire, et d'y réévaluer les œuvres respectives d'artistes « hors-cadre » comme Tetsumi Kudo, Paul Thek, John Latham, Erik Dietman, Philip King, Jacques Charlier, Borofsky ou Jacquet. Moment peut-être aussi d'analyser l'idéalisme de l'art minimal, sa prétention à la transparence, son hégémonisme, et son insuffisance théorique par rapport à l'art conceptuel qui lui est pourtant presque exactement contemporain. Il ne s'agit pas ici de dénoncer gratuitement l'échafaudage historique des années 1960 pour le plaisir d'y incorporer des « mavericks », des solitaires, mais d'introduire à la simple idée que certains des chefs-d'œuvre de l'art minimal, voire Pop, furent produits par des artistes qui ne participèrent pas officiellement à ces mouvements.

La modernité a en effet introduit dans la pratique artistique un reclassement de l'objet dans la chaîne du sens :

l'histoire de l'art ne se limite pas à l'histoire des choses, elle se voit forcée de prendre en compte cette signalétique de l'existence qui n'est pas moins signifiante que les surfaces et les volumes sur lesquels elle s'inscrit. Au-delà de l'analyse des objets, il est possible de procéder à celle des gestes que l'artiste met en jeu dans sa pratique, cette somme des actions qu'il répète plus ou moins régulièrement à l'intérieur du dispositif que forme son œuvre : l'art moderne, dans sa totalité, appelant une cohérence entre la vie, la pensée et la production matérielle. Il est ainsi nécessaire de relire le récit de la production artistique depuis 1960 selon une perspective différente, d'opérer un classement d'événements qui ne dépendrait plus du taux d'efficacité plastique des œuvres. Paul Valéry, judicieusement, appréhenda Léonard à partir de sa méthode : le geste peut servir de base au discours critique. Le terme de « geste » doit cependant être pris ici dans un sens élargi : relève du geste, en plus des opérations réfléchies nécessaires à la fabrication de l'œuvre, toute la production de signes qui lui est périphérique (actions, anecdotes, à-côtés). Comme l'expliquait Lacan, le geste est un acte suspendu, donné à voir[1] : dans le cas d'Alain Jacquet, l'histoire des choses fabriquées se superpose exactement à celle des gestes mobilisés. Les trois grandes « périodes » de son œuvre, qui se chevauchent et reviennent en arrière, correspondent à la découverte successive de trois gestes fondamentaux : superposer, « mailler », interpréter, trois gestes qui ne cesseront de se croiser et de se répondre trente ans durant, et qui se verront plus ou moins mis en valeur selon les périodes.

Superposition

Et ce sont des *superpositions* d'images qui inaugurent la carrière de peintre de Jacquet, en 1962. Certes, un an auparavant il avait réalisé une série de peintures librement inspirées du jeu de jacquet, ancêtre du backgammon : nous verrons comment cette série anticipe sur la dernière période de l'œuvre, mais donnons provisoirement à ces toiles le statut d'un faux départ, en forme de règlement de comptes avec son nom de famille… La première série réellement importante sera donc celle des *Camouflages*, huiles sur toiles dans lesquelles se superposent deux ou plusieurs couches iconographiques à partir de la « reprise » d'une œuvre connue : Michel-Ange, Klimt, Chirico ou Botticelli se voient ainsi « camouflés » par des volutes de couleur, ou recouverts plus ou moins totalement par une image empruntée à la vie quotidienne. Une peinture de Mondrian, par exemple, se voit masquée à demi par un panneau de signalisation routière, lui-même surmonté d'un début de feuillage. Les toiles ainsi recomposées ne sont pas toutes des classiques : Jacquet s'attaque ainsi à des Lichtenstein dès 1963, c'est-à-dire au moment même de leur sortie dans les galeries. On peut lire cette série comme un étrange avant-courrier du thème postmoderne de « palimpseste », issu du concept d'intertextualité développé par Julia Kristeva et Gérard Genette, selon lequel toute image ne serait que la reprise d'une autre image, tout texte le commentaire d'un autre texte, et ceci à l'infini. Mais il me paraît plus juste de lire les *Camouflages* comme l'expression encore intuitive d'une vision du monde comme un vaste hologramme : pour Jacquet, dès 1962, l'image joue le rôle d'un point dans une trame infinie. (Et la série des Images d'Épinal, de la même année, joue avec les clichés du répertoire naïf comme avec des cartes à jouer.) Il évolue ainsi, dès ses débuts, dans un univers de la surface, démentant la vision classique d'un espace profond abritant des entités distinctes, mais un espace-écran sur lequel les formes se superposent, se succèdent et s'interpénètrent, en perpétuelle formation. Dès les *Camouflages*, les formes surviennent les unes sur les autres, les unes par les autres, dans un interminable feuilletage. Ainsi Jacquet rejoint-il cette idée connue selon laquelle la réalité, comme l'oignon, ne serait constituée que de couches superposées… C'est pourquoi il peut, en 1968, recouvrir exactement un sac en toile de l'image d'un sac en toile, une tôle ondulée de l'image d'une tôle ondulée[2] : l'art consiste à *rajouter une couche* à celles qui, recouvrant sa surface, définissent le réel. Tautologie ou pas, c'est à cette *pellicule* iconique que s'attache Jacquet. La période des images de la Terre illustre fort bien cette conception accumulative du réel : peintes à partir d'une image unique – le globe terrestre vu de l'espace –, ces toiles se succèdent comme si elles se superposaient les unes aux autres, comme autant de versions contradictoires d'un même fait. L'image, dans l'œuvre de Jacquet, est d'ailleurs clairement présentée comme l'effet d'un jeu de superpositions : tout d'abord, celle des couleurs primaires servant à définir la couleur ; celle des points qui se chevauchent pour densifier l'une des parties du motif ; celle des pixels enfin, que programme le passage répété du « pinceau » électronique de l'ordinateur. Quant au monde lui-même, il se voit défini comme une superposition d'images, que le rôle de l'artiste consiste à révéler, à interpréter ou à combiner différemment.

Maillages

Si les *Camouflages* instaurèrent l'acte de superposer dans l'œuvre de Jacquet, *Le Déjeuner sur l'herbe* de 1964 initia les jeux avec la trame, le *maillage* de l'image. Bien entendu, la superposition se continue dans la trame ; qui elle-même se nourrit de l'expérience des *Camouflages*. Toujours est-il que Jacquet trouvera dans la décomposition chimique de l'image mécanique le second grand principe de son travail, qui dominera son univers visuel jusqu'au début des années 1970, les pièces relatives à l'alphabet braille formant une transition. Le point, unité de base de l'image mécaniquement reproduite, sera aussi celle des œuvres « mécaniques » de Jacquet, puis, plus discrètement, de sa peinture ultérieure. Les grandes œuvres mécaniques des années 1960 mettent en valeur la texture de l'image, son *tissu*. Duncan Smith a opéré une distinction très juste entre l'utilisation de la trame par Jacquet d'une part, le Pop art de l'autre : « Chez Lichtenstein, le point signifie la photo, alors que chez Jacquet le point la constitue[3]. » En cela, son intuition « mécaniste » s'avère cousine du pointillisme de Seurat : même souci de monumentalité, même symbolisme très personnel… Mais la précision hallucinatoire des figures peintes par l'auteur des *Poseuses* naît d'une juxtaposition de fines touches dans des couleurs complémentaires, produisant un modelé presque électronique par anticipation ; celles de Jacquet ne visent aucunement à cette précision : la concentration des points colorés vient au contraire brouiller l'image, l'éloigner du réel. Celle du *Déjeuner sur l'herbe* semble ainsi l'effet d'une mise au point qui fixerait quelque objet invisible situé bien avant le groupe de figures. Notre regard bute sur cette chaîne de points reliée par le vide qui seul rend possible sa lecture, structurant l'image et suturant les coups de sonde de notre vision : lieu où se forme l'image tout en n'ayant pas d'existence propre, le vide est le principe actif de la peinture de Jacquet. Il rejoint ici la théorie taoïste, l'atomisme de Démocrite, la notion hindouiste de « Voile de Maya », tout autant que les intuitions de la science contemporaine. Comment ne pas citer, évoquant son œuvre, cette pensée de Lao Tseu : « Le Tao d'origine engendre l'un / L'un engendre le deux / Le deux engendre le trois / Le trois produit les dix mille êtres : Les dix-mille êtres s'adossent au Yin / Et embrassent le Yang / L'harmonie naît au souffle du vide médian. » Dans cette chaîne d'événements, le chiffre « trois » est de la plus haute importance. C'est lui qui, se plaçant entre le Un (le Yin, force passive) et le Deux (le Yang, force active), crée une fêlure rendant possible la suite des nombres : il incarne le Vide médian. Dans le dispositif de Jacquet, le Un est exprimé par le point : la peinture murale qu'il exécuta en 1971 à Genève, Silver Marble, représente cette figure de l'unité, un unique point ; mais ce point (le Un) est constitué d'une infinité de points (les dix mille êtres), se détachant sur le vide. Jacquet met astucieusement en scène cette fatalité de la peinture : l'unité et la multiplicité ne font qu'un, l'image contient toujours le reste d'autres images, la réalité n'a pas de fond sur lequel sa représentation pourrait s'appuyer… Seul le Vide, qui n'est ni unité ni multiplicité, permet à l'artiste de se déplacer focalement pour explorer la réalité de l'image, et, partant, celle du réel. Essentielle à la compréhension de la peinture chinoise, la notion de vide médian se voyait méticuleusement explorée par Jacques Lacan et le sinologue François Cheng, au cours de travaux communs, dans les années 1970[4]. Un rapprochement qui devient intrigant quand on connaît l'intérêt du psychanalyste français pour les figures topologiques, intérêt partagé par Alain Jacquet. Lacan a en effet essayé de traduire son enseignement par des constructions mathématiques : la bande de Mœbius, « sans endroit ni envers, donnait ainsi l'image du sujet de l'inconscient », tandis que la chambre à air « désignait le trou ou la béance, c'est-à-dire le vide médian de la philosophie chinoise[5] ». Jacquet va construire lui aussi des déclinaisons très personnelles de ces objets mathématiques, dont la caractéristique est de n'avoir ni intérieur ni extérieur. La bouteille de Klein sera ainsi traduite sous la forme d'un arrosoir (*L'Arrosoir*, 1972-1975) ou d'une paire de jeans (*Klein Jeans*, 1983), et l'anneau de Mœbius de revêtir l'aspect d'une petite statuette en plâtre (*Mâ Coco*, 1977) ou de la main de saint Jean-Baptiste figurée par un gant en caoutchouc – Jacquet renouant ainsi avec sa pratique de l'agrandissement. Ce qui est curieux dans cet engouement pour les surfaces topologiques, c'est qu'elles représentent la seule et unique manifestation de la continuité dans toute l'œuvre de Jacquet. Ses *Camouflages* créaient des hiatus à partir d'images connues, tandis que ses œuvres de la période *Mec Art* postulaient un monde encore plus discontinu, assemblages de points isolés par le vide ; sa peinture des années 1970 procédait du montage de fragments, aucune image ne pouvant jamais être considérée comme « complète » ou fermée sur elle-même ; et ses vues de la Terre des années 1980, assistées par ordinateur, frappent par la fréquence des sautes, des lapsus survenus dans la définition de l'image. Les surfaces topologiques constituent donc, dans l'univers de Jacquet, un moment de réflexion sur l'idée de continuité : et ce n'est pas un hasard si celle-ci se voit représentée sous la forme de ces « casse-tête », figures labyrinthiques, où la continuité de l'espace l'oblige à revenir sur lui-même sans aucune fin possible… « Continu » et « fermé » s'avèrent donc synonymes dans l'œuvre de Jacquet : au contraire, l'ouverture, le dynamisme, proviennent forcément du discontinu et du vide qui actionnent et justifient la peinture. L'image mécanique va servir de support à une méditation sur la nature du réel que Jacquet complexifiera progressivement, notamment par l'approfondissement de sa connaissance des systèmes de pensée orientaux. Le système Jacquet a intégré le concept bouddhiste de discontinuité, dans lequel l'ego est défini comme un montage de causalités hétérogènes comprenant des intervalles, des vides intersticiels appelés « vides de Turya ». La « réalité » visible n'a d'autre substance que cette chaîne chaotique et trompeuse, analogue aux 24 images/seconde à l'aide desquelles le cinéma donne l'illusion de la réalité. Le réel, tel que mis en jeu dans la pratique de Jacquet, s'apparente profondément à celui que la pensée bouddhiste assigne au registre de l'impermanence : il n'est saisissable que partiellement, d'un point de vue particulier et pendant un temps déterminé. Et c'est ce type de représentation en maillages qui fonde le vocabulaire pictural de l'auteur du *Déjeuner…*, maillage qui se défait sans cesse, tout comme le fameux *Tricot de Varsovie* (1969), que Jacquet faisait tricoter et retricoter par une couturière, tous les ans pendant dix ans. Le réel se délite donc en permanence, selon la définition qu'en donne Lacan : « manque à être ». Il n'y a donc pas d'autre possibilité pour l'art que d'épingler cette catastrophe (la peinture, qui bricole de l'image à partir de son décousu, de sa décomposition) ou de créer des machines à éternel retour, comme le *Tricot…*, les surfaces topologiques qui n'ont ni envers ni endroit, ou *La Baratte* (1971-1975), objet infini dont les combinaisons sont aussi innombrables que celles du Yi-King. Du côté du désastre, de la découture, surviendra le braille, apprentissage de l'impossibilité de rendre efficacement le réel ; du côté de la machine qui remédie au désastre en le mettant en boucle, Jacquet placera le Yi-King, système-expert de combinaisons infinies.

C'est justement l'introduction du jeu divinatoire du Yi-King (ou I-Ching) dans son travail, qui va marquer le tournant « interprétatif » de Jacquet, à la fin des années 1960 : mettant en rapport celui-ci avec le système binaire utilisé par l'informatique et l'alphabet braille, il découvre que ce dernier ne dispose que de soixante-trois signes, alors que soixante-quatre hexagrammes composent le Yi-King. « Il me manquait une cellule, explique-t-il. Et j'ai trouvé celle-ci quand j'ai découvert qu'étant donné la manière dont les Chinois écrivent, en serrant les caractères les uns contre les autres, lorsqu'il y a un espace, celui-ci devient un signe[6]. » Il lui sera alors possible de tracer un système d'équivalence entre ces trois registres de signes à partir du « vide médian » (*64 Kua, La Grande Gaufre*, 1973), autrement dit de fabriquer une machine visuelle qui fonctionne en comparant différents registres de l'interprétation du monde : la divination mystique, qui permet au présent d'envisager l'avenir ; le code informatique qui permet de communiquer avec la machine ; et le langage des aveugles, qui leur permet de « voir » le monde… On saisira mieux la richesse des analogies symboliques mises en branle par Jacquet si l'on s'aperçoit qu'il se base, là encore, sur un système d'oppositions qui se répercutent en écho. Ainsi les peintures « mécaniques » fabriquées par l'ordinateur sont-elles, en fait, des images aveugles, rendues visibles par une instance qui les produit sans les voir ; et les peintures « manuelles » qui suivront, hallucinatoires, se définissent comme des images aveuglantes, de celles qui « crèvent les yeux », comme les planches du test de Rorschach. L'art ? Un alphabet braille à l'usage de ceux qui voient.

Interprétation

Jacquet s'avère, en de nombreux points, contemporain de la pensée la plus avancée de son temps, et proche du structuralisme alors à son apogée. Pour le structuralisme, globalement marqué par la méthode généalogique et le « perspectivisme » nietzschéens, « il n'y a pas de faits, il n'y a que des interprétations » : seules existent des configurations mentales momentanées que matérialisent les institutions sociales et les discours, et qui produisent des idées, des phénomènes. Foucault analyse des « épistémê », ensemble de ce qu'il est possible de penser à un moment donné de l'Histoire. Toute pensée, pour lui, occasionne une analyse des conditions, des structures, qui l'ont produite de l'extérieur[7]. Sa célèbre formule de la « Mort de l'Homme » signifie seulement qu'il n'est pas le centre tout-puissant qui régule les savoirs. En quoi, une fois de plus, Duchamp se montra étonnamment en avance, en déclarant que « ce sont les regardeurs qui font les tableaux ». Nietzsche ne disait pas autre chose quand il écrivait que « le monde, pour nous, est redevenu infini, en ce sens que nous ne pouvons pas lui refuser la possibilité de prêter à une infinité d'interprétations ». De même l'inconscient selon Lacan, chaîne où les signifiants représentent d'autres signifiants, devant faire l'objet d'une « herméneutique infinie ». La pensée structuraliste ruine, partout où elle le peut, l'idée d'une possible objectivité : tout savoir, tout pouvoir, étant déterminé, agi par un inconscient spécifique, nous n'avons du monde qu'une perception relative et fragmentaire. On voit comment l'art d'Alain Jacquet tire parti, plus ou moins consciemment, de la constellation philosophique de son temps. À la fin des années 1960, même s'il n'a pas encore inventé le système interprétatif qui l'occupera jusqu'à l'heure où j'écris, Jacquet a déjà détruit dans son œuvre toute possibilité de vérité. Les innombrables versions du *Déjeuner…*, qui fragmentent jusqu'à l'absurde la scène primitive (le visage des protagonistes sera étiré jusqu'à dissolution complète de toute ressemblance à un être humain), abolissent la distinction académique entre « figuration » et « abstraction ». En cela, Jacquet apparaît proche de Sigmar Polke et Gerhard Richter qui travaillent en Allemagne à partir de cette même problématique. Des notions telles que l'abstraction ou l'image ne sauraient exister, puisque toutes deux font partie intégrante de la réalité : tout dépend de la distance à laquelle on se place, et de la vitesse à laquelle on va.

Dès le début des années 1960, la peinture de Polke, Richter, Richard Hamilton ou Jacquet rend compte de ce devenir-abstrait du monde. Autre point d'achoppement entre Jacquet et le structuralisme, le caractère « mécanique » des images qu'il produit, d'où tout point de vue subjectif, tout sujet, semble avoir été évacué. Les innombrables images extraites du *Déjeuner sur l'herbe* semblent ainsi obéir à une logique proliférante purement mécanique, incontrôlable, comme si elle était dirigée par une mécanique affolée de Tinguely. L'une des pricipales caractéristiques de la peinture des années 1960, est justement de ne jamais se situer à hauteur d'homme. Après les exercices de défiguration qui inaugurèrent le siècle, le peintre déformant la figure pour les bonnes causes de la composition et de l'expression (de Manet à Bacon, pour aller vite), la figuration picturale prend un tournant décisif en intégrant la machine à son processus de composition. Certes, la photographie avait déjà fait réfléchir plus d'un artiste, et Degas, par exemple, s'était inspiré des cadrages caméra pour peindre ses scènes de danse ou de café-concert, mais la composition finale n'en était pas moins empreinte de sensibilité, de subjectivité. Rien de tout cela avec les artistes précités. Dans cette peinture *para-figurative*, le regard – délégué sur la toile par la touche, vecteur de subjectivité – a disparu. La composition cesse de s'ordonner selon le point de vue humain, émotif, de la perception : la peinture va s'ingénier, au contraire, à figurer le point de vue de la transmission dans lequel nous sommes, à notre tour, regardés par des machines. L'hyperréalisme sera la face dogmatique de cette révolution initiée par la passion duchampienne pour la froideur du dessin technique ; son autre visage étant représenté par la peinture pop, Richter, Polke ou Jacquet. Celui-ci participe donc à l'ambiance antihumaniste qui imprègne la pensée des sixties, à la critique générale de l'anthropocentrisme, délogeant l'humain du centre du monde et de ses représentations. Mais Jacquet n'adoptera jamais une attitude ou un point de vue exclusifs, et sa vision du « machinique » sécrète sa propre critique. L'ensemble des images mécaniques réussit ainsi à accréditer l'idée que la réalité objective n'existe pas, à l'aide toutefois de l'instrument privilégié de l'objectivité scientifique : la machine à voir. Les thèmes choisis par Jacquet proviennent d'ailleurs le plus souvent de l'art, et non du quotidien : pourquoi s'acharner à capter une réalité d'ordre mythique, puisque celle-ci est constituée d'images, donc sans origine ? Pour les besoins de sa vision du monde, Jacquet va interpréter des interprétations, en composant des « tableaux vivants » empruntés au répertoire de la peinture classique : *Olympia* en 1965, *Mother and Child* en 1966. D'autre part, l'image y arrive à un tel point de distorsion qu'il lui semblait sans doute nécessaire de faire appel à des archétypes de l'histoire de l'art : le sujet de ces tableaux n'est pas l'image qui s'y figure, mais la distance qui sépare celle-ci de son interprétation par la machine. L'idée de l'interprétation absolue germe déjà chez Jacquet au moment du *Mec Art*, mais c'est avec les peintures « planétaires » que cette notion va surclasser celles de superposition et de maillage, qui passent alors au second plan. En 1972, Jacquet découvre l'image de la Terre prise par les cosmonautes de la mission Apollo à leur réveil : il en tire une sérigraphie qu'il va repeindre à l'huile, baptisée *The First Breakfast*. Cette icône va devenir le matériau unique de son travail, pendant de longues années. À partir d'elle, Jacquet va développer une méthode herméneutique aussi cohérente que la « paranoïa-critique » de Dalí.

Dans cet ensemble touffu d'hallucinations figurées, le monde est devenu un texte susceptible d'interprétations infinies et infiniment délirantes, comme les écritures saintes pour les kabbalistes. Cet univers est aussi celui de Nietzsche, qui pense le monde comme un texte et un chaos, l'un corrigeant l'autre dans l'effort philosophique qui consiste à interpréter, puis évaluer la vie. La peinture de Jacquet, du *First Breakfast* jusqu'aux récents *Horse Head in a Mirror* ou *Tapis volant* (1989), naîtra de son activité de scrutateur d'une image unique qui, comme l'Aleph de Borges, contient virtuellement la totalité des images... Il se contente d'y accentuer telle ou telle forme dans la configuration des nuages qui recouvrent la Terre, afin d'y révéler des figures : un aigle, un petit garçon, un vélo... Il rejoint ainsi une tradition picturale dont rend compte la tradition orale, Léonard observant les murs lépreux, ou Piero di Cosimo s'inspirant des crachats des malades pour peindre ses scènes de bataille. Artaud voyant, dans les rochers de la montagne Tarahumara, les sèmes d'une « écriture sacrée ». Peinture oraculaire, attentive au surgissement des signes ; peinture divinatoire. Jacquet lisant l'image du monde comme on lit le marc de café ou le dépôt du thé au fond des tasses... Géomancie faite peinture. Un art de révélation, qui ne révèle pourtant rien d'autre que l'image elle-même. S'agirait-il d'une vaste psychanalyse du cosmos ? Si Jacquet, en 1982, s'est prétendu jungien, son goût des archétypes aidant, son travail révèle un certain cousinage avec Lacan : tout d'abord dans son apologie de la discontinuité, son intérêt pour les défaillances (« points d'achoppement ») ; par ses incessants jeux de mots, notamment sur les noms propres : un pain de mie homonyme signe déjà le *Déjeuner sur l'herbe*, et sa première série concerne le jeu de jacquet... Le « nom du père » lacanien, qui représente la fonction symbolique, se voit réduit par l'artiste à un jeu et à du pain de mie, tandis que la Terre, *Gaïa*, image archétypale de la mère-nature et matrice des formes picturales, domine de plus en plus l'imaginaire de Jacquet. Le système interprétatif de Jacquet, en tout cas, considère un premier niveau de formes comme symptômes d'un second : le travail du peintre, les révéler à elles-mêmes en leur donnant un sens, en les faisant passer de l'état latent à un état « pictural », n'est pourtant pas très éloigné du processus de l'analyse. L'originalité de Jacquet réside dans sa position, la distance particulière d'où il accommode son regard. Au risque de la banalité, rappelons que toute pratique artistique exprime une distance particulière par rapport au réel, qui la définit tout entière. L'impressionnisme, le cubisme, le futurisme, le Pop art ou l'art conceptuel constituent autant de moments de dérèglements optiques pendant lesquels l'œil cherche à s'accommoder à un nouveau point de vue sur le monde, une nouvelle distance d'où il serait possible de tirer des effets de vérité. L'œuvre de Jacquet est l'une de ces machines optiques, l'instrument aveugle d'une figuration hologrammatique qui s'exprime aussi bien dans les Camouflages que dans les dernières peintures par ordinateur.

Finalement, Jacquet apparaît comme un nostalgique de la totalité, de l'Encyclopédie, d'une peinture qui engage tout le savoir humain. Il lui aurait été facile de tenter ce genre de bluff qui consiste à faire « comme si » la modernité n'avait pas morcelé les savoirs, fêlé les consciences de soi, découpé des parcelles dans tous les domaines de la connaissance. Sa grandeur aura été de « jouer le coup » de la totalité avec les instruments mêmes qui servirent à ce découpage : la photographie, l'ordinateur, la linguistique la plus fine. L'image de la planète lui aura ensuite servi à évoquer une totalisation possile du monde par la peinture sous le registre, dérisoire, de l'hallucination. Peinture généraliste ? Jacquet n'a pas voulu choisir entre Picasso, peut-être le dernier peintre à avoir eu les moyens (et l'occasion historique) de fantasmer la totalité, Duchamp, qui préféra inventer de « nouvelles possiblités de vie », et Picabia[8] qui avait compris que l'art moderne se verrait déshérité par le Savoir, condamné à se fragmenter encore et toujours, se vautrant dans la malédiction du kitsch. Dans son œuvre cœxistent, parfois difficilement, une tentation classique et un saut dans l'inconnu, vers une conception fractale du monde, vers l'instauration d'un jeu de signes qui est loin d'avoir encore donné sa pleine « mesure ».

[1] Jacques Lacan, *Séminaire, XI : Les Quatres Concepts fondamentaux de la psychanalyse*, Points Seuil, Paris, 1973.
[2] Ce procédé sera repris dans les années 1980 par Alan Belcher.
[3] Duncan Smith, *Alain Jacquet*, *Art Press*, Paris, 1990.
[4] Elisabeth Roudinesco, *Lacan, Esquisse d'une vie. Histoire d'un système de pensée*, Fayard, Paris, 1993, p. 456.
[5] Elisabeth Roudinesco, *Lacan*, *op. cit.*, p. 469.
[6] Entretien avec Catherine Millet : « Alain Jacquet invente l'anti-ready-made », *Art Press*, Paris, mars 1982.
[7] Voir Michel Foucault, *L'Archéologie du savoir*, Gallimard, Paris, 1967. Ou encore Alain Renault et Luc Ferry, *La Pensée 68*, Folio Essais, Paris, 1969.
[8] Je renvoie ici au texte de Catherine Millet sur Picabia paru dans *Art Press*, Paris, 1982.

Peter Fischli et David Weiss
Le Rayon vert (1993)

Le dispositif est des plus sommaires : le faisceau lumineux d'une lampe de poche, en traversant un gobelet en plastique posé sur un plateau tournant, inscrit, selon la position du gobelet, une iridescence verdâtre sur le mur blanc. *Le Rayon vert* apparaît donc à intervalles réguliers, s'élargissant et s'amenuisant au rythme de cette mécanique pauvre et précaire, Fischli et Weiss donnent-ils ainsi leur version de la naissance du cinéma ? Le titre même renvoie au cinéma, à ce film d'Éric Rohmer dont l'héroïne traque le dernier rayon de soleil couchant censé procurer le don de deviner les pensées. Jules Verne a évoqué ce « *Rayon vert* », Marcel Duchamp lui-même en a donné une version pour l'exposition surréaliste de 1941 sous la forme d'un rayon qui traversait la « Salle des superstitions » ; Fischli et Weiss, qui ont réalisé plusieurs films, ne mettent cependant pas que le cinéma en jeu dans ce « son et lumière » minimal qui se situe à l'exacte intersection entre leurs sculptures en gomme, leurs montages d'objets et leurs travaux sur pellicule. Leur projet anthropologique et archéologique se base essentiellement sur le relevé d'un ensemble de tensions : c'est « l'énergie » qui en constitue le véritable sujet, l'énergie qui passe entre les choses, les traverse et les relie entre elles, formant le « cours des choses » (« the way things go »). Le film du même nom met ainsi en évidence la structure circulaire de l'énergie, circularité que le regardeur pourra retrouver dans les montages d'objets tenus les uns par les autres dans un équilibre instable –, ou la rondeur du *Fragentopf* [Pot de questions]. *Le Rayon vert*, lui aussi, s'inscrit dans un mouvement perpétuel. « Quand (le mouvement) est constamment sur le point de s'arrêter, alors nous disons : c'est beau, ça a marché », expliquent Fischli et Weiss[1]. Beauté de ce qui, dans une boucle, fait suture et permet au mouvement de se relancer. Beauté de la répétition, de l'éternel retour, de la néguentropie qui infirme la loi primordiale de la thermodynamique… Le travail de Fischli et Weiss consiste donc à mettre à l'épreuve des fonctionnements. C'est d'ailleurs ce qui les intéresse dans le « cliché » (les paysages typiques, les hôtesses de l'air souriantes, etc.) : le fait qu'on puisse se laisser prendre, encore et toujours, à ces images récurrentes du bonheur ne relève-t-il pas d'un miracle à la fois banal et circulaire ? De même par l'assemblage, par de simples tensions internes, d'un ensemble d'objets dans un équilibre précaire ; ou encore, la litanie des questions sans âge et sans réponse du *Fragentopf* [Pot de questions] (« où vont les galaxies », « que pense mon chien ? »). *Le Rayon vert*, comme bon nombre de leurs œuvres, fournit l'occasion pour Fischli et Weiss de vérifier un principe « miraculeux », mais ce misérable miracle est celui de l'art, et une œuvre telle que le *Rayon vert* s'apparente à la prestidigitation. Sortir un lapin d'un chapeau, faire d'un corps transparent un producteur de couleur… Dans les deux cas il s'agit de produire un effet qui, quoique obéissant à une loi de la physique ou témoignant d'une habileté supérieure, paraisse inattendu et inexplicable au regardeur. Le registre esthétique qu'explorent Fischli et Weiss dans *Le Rayon vert*, ou le moyen métrage *The Way Things Go* est un registre pour lequel « l'acte visuel » compte plus que la chose et « l'opération » plus que la médiation.

Dans cet univers, « un objet est bon s'il fonctionne ». On comprendra que le mot « art » lui-même, dénotant une maîtrise que Fischli et Weiss se refusent à mimer, s'avère insuffisant pour circonscrire le champ de leurs activités. Production ? Trop vaste. Création ? Emprunt à la métaphysique. Le terme « opération », seul, ne comporte aucun jugement de valeur a priori. Et Fischli et Weiss se situent au-delà des notions de nécessité ou d'échec ; ils expérimentent. *Le Rayon vert* ne peut ainsi être jugé qu'en tant que point qui, relié à d'autres points, nous permettra de dessiner la courbe, le mouvement de leur travail : le style ne peut plus être autre chose que le mouvement d'une œuvre. Il serait paradoxal de discourir sur une unique pièce si celle-ci n'était pas emportée par un devenir que la critique a pour tâche d'accompagner. Le mouvement général du travail de Fischli et Weiss pourrait ainsi se décrire par la boucle et la syncope : mouvement cyclique des « fonctionnements », des ensembles d'objets qui trouvent leurs points d'équilibre en eux-mêmes ; brusques syncopes de ce même mouvement, qui, en reprenant son cycle, halète et recharge la totalité des éléments qui le composent. À partir de ces deux principes, Fischli et Weiss explorent la « vie silencieuse des choses ». « Vie silencieuse », traduction du hollandais « stilleven » nom donné aux natures mortes du Siècle d'Or. Et qu'est-ce que *Le Rayon vert*, dispositif d'exploration du banal, sinon l'équivalent de la nature morte dans un mouvement cinématographique ?

[1] Interview par Matthew Collings, in *Artscribe*, New York, novembre-décembre 1987.

Alighiero Boetti
Io prendo il sole a Torino il 19 gennaio 1969 (1993)

Pour le catalogue de sa rétrospective inaugurée à la Kunstverein de Bonn, et qui voyagera par la suite à Münster et Lucerne, Boetti m'avait demandé de choisir l'oeuvre que je souhaitais commenter.

Chaque artiste constitue un *corpus*, un champ morphologique qui renvoie chaque œuvre à son tissu et son étendue, comme chaque point d'un hologramme contient la totalité de l'hologramme. Ainsi peut-on, dans l'énoncé d'une œuvre, convoquer la totalité qui l'englobe : l'analyse d'un cheveu, d'une trace de sperme, de peau ou de sang ne permet-il pas d'identifier un individu par ses empreintes biologiques ?

« Je » : le « je » employé ici par Boetti n'est pas égotiste, purement anecdotique. Chez lui, les concepts singuliers se confrontent à des formes d'expression anonymes et universelles (les cartes, les magazines, l'artisanat…) pour délimiter le Moi par défaut, plus que par son expressivité. « Je », remémoration d'un lieu, d'une journée, d'un geste : l'Ego Boettien n'est jamais seul, et son autoportrait ; « Gemelli », superpose deux clichés aussi apparemment étrangers l'un à l'autre qu'une main gauche et une main droite. Alighiero e Boetti : le « Je » ambidextre.

« Prend » : « prendre le soleil », prototype de la passivité. Le corps « parle en silence »… L'œuvre est structurée par le tracé laissé par un corps, trace partiellement dissimulée par les boules de terre, dessin de craie sur le sol, méthode policière pour délimiter l'emplacement d'un cadavre : l'acte de « prendre le soleil » est commémoré par une délimitation du corps, comme l'action du soleil, brunissant la peau, n'est limité que par sa position. Réponse ironique aux cérémonies du Body-art : « Io prendo … » prolonge par l'absurde le principe de délégation pratiqué par Boetti : laisser au soleil le soin de marquer le corps, et, plus tard, à l'artisanat traditionnel celui d'inscrire dans la matière les images qu'il conçoit.

« Le soleil ». Le soleil Apollinien, principe d'individuation, se heurte ici à la grossière matérialité de la terre. Rien de plus opposé aux pratiques individualistes, cérébrales et sensibles de Boetti. Ces boules, formes rudimentaires, archaïques, représentent le premier degré du « faire » ; le soleil, le rayonnement de l'idée. Mais la représentation de l'action du soleil et la figuration du corps ne forment ici qu'une réalité unique : la Terre. La forme du corps est « recouverte » par ces boules de terre, exactement comme les drapeaux, dans la « Mappa », couvrent la représentation cartographique, par une violence qui revendique l'arbitraire du signe. Terre et soleil : pur contraste qui exalte l'artifice de l'image.

« À Turin » : En signalant le nom de la ville où il habitait alors, Boetti dénote un enracinement. La Terre, encore, opposée à la course du soleil… Trois ans plus tard, il s'installera à Rome, et partira pour l'Afghanistan… La Terre des racines se fera alors Monde, carte du voyageur, ligne de fuite.

« Le 19 janvier 69 » : Cette datation précise renvoie au goût de Boetti pour une poésie absurde, proche de la pataphysique. Son classement des « Mille fleuves les plus longs », son intérêt pour les combinaisons logiques, les codes, et pour l'ordonnancement du monde en général, manifeste sa position de chercheur, et, une fois encore, l'arbitraire de tout système. Classer les jours, sans fixer le temps : la date est ici mise en valeur par l'insignifiance de l'événement, et par l'insuffisance de l'image supposée le commémorer. Comme dans « Millenovecentosettanta », mot écrit en lettres de dentelle et placé entre deux plaques de verre, la date se donne comme une transparence, traversée par l'éternelle actualité de l'œuvre.

CHAPITRE II
Tableaux, diagrammes et plans

Topocritique (2003)

Texte publié dans le catalogue de l'exposition «G.N.S, Global Navigation System» au Palais de Tokyo.

I. TOPOCRITIQUE : L'ART CONTEMPORAIN ET L'INVESTIGATION GÉOGRAPHIQUE

Cartes, plans, images satellitaires, prises de vue, échantillonnages, études sociales, diagrammes et tableaux : jamais la notion de géographie n'a pris autant d'importance dans l'art qu'aujourd'hui. Il faudrait remonter plusieurs siècles en arrière pour voir les artistes explorer le monde physique avec une telle ardeur ; à ceci près qu'à l'époque des voyages de Magellan ou de Sir Francis Drake, ils contribuaient à la découverte d'une planète encore largement inconnue, tandis que les artistes de notre temps arpentent un globe terrestre dont le moindre mètre carré (ou presque) a fait l'objet d'un relevé, quadrillé de réseaux de communication et scruté par des milliers de satellites. À la projection Mercator qui symbolise les temps modernes répond aujourd'hui la précision photographique de l'image satellitaire. La géographie d'aujourd'hui n'a donc plus rien à voir avec celle d'hier : les modes de graphie ont changé, tout autant que notre conception de la gê (la Terre). Science qui a pour but « la description de la Terre, des formes de son sol et des différents aspects de la vie à la surface du globe », la géographie des artistes contemporains explore désormais les modes d'habitation, les multiples réseaux dans lesquels nous évoluons, les circuits par lesquels nous nous déplaçons, et surtout les formations économiques, sociales et politiques qui délimitent et organisent les territoires humains. Ce sont là quelques-uns des sujets majeurs de l'art actuel, traversé par l'obsession de décrire la planète et d'utiliser ses espaces, à l'aide d'investigations, de mises en scène et de récits.

Par rapport à l'ensemble des activités sociales, l'art contemporain pourrait se décrire comme une zone *off-shore* : ni tout à fait intégré dans la société ni tout à fait cantonné à un rôle d'observation neutre, il se définit avant tout en maintenant ses distances, en alternant l'expédition engagée au cœur du réel et le retrait dans le confort que procure l'extra-territorialité. Pour prendre une autre image, l'art est une carte du monde qui saute d'une échelle à l'autre, passant indifféremment du 1/100 000e au 1/1e : la distance est la même, mais la focale et le mode de captation changent, à l'image de la photographie satellitaire.

L'art contemporain et la représentation

Toute description du monde, sur quoi repose la géographie, implique la notion de représentation. Mais « représenter la réalité » fait-il encore partie du vocabulaire des artistes, sans parler de leurs ambitions ? On ne peut nier que durant les années 1990, il fut davantage question de la concurrencer. Les œuvres les plus fortes de cette décennie ont vu les artistes s'insérer dans les mécanismes sociaux ou économiques, agir davantage que faire image, reproduire à taille réelle plutôt que suggérer. Pourquoi dessiner, peindre ou filmer une idée alors que l'on peut la réaliser concrètement ? La dernière décennie du XXe siècle a été marquée par cette problématique de la possibilité en art, celle de ses limites sociales : que peuvent les artistes, à quoi peuvent-ils accéder, jusqu'où peuvent-ils aller dans la transformation du monde et l'évolution de leur rôle ? Dans leur désir de quitter les périphéries (de la représentation et de la métaphore) pour le centre (du pouvoir), ceux-ci ont importé dans le champ de l'art de nombreuses métaphores professionnelles ; ils se firent ainsi chefs d'entreprise, communicateurs, designers ou cinéastes. Et quelques-uns bâtirent une œuvre forte sur ce refus de la posture classique de l'artiste, de Carsten Höller à Philippe Parreno.

En 1991, à l'occasion d'une exposition réalisée avec Éric Troncy au centre de Création contemporaine de Tours, « Il faut construire l'Hacienda », j'avais qualifié de *réalisme opératoire* cette stratégie esthétique : les œuvres d'art exposées oscillaient entre leur valeur et leur volonté affichée d'être utiles, et ce balancement entre deux systèmes de signification définissait leur nouveau statut. En un mot, un objet peut à la fois « fonctionner en vrai » et s'avérer être une œuvre à contempler, en une sorte d'inversion critique de la notion de design : on n'embellit plus un objet utile, mais on injecte de l'utilité à un objet esthétique. L'intérêt de ces œuvres reposait donc à la fois sur leur qualité plastique et sur leur pertinence opératoire. Car même s'il s'agit d'évoluer à l'intérieur du système et de fonder une pratique artistique sur une activité concrète, même si l'art s'approche au plus près d'une profession « normale » au point de s'y superposer, on ne peut pas nier, tout simplement, que l'art diffère de la réalité. La sphère artistique est une zone d'activités dans laquelle la représentation prédomine, et elle se caractérise par une distance qui lui est propre par rapport au réel. Prenons un exemple : lorsque Rirkrit Tiravanija construit un environnement au sein duquel le public est invité à consommer une soupe thaï, l'intérêt de son travail ne réside pas dans une quelconque esthétisation de l'assistanat social, mais dans les subtils rapports qu'il tisse avec l'histoire de l'art, dans la manière dont il détourne les œuvres et les utilise, ou dans la mise en scène de l'impermanence bouddhiste et du nomadisme. Tiravanija *représente* un espace ; et c'est la formalisation de cet espace et des relations inter-humaines qui s'y déroulent qui constitue l'objet du jugement esthétique, et non pas une idée de la convivialité. Pour le dire autrement, l'acte de représenter s'est élargi en incluant de nouveaux outils. Près d'un siècle après le ready-made de Marcel Duchamp, la présentation d'un objet dans le contexte de la galerie d'art (qui irréalise cet objet et lui fait accéder au statut de signe, au même titre qu'un trait de crayon sur une toile) fait partie intégrale de l'arsenal de la représentation. L'artiste n'a plus aucune raison de se contenter de dépeindre le monde à l'aide de ses pinceaux : il ou elle peut en dupliquer un fragment, prélever ses composants afin de les faire fonctionner dans un système, construire une simulation ou des prototypes. Dans l'art d'aujourd'hui, une action peut *représenter* aussi bien qu'un dessin.

En délimitant le domaine de l'art par une focale ou une distance spécifique à l'égard de la « réalité », je m'aperçois qu'il faudrait également choisir un adjectif : de quelle réalité s'agit-il ? sociale, politique, physique, optique ? Il suffit de parcourir aujourd'hui les expositions pour s'apercevoir que la question de la représentation de la réalité dans l'art contemporain se voit souvent réduite au format du documentaire. Ce format permet en effet d'affirmer des « préoccupations » politiques qui, trop souvent, masquent mal l'indigence formelle et idéologique manifestée par celui ou celle qui l'utilise. Plusieurs expositions internationales récentes, parmi lesquelles la *Manifesta* 3 (Ljubljana, 2000), la Biennale de Venise 2001 et la *Documenta* de Kassel en 2002, furent ainsi largement marquées par la présence massive de travaux à caractère documentaire, notamment sous forme de témoignages filmés en vidéo. Et pour peu que ladite vidéo soit « gonflée » pour être projetée en grand format dans une salle obscure, l'échec esthétique (et insistons sur ce point, politique) s'avère encore plus flagrant. Cette domination du documentaire fait figure de symptôme, celui d'une perte de confiance dans les pouvoirs de l'art comme système signifiant capable de traduire notre relation au monde avec ses moyens propres. Pour beaucoup d'artistes, mais aussi pour une majorité croissante de théoriciens et de curateurs, CNN représente ainsi la matrice formelle de l'art d'aujourd'hui, autant que le système avec lequel il entrerait en « concurrence ». Cette thématique d'une compétition entre l'art et l'actualité, omniprésente désormais dans le discours des commissaires d'exposition, signale souvent le manque d'intérêt qu'ils éprouvent pour les formes spécifiques des arts visuels, qu'accompagne ce vague sentiment d'inutilité reposant, voir plus haut, sur la problématique du « que peut l'art » ? Ce sentiment trouve un terrain favorable dans la frustration manifeste éprouvée par les acteurs du milieu de l'art, constatant qu'ils sont environnés de moyens d'expression (la mode, le cinéma, la télévision) s'appuyant sur un appareil industriel et bénéficiant ainsi d'un impact incomparable sur le public. L'urgence de l'actualité et le grand spectacle, *a priori* incompatibles avec l'agenda propre de l'art, ont pourtant fini par l'envahir.

Synonyme de cette perte de confiance envers l'esthétique, le recours au « réalisme médiatique » ou « réalisme CNN » comme forme privilégiée de l'art dissimule mal une critique larvée du modernisme et de son histoire, quand il ne s'agit pas de sa négation pure et simple. Car ce qui est visé par l'idéologie du « document authentique » et la comparaison systématique entre l'œuvre d'art et l'image médiatique, c'est précisément un faisceau de valeurs issues de l'art moderne. Et en premier lieu, l'existence d'une pensée plastique qui assume ses responsabilités devant l'histoire des formes, se positionnant comme une alternative aux langages dominants. Précisons que le « formalisme », que j'oppose ici au documentarisme, ne se réduit pas pour moi à l'historicisme mécanique prôné par l'historien d'art américain Clement Greenberg. Selon ce dernier, la valeur d'une œuvre dépendait de sa position dans une histoire de l'art se résumant à l'histoire de la purification progressive de ses moyens. Ce mode de pensée, pour lequel la forme est l'élément prédominant de la pratique artistique, a clairement souffert de se voir identifié dans les années 1960 et 1970 à une théorie puritaine de l'art, à un « formalisme conservateur » (Benjamin Buchloch) excluant tout élément hétérogène à la forme-en-tant-que-forme ; une théorie pour laquelle le contenu ne pouvait être « extérieur » au tableau ou à la sculpture sous peine de se voir taxée de « théâtralité », bref d'hérésie. Le contrecoup de ces théories fut terrible : au début des années 1980, l'intention de l'artiste prenant le pas sur l'historisation de sa pratique[I], l'art prit la voie d'un éclectisme faussement postmoderne, vaste catalogue de citations picturales et sculpturales où venait piocher l'artiste « inspiré », dont Sandro Chia ou Julian Schnabel restent les figures archétypales.

La vidéo documentaire représente une nouvelle version de cette réaction contre la pensée formelle. Les défenseurs du réalisme CNN se réclament ainsi d'un post-modernisme qui n'a plus grand-chose à voir avec celui que défendait Jean-François Lyotard[2] : il ne s'agit plus de prolonger la modernité en remettant en cause le paradigme de l'avant-garde, ce que signifiait alors le terme « postmoderne » pour le philosophe, mais de nier son apport et de ses principes éthiques ou politiques, en l'assimilant notamment, sans frais de nuance, au colonialisme européen. Or, parmi les principes du modernisme pictural, on trouve une notion fondamentale en ce qui concerne la production et la lecture des œuvres d'art : l'idée que les formes plastiques sont capables de produire par elles-mêmes des significations, et qu'aucune d'entre elles ne se révèle *neutre*. Bref, qu'elles ne sont pas des vecteurs de communication que l'on devrait étalonner auprès d'un référent « sérieux » pour qu'elles soient décodées et lisibles. Une toile de Piet Mondrian, *aujourd'hui* encore, délivre davantage d'informations sur son époque qu'une peinture figurative d'André Fougeron ou que toute l'« Ash Can school » américaine. Et, en ce début des années 2000, il me semble trouver davantage d'actualité, de contenu politique et même de « contenu » tout court dans un *wall drawing* abstrait de Liam Gillick, une installation de Simon Starling ou de Marjetica Potrc, que dans les efforts de maints artistes pour rendre compte du monde contemporain à l'aide du vocabulaire et des techniques de la télévision ou de la photo de presse. Un artiste comme Bruno Serralongue, dont la pratique photographique pourrait à première vue se confondre avec cette tendance, réussit à l'inverse à réinventer les notions de « sujet » et d'« actualité » en suivant à la lettre les méthodes du photojournalisme, tout en produisant des images qui viennent contredire son idéologie. Le rejet du « réalisme CNN » ne signifie donc pas que les artistes doivent renoncer à affronter l'actualité, ni à en faire le sujet de leur travail, ni à représenter le monde contemporain avec les outils de la photographie ou de la vidéo. En revanche, il existe une différence essentielle entre des modes de représentation asservis aux formats médiatiques et ceux qui, tout en prenant en compte ces formats ou même en les utilisant, les rapportent aux principes réactualisés de l'art moderne : s'inscrire dans un champ de pratiques et dans celui des modes de production contemporains, développer une pensée critique qui dépasse le niveau des bonnes intentions, travailler la forme (qui se lit) plutôt que le signe (qui se décode).

Les enjeux contemporains de la représentation : diagrammes et tableaux

Comment la représentation du monde peut-elle encore constituer un enjeu pour l'art d'aujourd'hui ? Il est vrai que lorsque l'on parle de représentation, le réflexe commun consiste à entendre « figuration », par opposition aux deux principales branches de l'arbre moderniste, les pratiques issues du ready-made et les différentes familles de l'abstraction. Or, les réexamens récents de l'histoire de l'art abstrait auraient plutôt tendance, à l'inverse, à insister sur les liens entre le vocabulaire de l'abstraction et le réel social. L'un des mérites de la rétrospective de Barnett Newman à Londres (Tate Modern, 20 septembre 2002 - 3 janvier 2003) fut de nous permettre de réviser l'image d'un Newman métaphysicien et mystique, et d'insister au contraire sur l'aspect politique de sa peinture, sa qualité de résistance à l'ère du « tout-image ». Dans les années 1980, Peter Halley déclarait utiliser le langage de l'abstraction géométrique afin de décrire les structures de la réalité sociale contemporaine, au moment même où les travaux de Barnett Newman ou Mark Rothko commençaient à se voir débarrassés de la lecture purement historiciste dans laquelle ils étaient enfermés, et leurs rapports à leurs référents extra-picturaux enfin envisagés. Le fait est que le lexique de l'abstraction s'avère tout à fait apte à rendre compte de la réalité contemporaine, comme le montrent des œuvres aussi différentes que les tableaux cartographiques de Julie Mehretu, les collisions urbanistiques de Franz Ackermann, les tableaux de savoir de Matthew Ritchie ou les diagrammes géopolitiques de Nathan Carter.

Dans les années 1990, Félix González-Torres n'avait-il pas brillamment démontré que le glossaire de l'art minimal et conceptuel pouvait lui aussi déployer un contenu politique ? En venant « recharger » par de subtiles allusions les formes de Richard Serra, de Donald Judd ou de Carl Andre, Félix González-Torres réussit à renouveler l'engagement en art, sans toutefois nous autoriser à nous limiter à cette lecture de son travail.

Afin de rendre compte de l'expérience quotidienne d'un individu de ce début de XXIe siècle, faudrait-il choisir entre abstraction et photographie, vidéo et figuration picturale ? On ne peut que constater que les techniques et les disciplines s'additionnent, et parfois dans une même œuvre, mais que l'abstraction retrouve une nouvelle raison d'être dans ses vertus… réalistes. En effet, comment figurer les flux de capitaux ou de populations ? Les territoires urbains, tels qu'ils succèdent aux villes ? L'expérience du virtuel et de la communication par Internet ? Les réseaux de transport et de communication, les déplacements individuels et collectifs ? Du diagramme aux statistiques, du tableau des connaissances aux schémas topologiques, la grammaire visuelle nécessaire à la description de l'économie-monde capitaliste s'approche de celle du modernisme pictural. L'économie mondialisée n'a ni corps ni visage : elle n'est pas figurable comme le sont les corps et les paysages, mais décryptable à l'aide d'outils infographiques et statistiques. Comment la « bulle financière » du stock-exchange, abstraction des abstractions, pourrait-elle être montrée autrement qu'à l'aide de montages convoquant des codes visuels non figuratifs et des images ? On ne peut plus guère connaître le visage du pouvoir dans une grande entreprise qu'en prenant connaissance de ses actionnaires, parfois invisibles, de la même manière qu'on ne sait plus qui a fabriqué le pantalon que l'on porte, d'où vient la nourriture que l'on mange. Plus le travail devient impersonnel et les distances abstraites et plus le monde devient infigurable.

Quels corps, quels visages, quelles singularités se cachent derrière la production de masse ? L'enquête seule permet d'y voir clair : l'art participe à la traçabilité des phénomènes contemporains. Pour citer quelques œuvres fortes de la dernière décennie, Liam Gillick écrit un opéra autour du vice-président de Sony, un certain Ibuka (*Ibuka*, 1995) ; Maurizio Cattelan et Philippe Parreno, avec *CPC Channel* (1996), imaginent une chaîne de télévision qui ne s'adresserait qu'à un seul individu, en l'occurrence le cosmonaute Patrick Baudry ; et Pierre Joseph reprend possession du monde en en « individualisant » les lieux communs, en dressant la cartographie subjective de ses propres connaissances. Son plan de métro parisien ou sa carte de Tokyo, réalisés de mémoire, initient une topographie réhumanisée qui part d'une connaissance individuelle et transmissible et non pas d'un savoir numérisé. Dans une optique plus directement politique, Bureau d'études cartographie l'économie globalisée à travers des constellations de pouvoirs plus ou moins occultes, des documents visuels ou écrits qui énoncent le *réseau-monde*. Jakob Kolding s'empare du vocabulaire constructiviste des années 1910-1920, le cœur même de l'esthétique moderniste, afin de décrire l'expérience quotidienne des habitants des banlieues, qui représentent la part maudite de l'héritage du Bauhaus. À l'aide des mêmes codes abstraits, Renaud Auguste-Dormeuil figure les mécanismes complexes du repérage satellitaire. Et quand il évolue dans l'espace de l'art conceptuel, c'est pour mieux figurer les systèmes sécuritaires qui nous entourent à notre insu.

Dès lors peut-on cesser de considérer la *représentation*, ainsi élargie, comme l'asservissement de l'art à un principe qui lui serait extérieur : la ressemblance. Le *tracé* du monde contemporain ne passe pas forcément par sa figuration réaliste, mais par des constructions formelles qui mêlent diagrammes, vidéos ou modélisations. Ce qui n'est plus figurable peut en revanche continuer d'être *arpenté* et servir de support à un travail de géomètre ou de géographe.

De nouveaux outils topographiques

Pourquoi les artistes produisent-ils de nouveaux outils topographiques ? Parce que les photographies et les cartes ne se superposent plus, parce que les représentations communes (et notamment médiatiques) ne correspondent plus à l'expérience vécue. Si les immenses distances qui séparaient jadis les continents se sont rétrécies, un gouffre peut à l'inverse se creuser entre deux quartiers ou deux étages d'immeuble ; les moyens de communication permettent une instantanéité absolue, mais il faudra parfois des années pour connaître le visage de son voisin. Dans ce monde déterritorialisé et entièrement remodelé par la technique, la géographie n'est plus seulement l'affaire de la science dure, mais aussi celle des artistes, qui l'approchent dans une perspective tout aussi poétique que critique.

La singularité qui disparaît des paysages se reforme dans le regard que ceux-ci portent sur une planète en voie d'uniformisation. Quelle image plus exacte d'une ville peut-on trouver que celles qu'en donne Stanley Brouwn, demandant aux passants de lui indiquer son chemin ? Les croquis recueillis par Brouwn depuis le début des années 1960 (*This Way Brouwn*) forment un corpus inestimable ; chacune de ses œuvres « est le portrait d'un petit morceau de terre. Fixé par la mémoire de la cité : le piéton[3] ». À l'opposé des représentations linéaires traditionnelles, l'art développe depuis prés de quarante ans des outils permettant une approche différente du monde : lorsque Robert Smithson construit son œuvre sur une opposition entre le site (sur lequel il travaille concrètement, en le transformant) et le *nonsite* (un assemblage d'échantillons géologiques transportés dans l'espace abstrait de la galerie d'art), il invente un nouveau mode de topographie basée sur la notion d'entropie. La cartographie du land art se fait en marchant, et le plan y devient le support d'un itinéraire : Richard Long ou Hamish Fulton, pour ne citer qu'eux, tracent des figures géométriques ou des lignes sinueuses sur la surface accidentée du paysage.

Mais la production devient elle-même un outil topographique : dès le début des années 1970, Alighiero Boetti fait réaliser par des manufactures afghanes des tapisseries figurant la carte du monde politique, mêlant géopolitique et géographie, déplacement physique et représentation ; sa *Classification des mille fleuves les plus longs du monde* (1979) représente l'autre pôle de sa méthode, qui consistait à confronter le rationalisme quantificateur et le romantisme de l'exploration, la froideur conceptuelle et le lyrisme nomade. Bien que cet essai n'ait pas pour ambition d'en faire l'historique exhaustif, citons encore quelques œuvres déterminantes de ce renouvellement topographique : *Vent Paris-Nice* d'Yves Klein (1960) est une toile imprégnée de pigment bleu posée par l'artiste sur le toit de sa voiture pendant la durée du trajet ; les pèlerinages d'André Cadere avec ses fameux bâtons ; la ligne tracée par les envois postaux de Douglas Huebler, matérialisée par leurs récépissés (*42nd Parallel*, 1968) ; ou encore les relevés minutieux d'On Kawara (*Location*, 1966)… Toutes témoignent d'un rapport nouveau à la géographie, qui naît alors de l'extension du champ d'inscription de la pratique artistique : « Le monde est mon atelier », disait Klein. Et l'art conceptuel comme le land art ou l'art minimal considèrent la planète comme une surface ou un support pour leurs expérimentations formelles.

Si cette volonté d'agir sur la réalité physique est toujours d'actualité en ce début du XXIe siècle, elle ne constitue plus à elle seule le sujet de la pratique artistique. Certaines pratiques actuelles trouvent bien entendu leurs racines dans les expériences des années 1960, mais elles considèrent ces dernières comme un ensemble de modèles et d'outils utilisables pour des investigations d'une tout autre nature. Le principe du relevé systématique a ainsi pu être utilisé par Bernd et Hilla Becher ou par Bertrand Lavier dans *Hôtel des voyageurs* (1974), mais il sert aujourd'hui à Henrik Olesen pour dresser la cartographie mondiale des droits des homosexuels. Ou à Matthieu Laurette, qui liste les conditions administratives nécessaires pour acquérir différentes nationalités, mais dans le but de devenir réellement panaméen ou camerounais. La dérive urbaine fut inventée par les dadaïstes, puis théorisée par l'Internationale lettriste, mais les membres de Stalker l'ont adaptée à leur propre expérience de l'architecture. Et si le travail de Simon Starling peut parfois évoquer l'attitude nomade et les constructions linguistiques d'un Raymond Hains, l'artiste écossais développe une analyse matérialiste de la production qui n'a que peu à voir avec les obsessions hainsiennes ; son travail consiste à inventer des itinéraires dans un paysage virtuel où l'histoire et la géographie cœxistent sur un même plan.

Ces nouveaux outils topographiques correspondent également à une mutation de l'environnement humain. On a aujourd'hui coutume de comparer la ville contemporaine à un circuit imprimé ou à un jeu vidéo. La métaphore informatique domine la sphère des représentations, et pas seulement en ce qui concerne l'urbanisme, au point de constituer une sorte de monoculture de l'imaginaire. Pourquoi s'avère-t-il si difficile d'échapper à Internet et à l'ordinateur dès qu'il s'agit de décrire notre monde ? Sans doute faudrait-il renverser la proposition : ne serait-il pas vraisemblable que la forme prise par l'outil de production dominant (l'ordinateur) ait été le simple produit de cet appauvrissement imaginaire, et que nos villes et nos comportements soient en réalité faits d'une même étoffe logique que ces écrans et ces circuits ? Pourtant, le territoire urbain semble bel et bien se constituer d'interconnexions, comme le cerveau ou l'ordinateur. Notre expérience urbaine est faite de passages sans transition d'une zone à une autre, d'un centre commercial à un quartier résidentiel, du lieu de travail à la maison (transports locaux) ou de brusques déplacements d'un aéroport à un autre, d'un taxi à un bus, comme si nous quittions un plateau de jeu vidéo pour accéder au suivant. Les réseaux (routes, rails, couloirs aériens) s'empilent et s'imbriquent ; les activités obéissent à une logique de concentration ; l'extrême vitesse des transports s'accompagne de « non lieux » (Marc Augé) où l'on stationne pour attendre une connexion. Nos vies professionnelles et privées sont ainsi régies par une idéologie « connexionniste » et un imaginaire réticulaire[4], la forme du réseau structurant le moindre aspect du quotidien.

Une cartographie contemporaine ne peut ignorer ces connexions, ni le fait que la distance physique qui nous sépare d'un lieu n'a rien à voir avec l'accessibilité réelle de ce lieu : c'est l'entrecroisement des réseaux qui régule les distances et non plus la physique de la géographie « figurative ». Pour aller à gauche, depuis l'autoroute, il faut souvent tourner à droite ; et une ville de la banlieue parisienne peut se révéler bien plus lointaine de Paris que Bruxelles, pour la simple raison qu'elle est moins facilement accessible. Peut-on imaginer une géographie qui prendrait en compte le temps, c'est-à-dire les réseaux concrets grâce auxquels on se déplace d'un point à un autre ? Et pourquoi cette géographie-là serait-elle moins légitime que celle qui ne relève que de la cartographie « physique » ? L'informatique, ce cadre imaginaire, permet de comprendre l'importance de certaines formes linéaires dans l'art actuel : l'œuvre devient un ruban, une bande passante, un itinéraire qui se déroule en réseau ou en superposant plusieurs réseaux ; ainsi *The Disappearance* (2002) de John Menick, une vidéo produite par des « repéreurs » professionnels de cinéma (scouts), qui ont arpenté la ville de Nüremberg en fonction d'un scénario de film imaginaire écrit par l'artiste.

Ainsi, les « détourages » réalisés par Boris Achour ; ainsi, les montages picturaux de Franz Ackermann.

II. LA TOPOCRITIQUE

La fameuse « fin des grands récits » (chute du communisme, déclin de l'idée d'avant-garde et du mythe du progrès) inaugure un monde où se côtoient désormais de « petits » récits qui n'engagent tout au plus que des communautés, des peuples ou des nations ; des récits qui évitent soigneusement de se confronter à l'universel. Nous sommes donc tout à fait capables de « sortir » de ces récits-là (nos contextes politiques, sociaux et culturels) sans avoir à nous y opposer avec violence, contrairement à l'habitant du XXe siècle, pris dans des situations binaires : pour ou contre, moderne ou ancien, communiste ou fasciste… La nature idéologique de nos sociétés est en revanche celle du montage, un ensemble de scénarios qui vont dans la même direction à partir de fondations symboliques à peu près similaire.

Pour les artistes de ce début du XXIe siècle, le monde se présente donc sous la forme d'un vaste catalogue de trames narratives, dont aucune n'a a priori plus de valeur que l'autre et qui forment un scénario global. Mais être artiste, aujourd'hui, c'est considérer que ce scénario n'est pas très bon, et surtout qu'il serait possible d'en trouver d'autres et de les jouer mieux. À partir du même matériau de base, la vie quotidienne, on peut ainsi réaliser différentes versions de la réalité. L'art contemporain se structure comme un banc de montage alternatif, qui réorganise les formes sociales ou culturelles et les insère dans d'autres types de scénarios. En déprogrammant et reprogrammant, l'artiste démontre qu'il existe d'autres usages possibles des techniques et des outils qui sont à notre disposition.

Contrairement au monde-surface du land art, l'art actuel décrit une planète-plateau, succession de scènes et de décors à habiter : la ville, le désert, l'océan, la montagne deviennent des entités génériques susceptibles d'accueillir une action, un tournage ou d'autres types de manifestations ponctuelles. Dans la vidéo *First Woman on the Moon* (1999), Aleksandra Mir investit un polder hollandais qu'elle transforme en surface lunaire à coups de bulldozer et qu'elle irréalise par la bande-son originale de l'expédition d'Apollo en 1969. Quant à Sean Snyder, il est parti enquêter en Roumanie sur une grotesque prolongation architecturale du feuilleton *Dallas*, décor virtuel d'un film monstrueux qui mélangerait capitalisme brutal, tourisme spectaculaire et persistance du stalinisme. Pourquoi éprouve-t-on à ce point ce sentiment d'irréalité dans la géographie de l'art contemporain ? Les artistes d'aujourd'hui, dans leur grande majorité, sont des globe-trotters passant d'aéroport en aéroport et d'hôtel en hôtel, des « *global commuters* » qui vivent et travaillent « entre » : entre un lieu de vie et de travail et un lieu d'exposition, dans un espace mental relativiste où ils sont sans cesse amenés à comparer les lois, les procédures, les infrastructures des pays dans lesquels ils séjournent. De par leur mode de vie, ils ou elles sont donc davantage sensibles que d'autres catégories professionnelles aux éléments les plus invisibles et les moins matériels de ces infrastructures, aux détails inaperçus qui régentent et conditionnent la vie publique et privée. Ils savent que cette expérience du monde n'est pas transmissible à l'aide de simples images statiques, mais que ce projet passe par des techniques de découpage, de cadrage, de déplacements, par des tableaux de savoirs qui s'avèrent incompatibles avec un « réalisme » quel qu'il soit, fût-il documentaire.

Les formes spécifiques de notre monde globalisé relèvent donc du domaine du montage et de l'enquête, que l'on retrouve dans les œuvres sous la forme de dispositifs picturaux incluant des éléments hétérogènes ou d'investigations scénarisées dans le champ social.

Enquêtes et expéditions

Parmi les modes de production majeurs aujourd'hui, on peut noter que l'investigation, l'enquête, l'expédition prennent une importance proportionnelle à l'infigurabilité et à l'opacité du monde contemporain. Leur objet : l'information. C'est le savoir, en tant que matériau, qui fonde la pratique de ces artistes *topocritiques* qui explorent les sédimentations sociales ou les archives cachées. L'information sert de matériau constituant aux analyses d'images satellitaires menées par Peter Fend dans le cadre de son agence Ocean Earth, aussi bien qu'aux peintures de Matthew Ritchie, dont l'ambition consiste à transcoder l'ensemble des données mythologiques et physiques qui « informent » l'univers. Outre ces deux pôles représentés par les travaux de Fend et de Ritchie, la géopolitique et la métaphysique, l'essentiel de cette topocritique contemporaine concerne les conditions sociales, économiques ou politiques des contextes dans lesquels nous vivons. Il ne s'agit donc pas uniquement d'interpréter des images ou des textes, mais aussi de se livrer à de véritables fouilles archéologiques à l'intérieur des savoirs, des objets et des espaces qui déterminent notre quotidien, de réunir et d'exposer le produit de ces recherches.

Cette forme de travail a le mérite de proposer aux artistes un ensemble de techniques extrêmement riche et ouverte et une position claire. Depuis les relevés photographiques de Bernd et Hilla Becher sur l'architecture industrielle, les travaux de Dan Graham sur l'architecture pavillonnaire (*Homes for America*, 1966) et les minutieuses recherches de Hans Haacke sur les propriétaires de certains immeubles new-yorkais ou sur les membres du conseil d'administration du Guggenheim Museum, le genre s'est développé tout en excédant largement le cadre esthétique de l'art conceptuel. Aujourd'hui, les travaux de Marjetica Potrc, Simon Starling, Pia Rönicke, Sean Snyder, Laura Horelli, Nathan Carter ou des groupes Bureau d'études ou Stalker présentent le point commun de prendre appui sur un processus d'enquête. À travers des relevés topographiques ou statistiques, des compilations d'informations, en « prenant en filature » certains objets sociaux, culturels ou politiques, ils ou elles produisent des œuvres qui, pour être extrêmement diverses, s'inscrivent dans la forme générique de l'enquête. L'épisode tragique de la « vache folle » a inscrit le terme dans toutes les têtes : pour figurer le monde contemporain, il est devenu nécessaire d'opérer dans la profondeur, de produire la traçabilité des choses.

Ainsi Laura Horelli prend-elle en filature les paquebots fabriqués dans les chantiers navals de Helsinki jusqu'en Amérique du sud, mettant en parallèle l'univers de la production (les ouvriers) et celui de l'usage (les touristes qui vont venir l'occuper). Mark Lombardi ou Bureau d'études se livrent à de minutieuses collectes d'informations afin de tracer des univers où s'entremêlent le capital et le politique. Marjetica Potrc établit la typologie de la ville contemporaine et en remodèle les éléments en partant des modèles anthropologiques et idéologiques que recouvre l'urbanisme sauvage des banlieues ou des favelas. Marisa Yiu part d'un produit de consommation courant et en dessine le véritable territoire, depuis les matières premières qui le composent jusqu'à sa distribution. Aleksandra Mir publie un magazine complet sur l'histoire et les opinions d'une personne qu'elle a rencontrée par hasard (*Living and Loving #1, the Biography of Donald Cappy*, 2002), prenant cet échantillon humain comme vecteur d'exploration du monde contemporain.

Depuis les premiers voyages de découverte, la nature de l'exploration a bien changé : il ne s'agit plus de se rendre maître des *terrae incognitae*, mais de procéder par forages ou échantillonnages, par prélèvements et relevés, au cours de véritables expéditions dans le réel vécu. « L'Expédition scintillante » de Pierre Huyghe (*A Musical*, 2002) s'inscrit dans cette tentative de renouvellement de la forme du voyage de découverte : de nos jours, au nom de quels savoirs et de quelles méthodes de travail peut-on partir à la recherche d'un quelconque objet ? Il s'agit pour lui de reconstituer des objets de connaissance, de substituer au tourisme scientifique et culturel une nouvelle forme d'exploration du monde. Le mode de la collecte de données et sa formalisation devient ainsi l'enjeu fondamental de l'art : comment transformer l'information en une forme artistique ? Là encore, le modèle de l'informatique a profondément influencé la pratique des artistes : les images infographiques ne sont plus les traces d'un geste, comme c'était le cas des œuvres d'art depuis des millénaires, mais le résultat d'un calcul, d'une réunion d'informations. On peut ainsi dire que la topocritique est une pratique infographique dont l'enquête est le préalable.

Dans les romans policiers, le détective mène son enquête en solitaire, parfois même contre l'institution policière. Comme c'est le cas dans les investigations menées par les héros de Dashiell Hammett ou Raymond Chandler, l'artiste évolue dans un univers opaque, où la solitude même, et l'acte d'enquêter à titre privé, sont la marque d'une dissidence.

En effet, la singularité ne saurait exister aujourd'hui que sous la forme d'un produit et se voir encouragée qu'en tant qu'argument de vente parmi d'autres pour des œuvres musicales, littéraires ou artistiques. À défaut d'entrer dans cette catégorie, on trouve sa place dans la masse, unité de mesure ordinaire de l'humain. La réception des œuvres se traduit de nos jours en termes statistiques : un disque a vendu cent mille exemplaires, un film a « fait » cinquante millions de dollars, une émission a réuni 30 % de parts de marché, une œuvre d'art a été vendue à tel ou tel prix. La culture de masse transforme ses sujets en unités sur des bilans comptables. Qu'est-ce qu'un individu dans la civilisation marchande ? Un point qui ne vaut rien en dehors de la masse consommatrice à laquelle il appartient. Les formes d'investigation pratiquées par les artistes contemporains tentent de restituer le visage de ces processus sociaux par l'intermédiaire d'un traitement de l'information ; et ce visage n'est pas toujours doté d'yeux et d'oreilles.

La topocritique part de la réalité physique des espaces humains (domicile, bâtiment, zone urbaine, ville, nation, continent, planète) afin d'interroger les modes de représentation qui forment notre imaginaire et gouvernent nos actions. Serge Daney, dans un entretien publié par *Le Monde diplomatique* en 1975, nous rappelait que « les événements de la première partie de ce siècle ont été, le plus souvent, filmés du point de vue des détenteurs de caméras (donc de pays industrialisés, impérialistes souvent). Ceux qui avaient le monopole de la prise de vue criaient que les vues prises étaient objectives puisque l'œil de la caméra ne pouvait mentir. En fait, il leur fallait décourager les autres – les filmés – de chercher qui, quel point de vue, quels intérêts se cachaient derrière l'objectif ». C'est la raison pour laquelle Daney, au cours de ses voyages, ne prend jamais de photos souvenir, préférant acquérir des cartes postales, c'est-à-dire adopter le point de vue des autochtones sur leur propre pays. Au cinéma, la technique du champ/contrechamp, que Daney considère comme une « forme démocratique » dans le lexique des réalisateurs, préserve ainsi l'ambiguïté d'une information, au lieu d'imposer une fausse objectivité. Ainsi, une géographie critique commence par être une critique des sources visuelles et infographiques par lesquelles s'élabore la géographie. D'où proviennent les *prises de vues* ? Qui les lit et les interprète ? Ce que l'on pourrait désigner sous le nom d'art topocritique part du fait que la représentation de l'espace humain ne va plus de soi, que les images du monde ne suffisent plus à en décrire la réalité. La topocritique est un art du montage. Montage d'informations dans les installations-enquêtes, montage de formes picturales, montage de significations par le sous-titrage ou l'exégèse des images, montage des genres et des disciplines. Ces voyages à travers les points de vue et les outils topographiques permettent de lutter contre l'aplatissement des sources visuelles au format télévisuel, celui qu'impose CNN. La photo-satellite et le système GPS, les caméras de surveillance ou la carte, l'expédition ou la collecte de données appartiennent tous au domaine des pratiques que l'art doit questionner afin d'encourager une « démocratie des points de vue », une polyculture de l'imaginaire : c'est-à-dire le contraire de la monoculture de l'information.

[1] Yves-Alain Bois, « Historisation ou intention », in *Cahiers du MNAM*, no 22, décembre 1987.
[2] Jean-François Lyotard, *La Condition postmoderne*, Minuit, 1979.
[3] Stanley Brouwn, cité par Benjamin Buchloch, in *Essais historiques*, t. II, Art édition, 1992.
[4] Luc Boltanski et Ève Chiappello, *Le Nouvel Esprit du capitalisme*, Paris, Gallimard, coll. NRF essais, 2000.
[5] Serge Daney, *Persévérance*, POL, 1994.

Les carnets du « capital » (1990)

« Le capital se compose de matières premières, d'instruments de travail et de moyens de subsistance de toutes sortes qui sont employés à produire de nouvelles matières premières, de nouveaux instruments de travail et de nouveaux moyens de subsistance. Toutes ces parties constitutives sont des créations du travail, des produits du travail, du travail accumulé. Le travail accumulé qui sert de moyen pour une nouvelle production est du capital. […] Le capital représente, lui aussi, des rapports sociaux. »
– Karl Marx

Capital : partie de la richesse utilisée en vue de la production.
– Larousse illustré

La force de travail dans une image

Chacune des étapes de la division du travail correspond à des changements dans les modes de production et d'échange, mais aussi dans les conditions de la propriété. Les conditions générales du travail entraînent avec elles la totalité des contrats sociaux, y compris celui qui lie l'artiste à son public dans le processus de la représentation, car il existe un lien étroit entre les formes de la propriété et celles de la représentation. Dans le système capitaliste, les termes de l'accession à la propriété correspondent ainsi aux conditions de production : puisque le travail est une marchandise, l'individu est libre en théorie de la vendre où il veut, de même qu'il lui est possible, en droit, d'acquérir n'importe quel habitat. Est-ce un hasard ? Au moment où se généralise en Europe le principe de la libre circulation théorique du travail, c'est-à-dire au milieu du XIXe siècle, l'artiste s'émancipe enfin des grands sujets de la peinture d'histoire. Après le portrait de commande et la nature morte, il ou elle aborde les sujets de son choix : paysage de banlieue, scènes de café, toilette intime, cirque ou guinguette ; la hiérarchie traditionnelle des sujets vole en éclats : la force de travail symbolique de l'artiste se déplace désormais où bon lui semble.

La peinture moderne comme produit défectueux

Un objet manufacturé ne saurait laisser le moindre espace vide, la moindre incomplétude. Il n'existe rien de plus violemment étranger et de plus hostile au monde industriel que la « non-finition » : c'est l'aspect inachevé des œuvres de Manet ou Cézanne, par-dessus tout, qui scandalisa le public et la critique de leur temps. L'artiste a intériorisé la division du travail et se tient éloigné de l'artisanat comme de l'usinage. Les impressionnistes ont mis en évidence les constituantes matérielles de l'œuvre en valorisant l'inachevé dans l'image, c'est-à-dire en produisant des objets visuels *à compléter* optiquement.

L'art abstrait et la plus value

– Est-ce qu'il n'y a pas dans la représentation un moment où la plus-value joue ? Quand on reproduit la réalité, est-ce qu'il n'y a pas de la plus-value ? Est-ce que le concept marxiste de plus-value n'est pas une bonne arme pour lutter contre le concept bourgeois de représentation ?
- Jean-Luc Godard, *Premiers sons anglais*

Un art qui ne représente pas le réel, mais valorise les processus de transformation : l'art abstrait évacue la représentation figurative au profit d'éléments purement plastiques (couleur et forme) ou de l'expression d'une subjectivité. Jackson Pollock, lui, reprend les principes de la production en série : au-dessus de la toile posée sur le sol, une laque utilisée dans l'industrie automobile coule d'un pot percé, flot de peinture corrigé par l'artiste à l'aide d'un bâton ou d'un pinceau. La position horizontale de la toile renvoie à la forme du plateau tournant de la chaîne de montage. Tel l'ouvrier qui n'y « fabrique » rien en propre, mais surveille et corrige le processus en cours, Pollock applique à la toile qui passe devant lui un traitement unique qui donne à chaque fois des résultats différents : sa pratique picturale introduit ainsi un dialogue possible entre la mécanisation et la liberté individuelle.

Peter Halley : « Pour moi, l'époque où tous ces systèmes artificiels de communication et de transport ont été mis en place a réellement été l'époque de l'art abstrait. Si bien que dans un Mondrian ou dans un Frank Stella, on trouve une description idéale de ce que seraient cette circulation et ce flux d'informations et de moyens de transport, si l'objectif de la circulation avait été atteint. Je crois que cela est réalisé dans le monde contemporain : la géométrie est devenue le réel de notre univers. » (*La Crise de la géométrie et autres textes*)

Le système économique nous dessaisit progressivement de tout pouvoir de figuration du monde. Le commerce des signes devient un mode d'inscription dans le champ culturel : agir, c'est aussi représenter quelque chose, comme lorsqu'on descend dans la rue pour manifester.

Le ready-made comme propriété collective des moyens de production

Avec le ready-made, l'œuvre d'art ne relève plus de cette forme de la subjectivité, qui est une propriété privée mentale : Duchamp a tiré les leçons de ce « communisme de la pensée » initié par Lautréamont (« La poésie doit être faite par tous… ») et poursuivi par les surréalistes, en inventant un nouvel outil artistique. Le ready-made ne témoigne plus d'un savoir-faire privé (lié à une habileté manuelle), mais va dans le sens d'une mise en commun des moyens de production. On re-montre ce qui est déjà un produit, mais on lui donne un nouveau sens : nouvelle idée attribuée à un objet de consommation courante, le ready-made échappe aux normes de la propriété privée. L'idée est la seule propriété de l'artiste, car porte-bouteilles ou urinoirs sont des biens que l'on trouve librement sur le marché. Duchamp montre que les enjeux de la force de travail artistique se sont déplacés vers la sphère mentale. Il montre aussi que la représentation est désormais incluse dans les productions de masse, incorporée par le système marchand : à travers le ready-made, la représentation est critiquée en tant que valeur d'échange. Le siècle donnera raison à Duchamp sur ce point, les produits de consommation de masse sont désormais inséparables d'une image qui les constitue en produits (packaging, publicité) : le capital s'est tant accumulé qu'il en est devenu spectacle, selon la formule de Guy Debord, et tout produit s'affirme avant toute chose comme la représentation d'une forme vide de l'échange.

Collectiviser l'image des produits : vers de nouveaux sujets

Il est frappant de constater qu'un grand nombre d'artistes viennent aujourd'hui s'installer sur le terrain des agences de communication et des annonceurs. Mais ces derniers ne sont-ils pas les principaux fournisseurs d'images contemporain ? Svetlana Heger et Plamen Dejanov s'approprient ainsi, contractuellement, l'image publique de BMW, et déplacent dans les lieux d'expositions un processus de constitution de l'image jusque-là réservé à des professionnels. Le travail de Heger et Dejanov, qui se développe en fonction des partenaires économiques et des emplois qu'ils peuvent occuper, constitue une image subversive de la flexibilité du travail salarié et une approche originale de l'échange. Daniel Pflumm s'empare, lui aussi, d'une image « privée ». La vidéo AT&T découpe le logo et les activités de la firme de télécommunication en une série de séquences allant du dessin animé au clip et au court-métrage : l'entreprise comme sujet d'un travail.

Le diagramme, une capture de flux

Le diagramme est un référent possible pour de nouveaux processus picturaux, une sorte de formule énergétique. En 1986, les peintres de la Neo-Geo, parmi lesquels John Armleder et Peter Halley, se réclamaient déjà d'une « abstraction diagrammatique » apte à saisir les flux de pouvoir et d'information. Les *AC/DC Snakes* de Philippe Parreno, le diagramme des participations croisées des entreprises européennes par Léonore Bonaccini, Andreas Fohr et Xavier Fourt (Bureau d'études), les schémas par lesquels Pierre Joseph matérialise son économie de l'apprentissage individuel, les paysages de câbles et de connexions que peint Miltos Manetas ou les réseaux du Cercle Ramo Nash décrivent tous un même environnement de flux, de branchements aléatoires. « Le capitalisme, écrit Jean-François Lyotard, pose ses problèmes en termes d'énergie et de transformation d'énergie : transformation de matières, transformation d'appareils, production d'appareils, force de travail, manuelle, intellectuelle [...] Il y a donc une espèce de polymorphie de cette énergie ; du moment que c'est échangeable, métamorphosable, selon la loi de la valeur, tout est bon et tout entre. » Et Lyotard de comparer cette polymorphie à celle de l'art moderne : l'institution picturale est dissoute, transfusée un peu partout ; l'afflux énergétique l'a sortie de son champ historique.

Les artistes réorganisent les branchements : Sarah Morris connecte l'abstraction géométrique et le Pop art sur des zones de pouvoir économique (*Midtown*) ; les immenses panneaux de Michel Majerus vident de leur substance les dispositifs scénographiques du supermarché mondial ; les *impasto* de John Miller désignent l'économie capitaliste comme un flux excrémentiel ; Bertrand Lavier découpe la signalétique urbaine pour la déverser sur la mémoire de l'art moderne, traduisant le blanc d'Espagne des chantiers (*Rue Louise Weiss*, 1999) ou les marquages au sol des terrains de sport dans un idiome mondrianesque – opération de transfert, d'import-export du signe.

Le commerce supplante la production

Pour le discours économique, écrit Michel Henochsberg dans *Nous nous sentions comme une sale espèce*, « la sphère de la circulation s'assimile à l'espace du soupçon. Le développement des forces productives incarne le "bon sens" d'une économie bienfaisante, alors que la plage des échanges et des monnaies abrite tous les dérèglements et faux pas d'une activité qui serait saine, s'il n'y avait les excès aléatoires des acteurs de ce niveau, marchands et financiers. » Pour la pensée marxiste comme pour le dogme catholique, la production représente le bien, tandis que le négoce incarne le mal, le monde des apparences et du faux. Le marchand est l'étranger, l'errant, le camelot qui vient de lointaines contrées pour faire intrusion dans la communauté homogène.

L'art contemporain reproduit les structures de ce préjugé idéologique et pâtit d'une même mauvaise réputation : le fabricant d'images rassure, à mesure qu'effraie celui qui les négocie, les duplique ou en fait commerce, dans le sens ancien du terme. La marge du commerçant est objet de scandale, car on la considère comme un bénéfice indu : la plus-value, figure emblématique de l'exploitation du producteur (selon Marx, le capital naît de la plus-value du travail de l'ouvrier). Lorsque Duchamp présente un porte-bouteilles et la signe en tant qu'œuvre d'art, la plus-value est à son maximum ; son changement de statut modifie radicalement sa valeur. L'artiste s'apparente alors au commerçant, et son œuvre ne représente qu'une simple marge par rapport à la valeur d'usage. L'art bascule du côté du commerce, du côté de la négociation avec le regardeur, du contrat visuel. Échange d'images contre de la valeur : Heger et Dejanov. Arrangement de produits culturels issus de la mémoire moderniste dans un espace *duty free* : les dispositifs de John Armleder. Troc permanent, prise d'actions et jeux sur les flux de capitaux : Mathieu Laurette. Vente à l'étal de signes : Bertrand Lavier (et n'oublions pas que le blanc d'Espagne est généralement le résultat d'une pause de l'activité commerciale). Produits personnalisés : Pierre Joseph. Produit d'appel : la « zone de gratuité » de Bureau d'études. L'espace de l'échange prend le pas sur celui de la production, et l'artiste produit des relations au monde à partir d'objets qui existent déjà et qu'il dispose dans un cadre inventé.

Tableaux

Le tableau évide notre environnement formel, il en dresse la carte, en dévoile les structures. Stéphane Dafflon s'inspire du graphisme des *flyers* ou du logo d'une banque, signes flottants recomposés sur une toile ; General Idea reproduit le logo de Marlboro ou de la carte Visa à l'aide de pâtes alimentaires ; John Armleder peint la barre horizontale de Chanel sur un fond noir ; Miltos Manetas représente des fragments d'objets familiers, ordinateurs ou chaussures, qui traînent sur le sol de l'appartement encombré de fils électriques ; John Miller photographie des plateaux de jeux télévisés et en efface les protagonistes à la palette graphique ; Sarah Morris cadre les façades des immeubles de grandes entreprises, mettant en évidence la géométrie du pouvoir. Le vocabulaire pictural moderniste permet de décrypter l'ordre actuel des choses : le tableau est extrait du réel à l'aide de cet outil, qui est lentement venu se superposer au monde où nous vivons.

La peinture est un outil, pas une cause

L'activité picturale permet-elle aujourd'hui l'émergence de nouveaux modes de pensée ? À l'heure où la télévision nous abreuve d'images à consommer sur place, au moment où les nouvelles technologies nous offrent de nouveaux modes de constitution du savoir, la question mérite au moins d'être posée. Et ma réponse est oui. Cela dit, il est fort étonnant, et tout aussi lamentable, qu'on n'envisage aujourd'hui la peinture contemporaine qu'en fonction du paradigme de son retour. D'après les critiques, soit la peinture « revient », soit elle est absente. Au début des années 1980, elle serait « revenue » ; aujourd'hui, elle serait « morte », ou bien menacerait, c'est selon, de « revenir » de nouveau. En d'autres termes : le discours pictural est hégémonique ou n'est pas. La peinture doit occuper tout l'espace ou accepter qu'on déclare sa disparition, refoulée par les tenants de la vidéo et de l'installation. Viendrait-il à l'idée des intégristes de la toile de lin qu'il est des manières plus fines d'aborder l'actualité artistique, et que ce n'est pas la peinture dans sa totalité qui nous intéresse, mais les artistes capables d'en produire d'intéressantes ? La peinture selon Jean-François Lyotard : « Un branchement de libido sur de la couleur. » Point. Il est tout aussi absurde d'écrire un article sur la peinture que d'écrire un texte sur l'art vidéo, puisqu'il n'y a ni art vidéo ni peinture, mais des artistes qui produisent une relation au monde en utilisant différents processus. Je me situe ici dans la tradition d'Ernst Gombrich, expliquant qu'« il n'y a pas d'art, il n'y a que des artistes ». Les problèmes de cette légendaire entité nommée « Peinture » proviennent ainsi sans doute des artistes qui la fétichisent, faute de savoir en faire quelque chose, et des critiques qui la célèbrent par goût, incapables qu'ils sont de dépasser ce goût pour accéder à une quelconque zone d'intelligibilité. Défendre la Peinture, voilà le degré zéro de la critique ; mais attendons le premier imbécile qui se piquera de défendre l'installation pour que notre hilarité soit complète.

Lettre à Jules de Balincourt sur les réseaux (2009)

La peinture représente aujourd'hui un problème. Cette affirmation peut surprendre ; elle n'en est pas moins le point d'appui à partir duquel la pratique picturale pourrait aujourd'hui trouver sa raison d'être, au-delà des pathétiques pétitions de principes qui annoncent, à intervalles réguliers, son « retour » en tant que vain exorcisme à d'autres pratiques artistiques supposées « dominantes », qu'il s'agisse de la vidéo ou de l'installation. Le « problème » posé par la peinture, en ce début du XXIe siècle, ne réside pas dans sa légitimité en tant que discipline, mais dans son positionnement dans un champ artistique qui s'est agrandi et complexifié. En d'autres termes, il ne s'agit pas de se demander quelle est sa place, encore moins de la poser en principe (le « retour de la peinture », forcément au détriment d'autres pratiques), mais ce qu'elle a à exprimer : qu'a-t-elle à nous apprendre du monde contemporain à l'ère des médias électroniques, dans un monde de l'immédiateté ? Dans la plupart des cas, on peut le déplorer, elle s'y oppose symboliquement : le tableau joue le rôle d'une sorte de valeur-refuge, d'investissement de père de famille dans l'économie culturelle. Le marché ne s'y trompe pas, et l'on joue sur la peinture comme on achète de l'or ou de l'acier, matières premières incorruptibles.

Ce qui fonde la peinture comme valeur-refuge culturelle, c'est avant tout le fait-main. La facture manuelle du tableau, qui l'institue en objet unique, la transforme également en une signature agrandie à la taille d'un logotype. Au temps de l'impressionnisme, l'affirmation de la main valait comme acte de résistance à l'industrialisation, alors en voie d'envahir tous les aspects de la production ; aujourd'hui, dans un univers d'objets dont la norme est précisément devenue la série, le « fait main » ne fait que confirmer le tableau peint comme marchandise absolue, griffe et exception luxueuse à la règle de la production de masse. Pire encore, ces peintres qui produisent un expressionnisme bavard et capricieux, périmètre délimité pour une liberté consistant à réduire le sujet au rôle de commodité ou de fétiche. Garantie sur facture d'une expérience authentique du sujet créateur, la peinture néo-expressionniste évoque irrésistiblement les publicités d'agences de voyages pour des trekkings : drôle de liberté, aussi convaincante que ces « points de vue » annoncés par un panneau, d'où le touriste est sommé de contempler un paysage... Autrement dit, la fonction « expressionniste » de la peinture contemporaine pourrait bien être le véritable kitsch de notre époque.

Quelle serait la formule énergétique qui différencierait la peinture contemporaine de ses devancières, et qui en fonderait la spécificité ? Et de quoi serait-elle contemporaine ? Tout d'abord, des modes de production et de distribution de son temps. « Le capitalisme, écrit Jean-François Lyotard, pose ses problèmes en termes d'énergie et de transformation d'énergie : transformation de matières, transformation d'appareils, production d'appareils, force de travail, manuelle, intellectuelle (...) Il y a donc une espèce de polymorphie de cette énergie ; du moment que c'est échangeable, métamorphosable, selon la loi de la valeur, tout est bon et tout entre. » Lyotard compare cette polymorphie à celle de l'art moderne : l'institution picturale est dissoute, transfusée un peu partout ; un afflux d'énergie l'a fait sortir de son champ historique, pour la connecter sur d'autres forces que celles de son sol natal. Son histoire, ce serait désormais celle des rencontres qu'elle opère avec de nouveaux terrains, de nouveaux outils.

La peinture est un médium qui procède en instaurant des alliances : celles qu'elle a nouées jadis avec la camera obscura, la photographie, la télévision ou le cinéma, ont produit en elle autant de mutations profondes. Parfois, il s'agit d'une alliance avec un outil de production : Jackson Pollock et la chaîne de montage d'usine… Le jeu des oppositions canoniques chères à l'histoire de l'art, telles que subjectivité/objectivité, figuration/abstraction, ne semble plus opérationnel aujourd'hui. Les récents réexamens de l'histoire de l'art abstrait montrent les liens existant chez les artistes modernistes entre le vocabulaire de l'abstraction et le réel social, le formalisme et la représentation du monde. De récentes expositions nous ont ainsi permis de réviser l'image d'un Barnett Newman purement mystique, pour insister au contraire sur l'aspect politique de sa peinture, sa résistance à l'ère du « tout-image ».

Dans les années 1980, Peter Halley utilisait le vocabulaire de l'abstraction géométrique afin de décrire les structures de la réalité sociale contemporaine, faisant ainsi du tableau une interface entre abstraction et figuration. En d'autres termes, le lexique de l'abstraction s'avère tout à fait apte à rendre compte de la réalité contemporaine, comme le montrent des œuvres aussi différentes que les tableaux cartographiques de Julie Mehretu, les plans urbains complexes de Franz Ackermann, les diagrammes géophysiques de Matthew Ritchie ou les abstractions géopolitiques de Nathan Carter.

Jules de Balincourt appartient à cette nouvelle génération de peintres dont le projet premier consiste à représenter le monde dans lequel ils/elles vivent, non pas en se contentant d'en faire figurer les apparences, mais en traçant sa topographie physique et imaginaire. Son projet apparaît de bout en bout comme celui d'un géomètre, d'un arpenteur qui se consacrerait à l'immense tâche de donner une image fidèle de notre expérience de l'espace-temps : il utilise ainsi la peinture, médium permettant d'organiser plastiquement des éléments aussi dissemblables que le visible, l'imaginaire, la présence du sujet et celle de son corps au travail. La topographie est un mode de représentation qui lie celle-ci à une action future : elle construit des modèles nous permettant de nous déplacer dans la réalité, nous fournit des signes d'orientation. Ainsi l'œuvre de Jules de Balincourt ne se constitue-t-elle pas d'une succession de scènes ou de points de vue, mais d'une série de modèles ou de plans, d'images topographiques en leur principe. « C'est un univers, dit-il, où les images abstraites et figuratives se télescopent, l'orbite et le satellite s'interpénètrent, déroulant une sorte de récit non linéaire fondé sur les libres associations. » Cette narration sans sujet, fondée sur le déplacement permanent, trouve son origine dans l'outil majeur de notre époque : internet, et ses corollaires, tels que le GPS (global positioning system).

L'on pourrait concevoir une nouvelle discipline qui serait la stylistique du regard. Notre époque se distingue des précédentes, par exemple, par l'usage immodéré du contraste focal : aux temps de Blaise Pascal, l'infiniment grand et l'infiniment petit, microcosme et macrocosme, étaient les pôles servant à définir la place de l'Homme dans l'univers. De nos jours, ce sont des appareils optiques qui les regardent pour nous et les voient sans cesse reculer. Au cinéma, dans la littérature, les gros plans et les vues éloignées se succèdent, sans toujours passer par le regard humain, c'est-à-dire le « plan américain » qui est le cadre courant de notre expérience. L'on retrouve dans la peinture de Balincourt un tel usage de la focale : d'un tableau à l'autre, on passe d'une vue quasi-aérienne à une abstraction qui donne l'impression d'être un détail grossi mille fois, en passant par une image dont les contours flous ou le chromatisme incertain procure la sensation d'être visionnée par un ordinateur. C'est l'écran qui est désormais la commune mesure de la vision.

La grande peinture, depuis le XIXe siècle, trouve ses motifs dans une compétition avec les outils optiques qui menacent en venant questionner ses prérogatives. La photographie, le cinéma, la télévision, et aujourd'hui internet, lui ont permis depuis plus d'un siècle de repenser sa spécificité et ses protocoles, lui donnant l'occasion de re-fonder en permanence son rôle dans l'appareillage iconographique dont disposent les êtres humains. Davantage qu'une idéologie du progrès qui glorifie mécaniquement l'avancée technologique, il s'agit de se porter au niveau de ce qui émerge, de se faire le contemporain de potentiels de vision offerts par son époque. « Courbet, écrit Thierry de Duve, a été le premier à donner une définition strictement photographique de son art, en professant que "rien de qui s'inscrit sur la rétine n'est en dehors du domaine de la peinture". Manet, qui simplifia le clair-obscur et sut saisir la stupeur de ses modèles comme frappés par l'éclair du magnesium fit vibrer la toile d'une passion qui n'a d'égale que la passivité de l'image photographique[2]. » Contemporain de l'invention de la photographie, Cézanne redéfinit le cerveau du peintre comme « une plaque sensible, un appareil enregistreur[3] » avant que Seurat ne pixellise la surface de la toile, en mécanisant la main du peintre.

Les artistes ont toujours été fascinés par ce qui conteste ou nie leur pouvoir. Comment ne se seraient-ils pas confrontés par la suite à l'élément le plus négateur de leurs prérogatives sur le réel, la télévision ? Morcellements, décodeurs, antennes, accidents de transmission, mires, structurent la vision du monde et de l'individu que nous renvoient si violemment les artistes depuis les années 1960. Toutefois, c'est la forme de la grille de programmes qui constitue l'élément central du rapport entre art et télévision. Constituer une collection d'objets disparates dans un espace donné, par exemple, équivaut à monter une grille de programmes : dans les deux cas, il s'agit de nier l'unité sous sa forme tangible, le style. Dans les deux cas, la cohérence finale est l'effet du lieu, de la machinerie, du présentateur. Roberto Rossellini ne s'y était pas trompé, lorsqu'il voyait dans le petit écran la « reconstitution d'une unité perdue », et le grand mythe de notre époque. Gerhard Richter restera comme le grand contemporain de l'apparition de la télévision : zapping stylistique, images perturbées par des effets de définition, noir et blanc.

Balincourt est le contemporain d'une autre génération d'outils, ceux qui se couplent à l'ordinateur. Sa peinture semble le produit d'une série de traitements informatiques : avec le logiciel photoshop, qui permet de truquer la moindre prise de vue, il s'agit de « gonfler » la forme, de la « booster », de donner une consistance nouvelle à des objets préexistants. C'est l'œuvre d'art elle-même qui procède ici d'une esthétique de « l'effet spécial », substituant au réel les signes plus ou moins apparents d'une manipulation, d'une postproduction. Mais plus encore, c'est d'un mode spécifique de déplacement dans la réalité que la peinture de Balincourt est contemporaine. Se définissant comme un touriste, davantage que comme un anthropologue, il circule parmi les signes comme on navigue sur le Web. Forêts étranges, plages urbanisées, cartes du monde, Clint Eastwood dans un film de Sergio Leone… Une exposition de Balincourt se compose d'un ensemble de captures d'écran, de branchements, de liens, de connexions.

Les tableaux de Balincourt se construisent souvent à partir d'un maillage de lignes colorées, qui évoquent la représentation des flux : sous la surface lisse des représentations communes, il introduit un nouveau genre de réalisme, qui entend rendre visibles les courants qui sous-tendent la « réalité », ou qui insistent sur son caractère artificiel, fabriqué, fictif. Ses toiles superposent différentes strates de représentation de l'espace architecturé dans lequel nous évoluons : Balincourt est un artiste de l'ère de l'information. Chacun de ses tableaux infléchit où diffracte ainsi un va-et-vient entre les moyens de la peinture et la masse des informations dont dispose le peintre, afin de former un plan, une feuille de route, un itinéraire.

Branchement du GPS sur de la couleur, la peinture de Balincourt produit ce que l'on pourrait appeler des « formes-trajets », constituant un atlas de la mutation des espaces urbains. La forme-trajet picturale possède, en deux dimensions, les caractéristiques de la carte géographique, et en trois dimensions celles du ruban, voire de l'anneau de Moëbius : la peinture produit son espace en transposant des informations sur la toile ; le visiteur évolue le long d'un flux qui se dévide comme un texte éclaté, comme la représentation, non pas d'un espace statique, mais d'un réseau de significations. Figurer les mutations de l'espace-temps dans lequel nous vivons, capturer le visible dans et à travers les flux qui le composent, témoigner de l'irréalité du réel – bref, peindre son époque – voilà la tâche la plus difficile et la plus productive pour la peinture et la voie abrupte qu'a choisie Balincourt.

[1] Jean-François Lyotard : « Des Dispositifs pulsionnels », Galilée, 1994.
[2] Thierry de Duve : « I want ta be a machine », *La recherche photographique*, numéro spécial, 1989.
[3] *Conversations avec Cézanne*, Paris, Macula, 1978, p. 111.

Michel Majerus

Captures d'écran (2011)

Au sujet de la peinture de Frank Stella, Robert Rosenblum écrit qu'elle « recoupe presque tous les principaux problèmes picturaux de son temps ». Cette expression pourrait s'appliquer à l'œuvre dense et synthétique de Michel Majerus, en dépit de l'extrême brièveté de la carrière de son auteur, décédé à trente-quatre ans dans un accident d'avion à l'automne 2002. Cette mort violente survenue dans son pays natal, au Luxembourg, apparaît hautement ironique : Majerus le voyageur, qui se présentait comme un « artiste berlinois » et venait de passer quelques mois aux États-Unis, aurait ri de cette boucle symbolique qui le fit naître et mourir dans le petit pays qu'il a toujours cherché à fuir. Ironie amère. L'on pourrait longuement conjecturer sur le cours qu'aurait suivi cette œuvre, si seulement elle s'était prolongée au-delà d'une poignée d'années… Elle rejoint celles d'Yves Klein, Pino Pascali, Blinky

Palermo ou Jean-Michel Basquiat dans la légende de l'histoire de l'art, au rayon des grandes œuvres brutalement interrompues. Quelle direction Majerus aurait-il prise ? Peut-être aurait-il poursuivi sa trajectoire dans la veine plus sombre, plus directement « kippenbergienne », de la série des grands tableaux lyriques que l'on trouva dans l'atelier au lendemain de sa mort. Mais peut-être aurait-il, et c'est plutôt mon opinion, opéré une nouvelle synthèse de ses différents chantiers picturaux. Majerus n'était pas de ces artistes qui se laissent enfermer dans une formule. Lorsque je l'ai rencontré pour la première fois, à Paris, en 1993, il n'avait encore à montrer qu'une épaisse pile de petits dessins, tous inspirés par la culture populaire contemporaine et notamment par l'univers du dessin animé, dont l'ironie douce s'apparentait à celle d'artistes comme Rita Ackermann ou Jean-Luc Blanc, qui travaillaient eux aussi, à l'époque, à une réappropriation manuelle et sensible de l'industrie de l'imaginaire.

Ce n'est qu'en 1998 que je suis entré de nouveau en contact avec le travail de Majerus, à l'occasion de *Manifesta* 2, qui se déroulait cette année-là à Luxembourg. Il était visiblement passé à autre chose, et je fus alors étonné par la taille et les coloris agressivement pop de ses travaux : loin des dessins timides qu'il réalisait à sa sortie de l'école d'art de Stuttgart, il était arrivé à s'emparer de l'espace d'exposition avec une audace étonnante. C'est entre 1996 et 1999 que Michel Majerus réalisera ses premières expositions marquantes, de la Kunsthalle de Stuttgart au monumental walldrawing commandé par Harald Szeemann pour la façade du pavillon international de la Biennale de Venise. C'est peu avant cette première consécration que je l'avais invité à participer à mon exposition « Le Capital : tableaux, diagrammes et bureaux d'études », au Centre d'art contemporain de Sète[2]. L'exposition tendait à montrer comment les flux de capitaux étaient devenus un sujet majeur de l'art contemporain, et la manière dont les artistes s'emparaient du vocabulaire de l'abstraction, des outils statistiques ou diagrammatiques, pour représenter une réalité devenue elle-même abstraite. Majerus avait occupé un immense mur dans la première salle, assemblage d'éléments peints sur place et de pièces rapportées de son atelier, parfois issus de précédentes installations. D'ordre architectural, cette pièce incluait de gigantesques blow-ups (Yet sometimes what is read successfully stops us with its meaning, présenté à Manifesta), des panneaux monochromes et des signes retravaillés, révélant ainsi l'essence de sa méthode de composition : forme et couleur, dans toute son œuvre, se voient subordonnées à une image globale de la contemporanéité, fondée sur une vision pop – c'est-à-dire ambiguë – de la double domination de l'écran d'ordinateur et du capitalisme marchand. Cette ambiguïté constitutive de la peinture de Majerus provenait de sa capacité d'émerveillement devant les signes de la rhétorique commerciale et les épaves visuelles du packaging, contrebalancée par une idée forte des pouvoirs de l'art, de sa capacité à éveiller le regard du public sur la toxicité de l'environnement dans lequel nous évoluons. Romantisme et ironie s'y côtoient donc pour aboutir à une synthèse inédite : entre la causticité d'un Kippenberger, la puissance iconique du Pop art et l'engagement existentiel d'un Basquiat, l'art de Majerus ne tranche jamais. Il arrive à faire tenir ensemble ces éléments hétérogènes en une sorte de suspension critique, afin de nous donner à voir les différentes dimensions du monde capitaliste, de l'agressivité visuelle jusqu'à la poésie populaire, en passant par l'aliénation et la colère.

Collage et postproduction

Michel Majerus est sans doute le peintre qui incarnait le plus fortement ces modes de production que mon essai *Postproduction* tentait de répertorier et d'analyser[3]. La manière décomplexée avec laquelle Majerus manipulait les signes de la civilisation post-industrielle et la variété des traitements qu'il opérait sur ceux-ci, ainsi que son dédain de tout sujet qui ne soit d'ores et déjà online, fait de son travail un véritable manifeste de cette génération d'artistes, pour laquelle la peinture ne représentait pourtant pas un médium privilégié. Mais tout comme *Esthétique relationnelle* quelques années plus tôt, mon essai appréhendait les formes de connaissance liées à l'ère des réseaux. Sa question centrale était : comment le chaos culturel introduit par internet génère-t-il de nouveaux modes de production, et avant tout de nouvelles attitudes artistiques vis-à-vis de notre environnement en mutation ? Le terme « postproduction » appartient bien évidemment au vocabulaire de l'audiovisuel, il désigne l'ensemble des traitements effectués sur un matériau enregistré : le montage, l'inclusion d'autres sources visuelles ou sonores, le sous-titrage, les voix off, les effets spéciaux… Ensemble d'activités liées au monde des services et du recyclage, la postproduction appartient donc au secteur tertiaire. En recyclant des formes réalisées par d'autres et des produits culturels disponibles, l'art se mettait au diapason de la culture globale à l'ère de l'information, qui se caractérise à la fois par l'inflation des signes culturels et par l'annexion intensive de formes jusque-là ignorées ou méprisées.

À première vue, la peinture de Majerus ne contient que des images et des formes déjà vues ailleurs, d'ores et déjà socialisées, qu'il s'agisse d'emprunts au monde de la consommation ou de reprises d'œuvres d'art existantes. Plus important encore, elle vise à abolir toute distinction entre le sujet et la forme : tendant à mêler le dispositif pictural et l'art du packaging, Majerus conçoit ses expositions comme des vitrines ou des environnements publicitaires, organisant l'espace selon les règles du display commercial. Cette fascination pour l'esthétique des shopping malls et son attachement à une matrice visuelle pop, singularisent certainement le travail de Majerus dans les années 1990 : à l'époque, en réaction au simulationnisme américain dominant dans la décennie précédente, le modèle formel des jeunes artistes était plutôt le marché aux puces. De Thomas Hirschhorn à Jason Rhoades, en passant par Rirkrit Tiravanija, l'exposition proposait alors des circuits visuels complexes basés sur des notions telles que la disponibilité des éléments formels, à l'intérieur desquels se manifestait un goût pour l'éphémère. Et d'un point de vue pictural, c'est la revendication d'une peinture purement passéiste ou sentimentale qui domine la fin du XXe siècle, des portraits pervers de John Currin à la valorisation de la pacotille visuelle par Karen Kilimnik ou Elizabeth Peyton. Il faudrait se tourner vers la double nostalgie qui traverse alors les travaux des Young British Artists, pour les années Koons et pour le Pop art, afin de trouver des équivalents formels à l'univers de Majerus. Mais l'efficacité et l'immédiateté des formules visuelles de Damien Hirst ou d'Angus Fairhurst ne possèdent pas la force acide des tableaux de Majerus, ni leur potentiel critique. C'est plutôt vers le travail d'Albert Oehlen, réflexion profonde sur le devenir-numérique de la pratique picturale, que l'on doit se tourner pour trouver un véritable équivalent de la démarche de Majerus. Dans sa propre génération, les travaux de Bruno Peinado en France, qui greffent l'art sur le graphisme à partir de la notion de créolisation culturelle, le parcours de Franz Ackermann en Allemagne, qui indexe le paysage contemporain sur Google Earth et le G.P.S, ou encore Kelley Walker aux États-Unis, qui branche l'espace pictural sur les circuits informatiques, apparaissent comme des contemporains immédiats.

Vivant à Berlin dans la seconde moitié des années 1990, Majerus était par ailleurs en contact immédiat avec d'autres artistes de sa génération, très politisés, baignant dans la culture techno et le Deejaying, qui manipulaient alors le vocabulaire de la publicité et de l'entreprise avec une certaine audace. Parmi eux, Daniel Pflumm, qui entame alors un travail de vidéaste à partir de logos de marques comme AT&T ou Sony, véritables « contre-publicités » abstraites, sur fond de musique électro minimaliste qu'il compose lui-même. Ou encore Svetlana Heger & Plamen Dejanov qui, avant de se séparer au début des années 2000, avaient vendu à la firme BMW leur force de travail pour toute l'année 1999, consacrant chacune de leurs expositions à mettre en scène les produits de la marque. Le Berlin de la fin des années 1990 a été le foyer d'un réalisme capitaliste hardcore, nourri par la rapidité des mutations urbaines visant à transformer la ville en capitale de l'Allemagne réunifiée, et Majerus fut largement inspiré par cette atmosphère culturelle. L'un des principes premiers de la culture techno était l'abolition de la distinction traditionnelle entre production et consommation, création et copie. La matière première du DJ se constitue d'objets sonores d'ores et déjà en circulation sur le marché culturel, c'est-à-dire déjà informés par d'autres. Et Majerus, dans les détails comme dans les fondements de sa pratique picturale, est l'un des artistes de son temps qui se rapproche le plus d'un DJ : il travaille par boucles visuelles, en apportant divers effets chromatiques ou formels à des matériaux préexistants. Plus déterminant encore, c'est dans son ordinateur qu'il stocke ses images et travaille la composition de ses tableaux. Ce point est capital, car les artistes de la postproduction apparus dans les années 1990-2000 se distinguent précisément du postmodernisme, et notamment de ses pratiques citationnelles, par l'intégration à leur mode de pensée des fonctions offertes par l'univers numérique.

Benjamin Buchloh écrivait, à propos de la peinture postmoderne des années 1980, ce réquisitoire implacable : « Le style devient alors l'équivalent idéologique de la marchandise : son échangeabilité universelle, sa libre disponibilité, dénotant un moment historique de fermeture et de stase. Lorsque la seule option encore ouverte au discours esthétique est le maintien de son propre système de distribution et la circulation de ses formes commercialisables, il n'est pas surprenant que toutes les « audaces soient devenues conventions » et que les tableaux commencent à ressembler à des vitrines décorées de fragments de citations historiques[4] ». C'est pour échapper à ce soupçon que nombre d'artistes des années 1990 développent une problématique de l'usage des formes, résolument à l'opposé de la notion de citation. Ce que Buchloh dénonce, en la qualifiant d'« image historiciste », c'est l'illusion d'une unité et d'une totalité qui dissimule les conditionnements historiques sous le masque du « style ». À l'inverse, les pratiques de postproduction, de Mike Kelley à Pierre Huyghe en passant par Henrik Olesen ou Michel Majerus, donnent à l'histoire des formes le sens d'une boîte à outils. À travers une réactualisation du sens et de la valeur d'usage des signes, ils prônent une vision de l'Histoire comme récit inachevé, et rapprochent l'art d'une tentative benjaminienne de rédemption des « vaincus », convocation politique de fantômes formels au tribunal du présent. Chez Majerus, c'est la répétition des motifs, ainsi que la coprésence permanente des figures sérielles et des traces visibles du pinceau, qui lui permettent d'échapper à ce « style-marchandise » dénoncé par Buchloh. Par le biais de ces collisions parfois brutales, il retrouve l'essence du « collage moderniste », dans lequel « les divers fragments et matériaux de l'expérience sont mis à nu, révélés comme des fissures, des vides, des contradictions insurmontables, des particularisations irréconciliables, une pure hétérogénéité[5] ». La peinture de Majerus n'est jamais dupe de ses propres fascinations. La monumentalité pop de ses grandes compositions, aussi bien que leur iconographie hétéroclite, évoquent au premier chef les œuvres majeures de James Rosenquist dans les années 1960. Notons que les références à l'histoire de l'art, et notamment à Ellsworth Kelly, Gerhard Richter, Andy Warhol, Cy Twombly ou Martin Kippenberger, deviennent de plus en plus explicites au fil des années dans sa peinture qui n'hésite pas à sampler des détails de leurs œuvres comme s'il s'agissait d'une boîte de cornflakes, mais entretient également avec elles un dialogue plus subtil, visible dans l'évolution de la composition de ses tableaux. Telle pièce quasiment monochrome, d'un jaune brillant, laisse ainsi dans sa partie inférieure une réserve de blanc où vient s'inscrire une figure évoquant, dans le motif comme dans la mise en page, l'influence de Basquiat ; telle autre, par la modulation d'un fond brillant qui prend le pas sur les figures qui s'y surimposent, indique celle d'Ed Ruscha. La référence à Rosenquist demeure toutefois cruciale : contrairement à Warhol ou Lichtenstein, celui-ci revendique une esthétique du collage qui imprègne également toute l'œuvre de Majerus. La critique a souvent évoqué, au sujet de l'auteur du grandiose « *F-111* » (1965), un « surréalisme pop » qui mettait en évidence, notamment par le surdimensionnement des figures, l'étrangeté de la vie urbaine à l'ère industrielle. Le travail de Rosenquist, écrivait G.R. Swenson, « contraint le regardeur à prendre conscience des éléments discordants et anonymes d'une réalité à laquelle il est quotidiennement confronté[6] ». En dépit du caractère hétérogène des figures et des lettrages utilisés par Majerus, le regardeur n'est pas assailli par une impression d'étrangeté, ni par un sentiment de discordance. Reflet d'une époque de contradictions et de collisions brutales, sa peinture accentue les béances et les failles entre les signes, que seule l'habitude nous amène à atténuer.

Un impressionnisme du Capital

On sait que dans n'importe quel jeu (« game »), l'introduction d'une nouvelle pièce marque le début d'une nouvelle partie (« play ») : l'historien et critique Hubert Damisch a montré comment chaque période artistique s'organise autour d'un ou plusieurs jeux d'oppositions mettant aux prises des forces antagonistes, en fonction de l'irruption dans le grand jeu de l'art de nouveaux « personnages conceptuels[7] ».

Au milieu du XIXe siècle, l'appareil photo a été l'élément déclencheur de l'aventure impressionniste, introduisant dans le terrain de jeu pictural des fonctions nouvelles à partir desquelles les artistes ont dû repositionner leur pratique dans le champ général de la production d'images. Dans les années 1990, un bouleversement similaire survient par l'intermédiaire d'internet et de la généralisation hyper-rapide du numérique : et comme ce fut le cas pour la photographie un siècle et demi plus tôt, l'impact de cette nouvelle technologie fut avant tout mental, générant de nouvelles approches du sujet et de la composition. Michel Majerus a été l'un des premiers à prendre en compte cette nouvelle donne, et l'on peut écrire que sa peinture fut d'emblée pleinement informée par l'ère numérique, voire numérique dans son ambition même. Outre le fait qu'elle soit déterminée en amont par l'outil informatique, dans ses principes de composition par copier/coller et par la forte présence de la forme-écran, son régime iconographique répond à l'extrême profusion chaotique à laquelle le websurfing donne accés, à la disponibilité des formes et des signes qui caractérise son usage, à un univers culturel dont les vieilles hiérarchies se sont écroulées.

La référence à l'impressionnisme n'est pas fortuite. En effet, ce mouvement pictural est né de la conjonction entre une nouvelle technologie, la photographie, et l'apparition du tube de couleur qui permit aux peintres de se déplacer facilement pour « aller sur le motif ». Claude Monet ou Camille Pissaro inventèrent, au-delà d'une manière originale de poser la couleur sur la toile, un nouveau dispositif sensible : l'artiste se poste au sein même du paysage, environné par son sujet, dans un état d'hypersensibilité aux variations de la lumière sur les formes. L'impressionnisme fut également un art de la banlieue parisienne, une pratique du déplacement rapide vers le motif à peindre. Si l'on opère une translation de ce schéma sur le cadre technique de notre époque, on peut percevoir que l'appareillage numérique a permis une mutation similaire : sans faire de bruit, un dispositif nouveau est apparu, qui connecte l'ordinateur et de multiples branchements (photocopieur, scanner, logiciels de traitements de l'image fixe ou animée…) dans la solitude de l'appartement-atelier, ramenant ainsi les artistes chez eux de manière aussi radicale que le dispositif impressionniste les avait propulsés vers le plein air. À l'inverse de ce dernier, qui se basait sur une quête de la lumière du jour, le dispositif dominant de l'ère internet consiste à créer les conditions d'une maîtrise domestique de flux provenant de l'extérieur. La lumière est artificielle, les sujets tournoient devant les yeux de l'artiste.

Le territoire mental que Michel Majerus a d'emblée circonscrit comme le sien est ainsi celui du graphisme des shopping malls et de la vente online. On trouve dans sa peinture une infinité de lettrages et de formes graphiques glanés ici et là, avec une insistance particulière sur les baselines du marketing (« Newcomer », « Buy », etc.) ou les noms de marques. Mais l'originalité de ce territoire mental consiste en une fusion totale du réel et du virtuel : plus précisément, Majerus combine dans sa peinture la rue et le website, agglutinant en une seule forme des réminiscences des centres-villes (les tags, le skateboard, les vitrines) et une mise en page typique de l'écran d'ordinateur (superpositions évoquant les « pop-ups », effets de duplication, etc.). L'art de Majerus nous montre la vie urbaine sous la domination naissante d'internet, et il fut l'un des premiers à représenter le monde contemporain sous cet angle. Dans ses tableaux, la ville se transforme sous nos yeux en un gigantesque website : l'architecture y devient le simple support publicitaire de l'écran, d'une vie en ligne dont le commerce constitue la finalité. C'est dans l'importante série de tableaux réalisée lors de son séjour à Los Angeles en 2000, qui fournira ultérieurement la matière de l'exposition « Pop reloaded », que Majerus trouve la confirmation absolue de son intuition : incluant largement la vidéo dans son dispositif pictural, mêlant écrans et toiles, il opère une véritable fusion entre l'architecture de la ville et le clignotement publicitaire permanent qui la caractérise, tout en intégrant à cette vision les signaux de l'art, à travers des emprunts visibles à Twombly ou Richter. Incorporant sa propre présence à ce paysage urbain, il adjoint à cette exposition une vidéo où défilent ses multiples (et changeantes) signatures, comme pour affirmer que la figure de l'artiste, dans cet environnement de cristaux liquides et d'écrans, ne peut se présenter que comme un logo parmi d'autres. La matrice visuelle pop qui sous-tend la peinture de Majerus se voit ainsi augmentée et complexifiée par le motif de l'écran, à la fois visuel et conceptuel. La forme, les effets de grain ou de transparence, les fonctionnalités de l'écran d'ordinateur y représentent une sorte de « signifiant-maître » pictural, pour reprendre le concept de Lacan, au moment même où il envahit la vie quotidienne de tout un chacun. Nous l'avons vu, l'ordinateur induit à la fois un dispositif de production et des sujets ; mais au-delà encore, il se retrouve à la source de nouvelles formes de composition. « La perspective, écrivait Rosalind Krauss au début des années 1970, est le corrélat visuel de la causalité : les choses se disposent les unes derrière les autres selon des règles. » Si le modernisme pictural a évacué la perspective monoculaire centriste (spatiale), elle lui a substitué « une perspective temporelle, c'est-à-dire l'histoire[8] ». Il apparaît clairement que le réseau internet et la culture globale produisent concrètement de nouveaux modes de perception de l'espace humain, qui ne peut plus guère se voir représenté par ses coordonnées purement physiques. Dans les travaux des artistes de la culture globale, la perspective est devenue à la fois géographique (la mobilité, le déplacement et le nomadisme culturel comme méthode de composition) et historique (l'hétérochronie comme saisie spontanée du monde). Les figures ne se disposent plus « les unes derrière les autres » pour nous donner une vision ordonnée de l'unvers, mais elles se juxtaposent en un jeu de transparences et de collisions chaotiques, afin de restituer la complexe hétérochronie de notre expérience, celle des réseaux du monde globalisé. La peinture de Majerus s'attaque directement à cette question : plages de couleur, coups de pinceaux, tags, logos, slogans, agrandissements de détails d'images publicitaires et figures empruntées à l'histoire de l'art se côtoient sans hiérarchie aucune, sur des fonds qui évoquent toujours l'impassibilité d'un écran, toujours prêts à recevoir la séquence suivante.

Ce n'est pas un hasard si Majerus perçoit intuitivement une parenté entre son travail et celui d'Ellsworth Kelly. Contrairement à la plupart des peintres abstraits de son temps, tels que Morris Louis, Kenneth Noland ou Frank Stella, l'art de Kelly entretient une relation étroite avec le monde extérieur. Les motifs qu'il utilise proviennent de souvenirs de phénomènes visuels, que ce soit la forme d'une fenêtre aperçue à Paris ou celle de l'espace qui sépare deux objets. Tout comme celui de Kelly, l'art de Majerus est un art de la réminiscence, fait de traces mnémoniques d'impacts visuels. Autrement dit, quelle que soit la source matérielle des signes et des formes qu'il agglomère dans ses compositions, celles-ci sont toujours étalonnées sur une mémoire concrète du quotidien, sans jamais, répétons-le, verser dans cette étrangeté quasi surréaliste que l'on décèle chez un Rosenquist : l'espace de Majerus semble indexé sur des souvenirs précis de rues graffitées, d'étalages de galeries marchandes ou de brochures publicitaires. En cela, il s'appuie sur des « impressions » davantage que sur une théorie de l'espace pictural, il procède de flashs colorés plus que d'un formalisme. Majerus se laisse guider par un sens aigu de la relation entre forme et couleur, qui constitue le fil conducteur de son œuvre. Pour Paul Cézanne, le peintre ne doit obéissance qu'à la logique colorée. « S'il sent juste, il pensera juste. La peinture est une optique d'abord[9]. » Des accords saisissants des premières toiles, où dominent le jaune vif, les roses et bleus pâles et les verts acides, jusqu'aux camaïeux de noirs de la fin, l'art de Majerus constitue, avant toute chose, une histoire brève et intense racontée par de la couleur.

[1] Irving Sandler, *Le Triomphe de l'art américain*, t. II, *Les Années 1960*, Editions Carré, Paris, 1990.
[2] « Le Capital : tableaux, diagrammes et bureaux d'études, juillet-octobre 1999 », catalogue d'exposition, CRAC Sète
[3] Nicolas Bourriaud, *Postproduction*, Les presses du réel [2004], Lukas & Sternberg Press, 2005.
[4] In « Figures d'autorité, chiffres de régression », Benjamin Buchloh, *Essais Historiques I*, Art éditions, 1992, p. 38.
[5] *Ibid.*, p. 39.
[6] G.R. Swenson, cité in Irving Sandler, *op. cit.*, p. 190.
[7] Hubert Damisch, *Fenêtre jaune cadmium*, Le Seuil, Paris, 1984.
[8] Rosalind Krauss, « A view of modernism », *Artforum*, septembre 1972.
[9] Cité par Gilbert Gatellier in *Cézanne*, Bordas, Paris, 1968.

Gardar Eide Einarsson
L'évacuation des formes (2010)

Parmi les clichés théoriques qui circulent dans le discours sur l'art du début du XXIe siècle, ceux qui sont liés à la notion d'antagonisme font partie des mieux ancrés. L'idée que l'art doit mettre en scène ou représenter le conflit social pour se voir qualifié de « politique », et que cette intention puisse fonder un critère de jugement esthétique, renvoie en fait au débat qui opposa la critique académique et la critique moderniste à la fin du XIXe siècle : pour les premiers, la peinture de Pissarro ou de Cézanne était « réactionnaire » car elle ne montrait pas la misère ouvrière, mais des jardins en fleurs ou des coins de campagne ; pour les seconds, ce sont les pratiques et les formes qu'elles produisent qui constituent le contenu de l'œuvre d'art, et qui valident in fine son potentiel critique. Les défenseurs des allégories de l'art académique de la seconde moitié du XIXe siècle vantaient « l'importance qu'il donne à la pensée », c'est-à-dire sa « passion de l'histoire, [son] affirmation des convictions patriotiques, politiques ou religieuses, [son] expression enfin des idées sociales ou civiques[1]. » Certains de ces critiques vilipendaient alors l'impressionnisme, cet art désengagé qui se consacrait à dépeindre les lieux de villégiature de la bourgeoisie parisienne, de la même manière que l'URSS stalinienne dénoncera l'art abstrait comme « réactionnaire » et « bourgeois ». C'est selon une logique semblable qu'un critique peut aujourd'hui accuser Rirkrit Tiravanija d'être un « escapist » reproduisant les motifs du loisir et de l'entertainment[2], ou une autre renvoyer dos à dos Liam Gillick et le même Tiravanija, dont les expositions se rendent coupables, à ses yeux, d'être « fondée sur une identification harmonieuse du sujet, en comparaison avec la position du sujet présentée par certains travaux de Santiago Sierra et Thomas Hirschhorn, désidentifiée, partielle et antagonique[3] ». Outre que cette appréciation des travaux des deux premiers cités me semble peu fondée, elle demeure emblématique de la permanence (ou du retour) d'une position théorique pour qui la dimension critique et/ou politique d'une œuvre réside dans son sujet davantage que dans son dispositif formel, dans ses intentions déclarées davantage que dans ses modes de production ou ses effets, la notion de « dés-identification » étant pour le moins brumeuse. Quant à la suspicion qui se porte sur les artistes utilisant les codes de l'*entertainment,* elle renvoie évidemment aux positions de Theodor Adorno, qui aurait préféré, à l'inverse de ce que prônaient les petits-bourgeois de son temps, que l'art soit ascétique et la vie voluptueuse plutôt que l'inverse.

Si l'on peut considérer Gardar Eide Einarsson comme un artiste important dans le paysage artistique de ce début du XXIe siècle, ce n'est donc pas pour des engagements politiques qu'il partage avec quelques millions d'autres êtres humains, ni pour les sujets qu'il a décidé de traiter, qui ne suffisent pas à rendre digne d'intérêt tel ou tel travail artistique. La phrase qui inaugure la moitié des dossiers de presse d'exposition, « le travail de x ou y porte sur tel ou tel thème », fait toujours sourire : autant présenter Cézanne en disant qu'il s'intéresse aux montagnes et aux fruits.

C'est pour son projet artistique qu'Einarsson nous captive. Et si l'on pouvait définir celui-ci de multiples manières, je dirais, pour aller vite, qu'il ambitionne de peindre une fresque herméneutique de la société de contrôle. À travers le détourage ou l'agrandissement, le téléchargement de signes sur internet ou leur glanage dans la rue, en mêlant tags et drapeaux, flyers et vidéos, Einarsson immerge le dispositif visuel moderniste dans le sinistre bain de la répression politique post-11 septembre. À l'aide de formes allusives dont la confrontation produit un gigantesque effet larsen visuel, il représente un monde où les relations humaines seraient réduites à des injonctions, des interdictions ou des revendications étouffées.

I. MINIMALISME, HÉRALDIQUE, POLITIQUE

Détourage et agrandissement sont les principes de base de la méthode d'Einarsson. Il faut dire que le gisement de signes auquel il a décidé de prêter attention se compose de minuscules détails et de formes clandestines, discrètes par nécessité. *I'll never Give my Hand to the Police* (2007) provient ainsi d'un tatouage de prisonnier ; d'autres œuvres naissent d'un prélèvement d'images dans d'obscurs sites internet, dans des questionnaires administratifs, des stickers de voiture, des comics ou des publications underground. Le travail de Gardar Eide Einarsson expose au grand jour toute une vie invisible, et le visiteur de l'une de ses expositions se retrouve dans la position d'un promeneur qui, ayant retourné une pierre humide, assisterait au grouillement paniqué d'un peuple d'insectes. Terreur, répression, dissensus, adhésions diverses à des idéaux obscurs : tels sont les motifs psychologiques auxquels nous renvoient les formes épurées et monochromes d'Einarsson. Autant dire que, s'il appartient bel et bien à cette génération de la postproduction et du scan-art qui restera comme le phénomène majeur des années 2000, Einarsson se distingue radicalement des travaux de Seth Price, Kelley Walker, Meredith Sparks ou Wade Guyton, dont les sources iconographiques sont bien plus hétérogènes, orientés qu'ils sont vers une « dispersion » généralisée, et l'esthétique bien plus pop. Formellement parlant, la prédominance du noir et blanc et la rigueur minimaliste qui caractérise les compositions d'Einarsson fait davantage penser à Félix González-Torres, qui réussit dans les années 1990 à renouveler l'iconographie de l'engagement politique en le confrontant au vocabulaire de l'art minimal. Allusions, renvois subtils, agrandissement de détails : Einarsson se situe ici dans le sillage formel de González-Torres. Si l'artiste américano-cubain explorait dans son travail les multiples facettes d'une source unique, celle du biopouvoir tel que l'entendait Michel Foucault et de la répression de la sexualité, le premier explore aujourd'hui avec une identique tenacité les figures du conflit entre l'individu et la société à laquelle il « appartient ». Ce conflit majeur constitue le centre d'une vaste fresque éclatée, dont chaque exposition d'Einarsson semble rassembler les débris épars. Le regardeur doit s'emparer de ces fragments, parfois énigmatiques, et les ramener vers ce centre invisible, vers ce conflit essentiel : moi contre le pouvoir, moi et les multiples alternatives qui s'opposent à ce pouvoir central. Figure stylistique dominante du travail d'Einarsson, l'ellipse produit en nous une sorte d'inquiétude sourde : elle est le signe même de la menace. Il apparaît clairement que quelque chose a été retiré des objets que nous regardons, et que le lien qui devrait en expliciter le sens a été effacé. Par son emploi systématique de l'ellipse, Einarsson génère chez le regardeur une prise de conscience politique qui utilise la peur comme principe général. Ainsi, dans « *Untitled (American Flag)* » (2007), le drapeau américain a-t-il été évidé, rendu disponible pour un usage qui n'est pas spécifié par l'artiste. Les formes flottent dans une atmosphère menaçante, la couleur est absente, les phylactères des bandes dessinées sont privés de leur locuteur, ou inversement : le monde d'Einarsson est celui de l'inadéquation entre les formes et leurs contenus, un monde ou règne l'évacuation. Cette métaphore unique rend compte de tout un contexte politique, de l'enfermement disciplinaire dans des camps offshore à la reconduite des travailleurs illégaux aux frontières. Plus généralement, elle témoigne de la volonté de l'artiste de trouver le lexique adéquat pour représenter la société dans laquelle nous vivons. Car la prolifération actuelle de l'information génère un silence assourdissant quant aux enjeux politiques contemporains : le bombardement d'informations auquel nous sommes soumis permet, paradoxalement, de mieux tenir sous silence une grande quantité d'autres. Il y a un *bruit blanc* de l'information, un *souffle* qui recouvre et « équalize » les sons discordants ; la bande passante se réduit aux dimensions de la propagande gouvernementale, de l'idéologie régnante, tandis que ce qui n'est pas considéré comme « d'intérêt public » se voit relégué dans les sous-sols d'internet. C'est cette situation dont rendent compte les œuvres d'Einarsson, construites sur l'élision du contenu et sur un appel tacite à la customisation des formes sociales, comme le montre « *Online souvenir #2 (Statue of Liberty)* » (2007), dans lequel une image mêlant la tête de la statue et les deux tours du World Trade center, au-dessus du slogan « Your text here – To personalize »… Banderolles de manifestations, panneaux publicitaires, caissons lumineux, formulaires administratifs, autant de formats qu'il vide et dont il accentue le contraste par l'emploi du noir et blanc. Les opinions politiques se voient ici réduites aux dimensions d'autocollants à appliquer sur l'arrière des voitures ou à celles du graffiti urbain. Et le point commun entre l'artiste et l'outlaw, c'est la volonté de produire du sens à l'intérieur des systèmes respectifs dans lesquels ils ou elles opèrent, par la customisation et par le marquage de leur territoire.

II. SPECTACLE DE LA POLITIQUE, POLITIQUE DU SPECTACLE

Aujourd'hui, la figure emblématique du rapport à la Cité n'est plus celle du citoyen, mais celle de l'immigré. Celui-ci ne jouit d'aucun des droits civiques attribués au premier. Il ou elle est un citoyen invisible, l'habitant des sous-sols, une arme furtive engagée dans une guerre sociale : l'équivalent politique des « réplicants » de Philip K. Dick, qui auraient tout d'un être humain, sauf ses droits. Acquérir une identité (et donc une visibilité sociale) devient alors l'enjeu d'une stratégie urbaine et d'une pensée précaire, dont les points de fixation sont immatériels. L'artiste sud-africain Kendell Geers a montré cela à travers des photographies de dispositifs sécuritaires privés ou des œuvres qui mettent en scène un danger physique, comme *Mondo Kane* (2002), un cube minimaliste hérissé de tessons de bouteilles, ou d'autres faites de lames de rasoir ou traversées par un courant électrique mortel. Francis Alÿs, qui a quitté sa Belgique natale pour s'installer au Mexique, travaille lui aussi sur les dispositifs de contrôle qui traversent la Cité, en collectant des images de marginaux, sans-abris, ou chiens errants. Cette question de l'immigration et de la précarité en entraîne une autre : celle de la traduction. Einarsson, qui a quitté la Norvège pour New York au début des années 2000, tire une partie de sa problématique de l'acte d'immigration, qu'il décrit même dans ses interviews comme une sorte de scène primitive. En Norvège, dit-il, « La relation à l'individualisme est très différente. Quand on est trop individualiste, on est montré du doigt. On incite les gens à avoir une mentalité sociale. J'ai déménagé à New York il y a sept ans. Et à mes yeux, l'étendue de cet individualisme cowboy était ahurissante. Ça vient certainement du fait que je suis arrivé la veille du onze septembre. La première année ici, il y avait des vigiles armés dans le métro et Humvees dans les rues. Cette expérience, elle est dans mon travail. J'ai dressé le catalogue de l'imagerie répressive[4]. » Comment traduire sa relation à une société dans le vocabulaire d'une autre ? Le sentiment d'étrangeté par rapport au corps social est aujourd'hui devenu un préalable pour le percevoir : dans l'art de ce début du XXIe siècle, le regard de l'étranger s'avère bien plus intéressant que celui des « natifs ». Et la raison pour laquelle il prévaut sur celui de l'individu appartenant pleinement à une communauté, c'est qu'il équivaut au regard du psychanalyste sur son patient. Il s'agit d'un regard extérieur, d'une « écoute flottante », comme aurait dit Jacques Lacan. Car chaque société secrète un inconscient spécifique, que l'on peut désigner sous le nom d'*idéologie*. Et le rôle premier de l'artiste, s'il ambitionne de tenir une position critique sur son environnement, consiste à interroger cet inconscient social, à saisir ses symptômes dans le défilé des récits et des images qu'une société produit : l'idéologie, écrivait Louis Althusser, « est un système (possédant sa logique et sa rigueur propres) de représentations (images, mythes, idées ou concepts selon les cas) doué d'une existence et d'un rôle historiques au sein d'une société donnée[5] ». Toute société humaine, poursuit Althusser, produit ce type de formation spécifique qui s'avère « profondément inconsciente[6] ». Le travail d'Einarsson questionne les modes de surgissement de l'idéologie dans la vie quotidienne et dans les formes les plus populaires de la production culturelle : mais, contrairement à nombre d'artistes qui se contentent de présenter ces formes comme idéologiques, il les met en perspective selon un projet politique, met en relief leur nature *idéologique*. Ainsi, ce que ses œuvres montrent avant toute autre chose, c'est un certain état d'affolement. Elles exposent la panique de l'idéologie à travers la multiplication chaotique des phénomènes de résistance au pouvoir central, la prolifération des groupuscules d'extrême-gauche, le pullulement des réseaux criminels. Dans cet univers dissident, le militantisme anti-capitaliste rejoint le monde du crime par d'étranges voies. Einarsson fait ainsi preuve d'une intertextualité érudite lorsqu'il explore le langage secret d'une communauté clandestine aussi organisée que la mafia japonaise (« *Tokyo Underworld* », 2006), ou manipule les codes des sous-cultures underground ou des milices gauchistes. La politique, vue à travers les figures monochromes qui constituent ses expositions, devient ainsi une branche spécifique de l'héraldique, c'est-à-dire un ensemble de blasons sous lesquels défilent, plus ou moins hermétiques pour l'extérieur, les mots d'ordre d'une contestation protéiforme qui se réduit parfois à des signaux. Einarsson découpe, dans le flux incessant de ces signaux politiques et idéologiques, des formes qui nous Touchent par leur puissance de *clignotement* : nous voyons qu'elles continuent à émettre du sens, mais nous percevons mal l'origine de celui-ci. De quel monde proviennent-elles ? Redécoupées, filigranées, uniformisées par le noir et blanc, mises au format de la peinture moderniste, elles semblent s'être camouflées afin de mieux opérer dans le réel spécifique que leur fournit le monde de l'art. Des signes en tenues de guerre.

Afin de préserver le système productif capitaliste, il importe que les idées, et plus particulièrement les idées contenant un potentiel de subversion, soient reléguées dans un champ où elles n'ont qu'une valeur d'exposition. Tel est le danger qui guette le monde de l'art : devenir la réserve naturelle de la contestation du système. L'art est devenu un lieu de redéploiement de la politique dans un espace dépolitisé, placé sous l'autorité omniprésente d'un marché indexé sur l'industrie du luxe. Cette contradiction structurelle, aussi violente soit-elle, peut également produire des effets de vérité. Certes, le monde de l'art pourrait se voir décrit comme le lieu de l'hypocrisie maximum, c'est-à-dire celui d'un maximalisme politique inoffensif, dans lequel les positions sont d'autant plus extrémistes que nul ne songe qu'elles aient le moindre effet sur un réel bétonné par l'idéologie. Mais l'art est également un lieu où se fabrique la contre-idéologie, à l'échelle minuscule qui est celle des signes manipulés par Einarsson. N'oublions pas, pour en revenir à Althusser, que « l'idéologie a pour fonction d'assurer le lien des hommes entre eux dans l'ensemble des formes de leur existence, le rapport des individus à leurs tâches fixées par la structure sociale[7] ». L'idéologie est un liant imaginaire, un fixatif mental. Réalisées à partir de prélèvements et de « décollages » de signes, les œuvres de Gardar Eide Einarsson mettent ainsi en acte la critique de l'idéologie, et c'est dans ce sens qu'elles produisent des effets politiques, au cœur même de leur processus de formation. J'évoquais plus haut un « effet Larsen » produit par les expositions d'Einarsson : en éloignant à l'extrême les signes de leur source, et en les rapprochant au plus près des codes du modernisme pictural et de l'idéologie dominante telle qu'elle est répercutée par le milieu de l'art, l'artiste génère une assourdissante dissonance chaotique. Un « bruit blanc » qui recouvre la musique de l'information, un art où se manifeste la maîtrise de l'amplification, qui joue avec le « souffle » comme outil formel.

[1] Thérèse Burollet, in « L'Art Pompier », cat. d'expo. *William Bouguereau*, 1825-1905, musée des Beaux Arts, Montréal / Petit Palais, Paris, et Wadsworth Athenaeum, Hartford, 1984.

[2] George Baker, « Editorial Introduction », in *October* 110, automne 2004.

[3] Claire Bishop : « Antagonism and Relational Aesthetics », in *October* 110, automne 2004. La citation est extraite de Nicolas Bourriaud, « Art. Key Contemporary Thinkers », Diarmud Costello et Jonathan Vickery (éd.), Oxford, Berg Publishers, 2007.

[4] Entretien par Christopher Bollen, in *Interview Magazine*, novembre 2008. (« In Norway, there is a very different relationship to individualism. It's almost frowned upon to be excessively individualistic. People are encouraged to have a social frame of mind. I moved to New York seven years ago. To me, the extent to which this cowboy individualism seemed to be present was shocking. That probably comes out of my having moved here the day before 9/11. In my first year, it was armed guards on the subways and Humvees downtown. I can see those experiences in my work. I was just cataloguing all of the repressive imagery. »)

[5] Louis Althusser, *Pour Marx* [1965], Paris, La Découverte, 2005, p. 238.

[6] *Ibid*., p. 239.

[7] Louis Althusser, « Théorie, pratique théorique. Idéologie et lutte idéologique », *Texte ronéotypé*, p. 29. Cité par Jacques Rancière, *La Leçon d'Althusser*, Paris, Gallimard, coll. Idées, p. 230.

Kendell Geers
La gnose prolétarienne (2012)

« I would say that one of the things that is the most ominously absent from contemporary art is the lack of any spirituality or any belief system beyond the material and physical. I have resisted speaking of this because it is very easy to misunderstand what I am saying. »
– Kendell Geers

Rares sont les artistes qui nous amènent à nous interroger sur la place que prend l'art dans nos vies. Il ne s'agit ni de sa fonction ni de sa valeur sociales, qui se voient au contraire, sans cesse abordées par l'art contemporain : je parle ici du lieu symbolique d'où il émet ses signes, donc du lieu au sens anthropologique du terme – d'autres que moi emploieraient ici l'adjectif métaphysique. Parmi les lieux communs les plus répandus aujourd'hui, l'idée que l'art serait aujourd'hui devenu un objet purement mondain ne résiste pas à une analyse historique : l'art a toujours été aussi un support de sociabilité. Mais ce sont les modes de sociabilité qui évoluent. Certes, lorsque l'amateur d'art contemporain traverse les foires ou arpente les biennales, il n'a, le plus souvent, que retenu des informations. Rien de plus normal, lorsque l'information est devenue la principale matière première de l'économie mondiale : les circuits par lesquels l'œuvre d'art transite pour se donner à voir dépendent de cette configuration élargie. En d'autres termes, le lieu symbolique de l'art dépend des circonstances. Le sacré, qui l'a longtemps accompagné, ne peut pas exister en dehors de certaines conditions socio-économiques de base, pas plus que l'art n'a de sens en dehors d'un contexte dont l'analyse relèverait d'une anthropologie comparée.

L'art du XXe siècle s'est sans cesse posé la question de la place du sacré, sans toujours arriver à cacher l'obscure nostalgie qu'il éprouve pour sa supposée « perte » : qu'il cherche sa trace dans la géographie (les arts « sauvages » ou « primitifs » convoqués par les dadaïstes et les cubistes) ou dans l'Histoire (les structures que sont l'autel ou le rituel), il les cherche toujours dans un lointain. C'est Walter Benjamin qui posa cette question dans les termes les plus modernes, en opposant l'aura à la technique. Et il définit d'ailleurs l'aura comme « l'unique apparition d'un lointain »… Comment ne pas voir que la nostalgie du sacré, dans l'art moderne, s'avère inséparable de la déploration de la perte du « lointain » dans un monde désormais privé de *terrae incognitae* ? Comme l'écrit Aby Warburg : « Le télégraphe et le téléphone détruisent le cosmos. La pensée mythique et la pensée symbolique, en luttant pour donner une dimension spirituelle à la relation de l'homme à son environnement, ont fait de l'espace une zone de contemplation ou de pensée, espace que la communication électrique instantanée anéantit[1]. » Dans son célèbre texte sur l'art à l'ère de la reproductibilité technique, Benjamin évoque le « choc » comme une possible expérience de substitution : dans les rues des grandes villes saturées d'événements et de stimuli visuels, ce permanent état de choc ferait office de sacré. Car telle est la vraie question : qu'est-ce qui peut remplacer le sacré, en termes de densité d'expérience, en matière de lien au cosmos ? Qu'est-ce qui subsiste de l'expérience esthétique lorsque la transcendance se réduit à un contrat passé avec le regardeur, et quand toute mythologie devient *personnelle*, comme le notait déjà Harald Szeemann dans les années 1970 ? Poser ces questions, comme le fait Kendell Geers depuis ses débuts, et plus directement depuis le tournant du XXIe siècle, en revient à tenter de percer un mystère plus épais encore : en quoi l'art relève-t-il d'une quelconque *nécessité* ?

Cette problématisation du vital et de l'urgence ne relève pas chez lui d'une quête métaphysique ; bien entendu, Geers ne cherche pas à renouer avec les problématiques picturales de Kandinsky ou Malevitch, ni à élaborer une nouvelle grammaire du spirituel. À l'inverse, son œuvre se compose d'éléments de consommation courante : des outils, des matériaux de construction, des imprimés. Mais le point commun existant dans la quasi-totalité des artefacts manipulés par Kendell Geers réside dans leur usage politique, dans leur capacité à pointer les marges du grand marché mondial et les zones interlopes de la société globalisée. Car il utilise depuis ses débuts, pour l'essentiel, trois classes d'éléments : en premier lieu, les équipements liés aux situations d'urgence (les gyrophares de voitures de police ou d'ambulances, les barbelés, les systèmes de sécurité, les armes, l'arsenal policier en général) ; ensuite, des objets emblématiques du prolétariat (les bouteilles de bière, les échafaudages, la pornographie bon marché) ; enfin, la signalétique habituelle des quartiers « chauds » (les agressifs néons rouges)… Le vocabulaire formel de Geers s'est même radicalisé depuis le tournant des années 2000, par un usage de plus en plus intensif de l'image pornographique, délibérément vulgaire, « sale » et volontiers choquante, qui n'est pas sans lien avec sa problématisation du spirituel, comme nous le verrons.

De la nécessité

Né en Afrique du Sud sous le régime de l'apartheid, Kendell Geers a connu la réalité d'une guerre civile institutionnelle : la lutte quotidienne des exclus contre les oppresseurs, la violence de la ségrégation, la propagande, la honte, la prison, le statut de traître officiel, l'exil. *L'état de guerre* est le seuil à partir duquel se déploie toute son œuvre, et ce qui en fonde l'urgence : c'est l'atmosphère dans laquelle son travail se révèle, comme un précipité chimique révèle la présence d'une molécule. Écrit à l'encre invisible, son message devient en effet limpide lorsqu'on le confronte au milieu à l'intérieur duquel il s'est constitué. Comment penser le travail de Kendell Geers en dehors de l'apartheid ? Cet ignoble régime politique, qui n'a commencé à prendre fin qu'en 1990 avec la libération de Nelson Mandela, a bien entendu modelé sa conscience artistique et politique, au même titre que la chute du mur de Berlin a modifié celle de millions d'Européens un an plus tôt. Mais de quelle manière ? La seconde période du post-modernisme, « globale » dans le sens ou elle signifie la synchronisation de l'Histoire à l'échelle mondiale, naît de la destruction de ces deux murs. Avec le début du long processus fin de l'apartheid, au même moment que le lancement officiel d'internet et la première guerre du Golfe, le mouvement d'horizontalisation peut pleinement se dérouler : fin de l'histoire, comme on l'annonçait ouvertement à l'époque ; débuts du *tout-géographique* et rêve marchand d'un monde enfin « globalisé » – ou, selon les termes de Bill Gates, d'un « capitalisme sans friction ». Et paradoxalement, Kendell Geers se retrouve alors dans la pire situation qui soit : citoyen en exil d'un pays honni, descendant de colons mais en rupture de ban avec son milieu familial et social, héritier d'une histoire illégitime qu'il récuse, il est l'exclu par excellence du post-modernisme. Ni vraiment africain ni totalement européen, issu d'une minorité dans la minorité, et de plus placé du mauvais côté de l'histoire, Geers s'exprime depuis un lieu d'élocution impossible : celui d'une hérésie socio-politique, d'un entre-deux jamais résolu. Et son œuvre témoigne de cette position d'hérétique, de banni. C'est en tout cas ce qu'exprime sa décision de réécrire ses papiers d'identité en falsifiant sa date de naissance, ou le processus de *Bloody Hell* (1990), œuvre pour laquelle il se recouvre de son propre sang : ni blanc, ni noir – rouge. Ce n'est pas un hasard si la seule catégorie identitaire à laquelle l'artiste affirme son appartenance, le prolétariat, est précisément celle qu'a gommé le postmodernisme. C'est pourtant cette classe dont on entend nettement l'accent dans les formulations de Geers : shit, fuck, cannettes de bière, calendriers pour camionneurs et blockbuster movies…

Dans une situation de guerre civile, de ségrégation raciale, de répression politique, c'est la non-circulation qui prévaut, le contrôle policier des flux. L'obstacle devient la norme. Sous un régime de guerre civile, à moins d'être « officielle », l'œuvre d'art se caractérise par le fait qu'elle ne peut justement pas circuler : elle naît sous les décombres et dans les souterrains, se diffuse sous le manteau par des voies clandestines. L'actuel intérêt du milieu de l'art pour la production artistique des pays de l'ex-bloc communiste provient de cette fascination pour la nécessité : les raisons pour lesquelles ces artistes éprouvaient le besoin de continuer à produire des œuvres d'art dans un contexte où celles-ci demeuraient invisibles, à l'heure où la visibilité et le profit constituent des valeurs dominantes, représente une obscure énigme pour le milieu de l'art d'aujourd'hui. Les artistes d'alors, soumis à la dictature stalinienne ou fasciste, censurés, emprisonnés, en liberté surveillée, fascinent ainsi une civilisation globalisée qui n'existe plus que sous la forme d'un immense réseau de canaux de diffusion, d'une absolue visibilité. Tout y circule, certes, mais rien n'y est plus nécessaire. Dans ce monde dont l'idéal est celui d'un « capitalisme sans friction », un système économique au sein duquel l'échange des marchandises n'aurait aucune limite théorique ou politique, l'idée même d'une expression invalidée ou interdite se transforme en une simple relance du désir. Masochisme politique. Dans le contexte actuel, celui de la résurgence des fondamentalismes religieux, seuls le dogme et la pornographie constituent des enjeux réels, c'est-à-dire des événements susceptibles de tirer la société de sa léthargie envers les images et les formes. Qui a pleinement réalisé que les Bouddhas d'Afghanistan avaient été dynamités ? Dans le réseau marchand mondial, le sens se voit sauvé par la création d'interstices, de poches de circulation restreinte, à travers lesquels les artistes recréent artificiellement les conditions anthropologiques de la nécessité.

La globalisation économique, dans sa logique de lissage des espaces, a généré un mode spécifique de circulation de l'œuvre d'art. Arrachée autant que possible à son champ spécifique, elle vient désormais irriguer la mode, les médias ou le marché ; propagée partout, elle se voit déniée toute autonomie au profit des impératifs et des méthodes de la communication. À l'inverse, les sujets se voient assignés à résidence : le régime officiel du discours post-moderne porte sur les identités, c'est-à-dire sur l'assurance sans cesse renouvelée d'une conformité des individus à leur provenance géographique, culturelle ou sociale. D'ou viens-tu ? La question signifie : restes-y – car tu dois correspondre à ta prétendue identité. Si les œuvres d'art se voient encouragées à signifier l'appartenance de leur auteur à une « culture » (concept occidental s'il en est), les individus, dans l'espace politique, ne doivent pas franchir les limites de cette appartenance. Mais l'œuvre d'art peut également refuser cette donne, et s'armer contre le mode de circulation post-moderne : non conforme, elle devient alors un bloc de résistance, un virus, un objet impropre à la consommation. *Mondo Kane* (2002), de Kendell Geers, fait ici figure de manifeste précurseur : cube blanc minimaliste hérissé de tessons de bouteilles de bière, impossible à manipuler, elle maintient le regardeur à distance, dans une périphérie symbolique. L'icône formelle (le cube blanc) est ici utilisée comme un émetteur neutre, laissant apparaître d'autant plus nettement l'univers de la dissuasion sécuritaire, de la paranoïa et de la violence relationnelle qui forme le substrat de l'œuvre de Geers. Celui de l'apartheid.

Formellement parlant, son lexique urbain et sa grammaire brutale, immédiate, pourraient a priori le rattacher à d'autres artistes de la même génération : Maurizio Cattelan ou Wim Delvoye emploient des méthodes similaires, insistant pareillement sur des réalités dérangeantes, réduisant leur message à l'os, à la recherche de l'impact visuel et signifiant à travers des compositions volontairement dépouillées. Chez eux, pas de formes réticulaires, de constellations formelles, d'archipels : l'univers de Geers se compose de formes unitaires, d'images isolées, de blocs ou d'accumulations. Plus récemment, même, elle convoque des canevas répétitifs qui semblent constituer des transpositions visuelles de la transe mystique. Mais cette brutalité visuelle n'a rien à voir, chez lui, avec la recherche d'une quelconque efficacité dans la communication. Contrairement à Cattelan, qui se love avec délectation dans les circuits élargis de la marchandise, ou à Delvoye qui déploie son ironie désespérée dans un vain défi adressé à l'histoire de l'art des siècles passés, Kendell Geers base son travail sur une résistance à toute appropriation. Il existe chez lui une amertume productive, une rancœur tenace, une violence sourde qui transforme chacune de ses œuvres en une démonstration d'irrédentisme. Visiblement, cet homme n'est pas à l'aise avec son époque : ça se voit. Et ce n'est pas une posture artistique. Prenant acte du décalage entre les apparences que prodiguent la société globalisée et l'état de guerre larvé dont il perçoit clairement les lignes, qui traversent sous ses yeux la totalité de l'espace social, Kendell Geers fait de cet écart le sujet même de son travail. Le monde n'est pas ce qu'il paraît : il est ontologiquement violent, pur apartheid. Mais sous cette épaisse couche de négativité se tient un éther plus nourrissant : il suffit, pour l'entr'apercevoir, d'accéder au statut d'initié. Et l'art, pour Kendell Geers, se tient du côté de l'initiation.

Évoluant dans un monde de faux-semblants, une jungle, Geers conçoit tout d'abord sa pratique comme une cynégétique : il fait la chasse aux signes, et tout son travail des années 1990 se base sur une incessante prédation de pièces à conviction visant à établir un tableau général du cynisme social : une œuvre comme T.W (*virus)* (1994) exhibe de façon éclatante ce que le pouvoir entend faire passer inaperçu : les outils sanitaires du biopouvoir, en l'occurrence le matériau isolant à l'intérieur duquel opèrent les forces policières. En répertoriant patiemment les symboles et les appareils de la force politique, Kendell Geers nous parle du sujet contemporain, et de sa responsabilité : la figure qui apparaît, en creux, dans ses travaux d'alors, est celle du sans-droit, du migrant, du pauvre, de l'irresponsable. Cette figure en filigrane, obsessionnelle, finit par ressembler à celle, retournée, du Christ persécuté – comme l'indique une autre œuvre de cette époque, T.W (*I.N.R.I*) (1994) dans laquelle le crucifix se voit recouvert de ces rayures qui sont l'attribut du diable… Dans les années 2000, cette quête revêt un autre aspect : les pièces à conviction se transforment en signes initiatiques, en opérateurs de basculement d'un monde à un autre.

Hétérologie et exclusion

Pour un artiste, rechercher l'équivalent contemporain du sacré est une démarche devenue assez banale, et toujours vouée à l'échec lorsqu'elle se résume à une illustration, ou à la construction d'un système d'équivalences. Kendell Geers s'est lancé à la recherche de quelque chose de bien plus complexe : il tente de retrouver les effets que générait l'univers du sacré, s'efforce de traquer la nécessité qui accompagnait jadis l'œuvre d'art. Et cette entreprise ardue, il la base sur la réactualisation d'une ancienne hérésie : c'est à partir d'une vision gnostique du monde qu'il réoriente son travail à partir du début des années 2000. Cette recherche s'avère pleinement anthropologique en son principe, car elle va débusquer la métaphysique jusque dans les déchets de la civilisation. La gnose, dans le travail de Geers, vient se connecter tout naturellement à la mythologie de l'exclusion et du lumpen-prolétariat qui l'alimente depuis le début.

Tout l'art moderne s'est construit sur une entreprise de réhabilitation du déclassé : le choix de sujets « vulgaires », l'insistance sur les traces de la main humaine (qu'on apparente alors à un affront au travail « bien fait »), l'indifférence aux hiérarchies morales... L'art moderne, c'est la fin des femmes marmoréennes – enfermées, parce que la vie elle-même fait peur, dans une gangue de pierre, ou dans le modelé glacial et frigide que l'époque affectionne. C'est l'*Olympia* de Manet peinte à grands coups de pinceaux, non pas comme une déesse mais comme une prostituée, puis la Sainte Vierge représentée par Francis Picabia sous les traits d'une tache d'encre : l'art moderne est pervers parce qu'il ne vise pas à la reproduction de la réalité, ce que Georges Bataille a très bien vu, mais à sa jouissance. Les cafés et les bordels de Toulouse-Lautrec ou Degas, les coins de campagne de Monet ou Pissarro, les oignons de Cézanne ou les banlieues de Seurat s'avèrent scandaleux parce que ces artistes peignent ce qui n'a aucune valeur symbolique aux yeux de leurs contemporains. Pourquoi Manet s'attache-t-il à représenter un Bar aux Folies-Bergères ou une botte d'asperges ?

Les impressionnistes ont compris, à la suite de Gustave Courbet, que toute révolution picturale devait passer par une réévaluation du déchet. Le déchet, défini par le dictionnaire comme « ce qui reste après la production ou l'utilisation d'un produit », a été le grand sujet de l'art moderne, comme métaphore puis comme matériau : il a exploré l'état des banlieues en cours d'industrialisation, les journaux froissés, la peinture elle-même, avant de s'emparer des objets et des signes laissés pour compte par la société industrielle. D'une certaine manière, l'art du XXe siècle pourrait ainsi se voir revisitée sous l'angle d'une rudologie : du latin *rudus*, qui signifie « décombres », cette science née dans les années 1970 se consacre à l'étude du déchet. Elle part d'une démarche d'étude de l'activité économique et de la pratique sociale pour laquelle l'organisation d'un système doit être décrite par une approche inversée : depuis ses traces marginales

(les rejets) jusqu'à son centre d'organisation. Dans son sens commun, le déchet est un bien dévalorisé, rejeté par son producteur ou son propriétaire : c'est ce qui reste d'un processus de production ou de consommation. Au plus bas niveau, on approche la puanteur, l'impureté, l'immondice. Impropre à la consommation, le déchet ne sert à rien. Privé d'accès à l'autonomie sociale, le prolétaire hier, l'immigrant clandestin aujourd'hui, représentent son pendant humain. Le banni ou l'homo sacer de Giorgio Agamben, réduit à la « vie nue », ne sont autres que les déchets du système productif : tenus à l'écart car inutiles à la production, réduits à une existence privée de droits civiques pour cause de cynisme économique, ces laissés-pour-compte de la machine sociale forment par ailleurs un sujet entêtant pour l'art contemporain. Lorsque Geers expose *Dark Matter* (1993), un mur de dessins sur papier, réalisés avec son propre sperme, il réalise d'une manière emblématique un programme bataillien : la jouissance contre la reproduction, le gaspillage des forces productives, l'exaltation du déchet, du presque-rien. Un art prolétaire.

Pour les sectes gnostiques, le monde est sous l'emprise du mal, il est le produit d'une gigantesque erreur. Crée par un Dieu ennemi de l'homme, il est le lieu de l'obscurité, de la pesanteur, de l'opacité, de la matière pesante. Il est fondamentalement entropique, tendant vers l'inertie absolue. Parmi les nombreuses sectes gnostiques du début du premier milllénaire, les carpocratiens pensaient ainsi qu'il fallait épuiser le mal, donc le répandre partout ; certains se revêtaient de haillons (les Saccophores), ou se lançaient dans la luxure absolue, comme les barbélognostiques ; d'autres adoraient les serpents. Toutes se caractérisent par une attitude de rebellion et de refus, et par une recherche débridée et systématique d'une alternative à l'angélisme chrétien, qui en font les lointaines ancêtres des avant-gardes modernistes. Plus encore, celles-ci et les gnostiques partagent un même désir de valorisation du déchet et du rebut : ce que la majorité rejette comme impur, insignifiant ou souillé constitue le matériau spirituel privilégié des recherches philosophiques de Basilide ou de Valentin, les grands théoriciens du renversement des valeurs opéré par la Gnose. Mais dans leur pensée subsiste l'idée qu'il existe en l'être humain quelque chose qui échappe à la malédiction : une étincelle, une lumière clignotante. Dans cet univers mental, Kendell Geers saisit un potentiel jusqu'alors inaperçu : la réconciliation du sacré et du moderne à travers le déchet, qu'il représente comme la vérité absolue du système socio-économique.

La présence insidieuse du sacré dans l'art contemporain est passée par une stratégie de valorisation du précaire, du déchet. C'est le contraste entre l'insignifiance de l'objet et le dispositif esthétique déployé pour le mettre en valeur qui fonde le « sacré ordinaire » de l'art contemporain. Les chaussettes que Robert Filliou prend comme exemple de son « principe d'équivalence» , le feutre ou les citrons de Joseph Beuys, l'excrément humain soigneusement mis en boîte par Piero Manzoni, sans parler des matériaux naturels utilisés par l'Arte povera ou des produits industriels magnifiés par le Pop art, sont autant de déclinaisons du grand processus de sacralisation de l'ordinaire qui caractérise l'art des années 1960. L'équivalent du sperme chez les gnostiques. Si l'univers formel du rejet a toujours été son sujet, la Gnose a injecté dans le travail de Geers non seulement une perspective originale, mais surtout une dimension anthropologique lui permettant d'aborder de face sa problématique de la nécessité, ainsi que de repositionner la métaphysique dans son univers profane et violent, celui de l'apartheid invisible au sein duquel il se débat depuis 1990. Les barbelés, les balles de fusil et les dispositifs policiers prennent une autre dimension si on les regarde depuis la pensée gnostique : Geers se réinvente alors comme l'artiste qui non seulement représente le mal, mais qui entend bien le traverser, les yeux grands ouverts. Sans affect. Une œuvre comme *Corner piece* (1994) montre l'invisibilité et l'omniprésence du mal : un espace délimité abstraitement par un trait noir, deux annonces sécuritaires. Nous y sommes : dans l'espace-temps de la violence pure. Sa rhétorique visuelle des années 1990 est faite de fil de fer barbelé, de cordons de sécurité policiers, d'échafaudages tubulaires métalliques, de frontières et de documents administratifs. Son sujet initial est celui de l'impossibilité de se mouvoir au sein de la zone sécurisée et armée à laquelle se résume, dans son œuvre, l'économie capitaliste.

Geers se révèle ainsi comme un grand paysagiste. Parmi les formes classiques du répertoire contemporain, la série de photographies urbaines constitue sans doute la plus répandue. Depuis les déambulations de Gabriel Orozco ou Francis Alÿs dans un Mexico blafard, ou encore les impressionnantes collectes réalisées dans le monde entier par Zoe Leonard (*Analogue*, la série de devantures de magasin exposées à la *Documenta* de 2007) ou John Miller (la série *Middle of the day*, qui documente systématiquement depuis une dizaine d'années le moment de la pause déjeuner, partout où se trouve l'artiste), ce type de compilations thématiques est devenu un classique formel, à la suite des prises de vues méthodiques de Bernd & Hilla Becher ou de la série *Homes for America* (1966-1967) de Dan Graham. Mais la série *Suburbia* (1999) de Kendell Geers représente pour moi, de par son côté précurseur et la force de son sujet, un véritable chef d'œuvre du genre : documentant l'omniprésence des affiches publicitaires accolées aux résidences des privilégiés d'Afrique du sud, signalant l'existence d'un dispositif de surveillance ou d'alarme électronique, Suburbia dresse un tableau apocalyptique de la ville contemporaine et de sa paranoïa.

Le mur, le barrage, la frontière, sont de grands thèmes contemporains, et le travail de Geers en répertorie froidement les multiples déclinaisons. La frontière, obsession contemporaine s'il en est, représente le lieu métaphorique autour duquel l'art contemporain retrouve ses fondements historiques : elle évoque la clandestinité, la transgression, le franchissement des barrières érigées par l'ordre établi. Autrement dit, le paradis perdu de la nécessité vitale. Ou, trouve-t-on, ailleurs, des limites à transgresser ? L'immigrant clandestin est devenu le symbole suprême de l'artiste contemporain, parce qu'il incarne l'état de transgression que l'art ne trouve plus dans la culture globalisée, devenue l'espace lisse du « capitalisme sans friction ». Vivre en Afrique du Sud dans les années 1980, comme le fit Kendell Geers, c'est vérifier chaque jour l'institutionnalisation de l'exclusion, de l'Autre comme déchet humain, comme prolétaire au carré. Pendant toutes ces années, il a su aiguiser l'instinct dont il fait preuve aujourd'hui pour repérer les mécanismes subtils et les formes changeantes de l'exclusion. Prolétaire visuel, il fait aujourd'hui l'éloge de la rapine et du détournement, de la vulgarité, de la violence libératrice. On pourrait l'apparenter à François Villon, ou à Guy Debord qui admirait tant ce dernier, deux figures majeures avec qui il partage un attrait sans cesse renouvelé pour les divers modes de la marginalité urbaine : Geers s'est toujours conduit comme un errant, un vagabond évoluant dans les bas-fonds sublimes qui sont la source vive de la poésie. C'est dans ces bas-fonds qu'il vient en tout cas chercher, imperturbable, ce qu'il présente comme le réel des sociétés contemporaines : le sécuritarisme, la prostitution, la violence. Kendell Geers est un réaliste.

Bataille a inventé en 1931 le concept d'hétérologie, la « science de ce qui est tout autre[2] ». Il hésite à l'époque entre ce terme et ceux d'agiologie, voire de scatologie. Car il entend fonder une « science de l'ordure », apte à explorer la dimension excrémentielle de l'homme et de l'univers. L'hétérologie bataillienne se présente comme « ce qui s'oppose à n'importe quelle représentation homogène du monde, c'est-à-dire à n'importe quel système philosophique[3] ». C'est le domaine de l'inappropriable, de ce qui échappe à « toute commune mesure possible » et se soustrait à toute transcendance : en d'autres termes, une machine de guerre lancée à l'assaut de toute forme d'idéalisme, et notamment du « merveilleux » surréaliste alors en vogue. Entre l'hétérologie bataillienne et le surréalisme, il existe le même écart qu'entre les Nus de la peinture classique et le tableau-manifeste de Gustave Courbet, *L'Origine du monde*, qui réprésente un sexe féminin entrouvert, en gros plan : ce que Courbet nous montre, c'est le réel de toute origine, c'est-à-dire l'impensé de la notion idéaliste d'origine. « Courbet fut mon premier amour, explique Geers, et certainement mon modèle le plus important car il a réussi à faire se rejoindre les mondes disparates du personnel, du politique et du sexuel. Si tu regardes attentivement, tu verras l'influence de *L'Origine du Monde* dans nombre de mes pièces[4]. » Rien de plus logique : Kendell Geers est un réaliste dans l'exact sens où l'entendait Courbet, c'est-à-dire un artiste qui entend représenter les forces matérielles en marche, en décapant systématiquement les couches d'idéal (ou d'idéologie) qui oblitèrent notre compréhension du réel. Pour arriver à ce résultat, il faut user de violence et s'armer de lucidité : sous le plan d'urbanisme, Geers repère ainsi l'apartheid invisible ; sous l'apparente harmonie des relations humaines, il décèle le désir de viol et les fantasmes fascistes ; dans les formes souriantes et sans cesse renouvelées du marché, il arrive à percevoir la ségrégation et l'exclusion qui définissent un apartheid universel. La démocratie, comme Dieu, ne représente dans son œuvre que des illusions tragiques : si l'idée d'une divinité mauvaise est au point de départ de la pensée gnostique, c'est celle d'un peuple mauvais aveuglé par la haine et le profit qui fonde l'univers de Kendell Geers. Reste la possibilité de l'étincelle…

C'est d'ailleurs l'instauration de ce régime frontalier original entre les signes qui s'avère caractéristique de l'univers formel de Kendell Geers : autrement dit, le passage d'un état à un autre en un éclair. En effet, dans son travail, c'est un simple détail, par exemple l'élision d'une lettre dans un néon, qui fait passer le regardeur du sacré à l'ordure et du déchet au sublime. Geers est l'artiste de la double lecture, de l'étincelle qui naît d'un choc organisé entre deux réalités.

[1] Aby Warburg, *Le Rituel du serpent*, Macula, p. 133.
[2] Georges Bataille, *Œuvres complètes*, t. II, Gallimard, p. 61.
[3] *Id.* p. 62.
[4] « Courbet was my first love and probably my most important role model in the way that he was able to bring together the disparate worlds of the personal, the political and the sexual. If you look carefully you will see the influence of *L'Origine du monde* in many of my pieces. » (p. 81 catalogue *Kendell Geers : Fingered*, Tikiriki publications, Bruxelles).

Et pourquoi y aurait-il eu un titre ?
La topologie discursive de Liam Gillick (2010)

Tout d'abord, les personnages : le guichetier de la compagnie ferroviaire qui vous appelle désormais « client » au lieu de « passager » ; les employés d'une grande entreprise, suivis des membres de son *think tank* ; des sous-traitants ; les ouvriers autogestionnaires qui décident de reconvertir les activités de leur usine ; les militants qui ne trouvent rien d'autre à faire que jouer du tuba pour les travailleurs immigrés ; les entreprises Ikea, Volvo ou Sony ; des matières, comme l'aluminium ou les paillettes ; enfin, le cofondateur de Sony lui-même, Masura Ibuka ; le frère libertaire de Charles Darwin, Erasmus, le politicien américain Robert McNamara, le professeur Robert Buttimore… Pour une œuvre cataloguée comme « conceptuelle », austère, voire aride, celle de Liam Gillick s'avère très peuplée. Et tout autant par des personnages conceptuels qu'habitée par des récits, des dialogues, des biographies et des paysages. Conceptuelle ? Sans doute peut-on attribuer ce type de jugement hâtif au fait que le texte y joue un grand rôle et sous-tend les formes exposées, comme le *libretto* d'un opéra. Mais n'est-ce pas le cas pour Le Titien ou Sandro Botticelli, si l'on parle de *comprendre* l'œuvre plutôt que la voir ? Et n'est-ce pas là exactement le type de contrat que propose au regardeur, par exemple, l'œuvre de Marcel Broodthaers ? Une meilleure manière d'entrer dans l'univers multidimensionnel de Liam Gillick serait d'en examiner la nature réaliste, replacée dans un spectre historique large initié par Gustave Courbet. Puis d'en déduire quel aspect de la réalité il cherche à décrire : en l'occurrence, un « Réel » proche de la définition qu'en donne Jacques Lacan, c'est-à-dire un espace irréductible à toute symbolisation, qui ne peut donc se donner à comprendre que par le biais d'une topologie. À travers un lexique formel indexé sur l'art minimal et conceptuel, Gillick problématise les conditions d'existence de l'individu globalisé au tournant du XXe et du XXIe siècle – et ce projet renvoie à des analyses comparables à celles qui apparaissent dans la peinture moderne, près d'un siècle plus tôt. Loin de se résumer à être « conceptuelle », l'œuvre de Gillick s'avère ainsi référentielle, narrative et parsemée de didascalies. Mais, tels les poèmes de Stéphane Mallarmé ou de Blaise Cendrars, certains films de Jean-Luc Godard ou les pièces de Samuel Beckett, elle convoque sur des scènes vides les figures qui la peuplent, opérant un permanent va-et-vient entre le texte et les structures topologiques qui leur servent de tuteurs, de tréteaux ou de récipients, tout en se donnant pour perspective centrale la question suivante : qui décide, et comment, de l'organisation de la vie sociale des êtres humains ? « Mes écrits et mon travail "rétinien", explique Liam Gillick, renvoient tous deux à divers aspects des notions de compromis, de stratégie, de négociation et de rénovation. L'œuvre que vous voyez dans la galerie – ou dans des contextes spécifiques – fonctionne en parallèle à elle-même, à d'autres travaux similaires et aux textes que j'utilise[1]. » Parallèle : un autre mot clé. Les structures, schémas, tableaux, récits et inscriptions qui composent son œuvre constituent autant de lignes qui, loin de se rejoindre, jouent de leur parallélisme afin de former un paysage auquel, toujours, quelque chose manque. Quoi ?

Si l'on considère que l'histoire, les structures et l'idéologie sont les trois piliers de l'esthétique gillickienne, force est de constater que l'imaginaire ne s'y produit que sous la forme d'un *reste*, étincelle née de l'entrechoquement des matières idéologiques, formelles et historiques qui la balisent. En cet emplacement précis se tient donc le sujet de l'œuvre, l'invisible centre de sa discursivité : la fin de l'utopie, l'entropie de l'imaginaire, la recherche acharnée des moyens de saisir le réel.

I. LE RÉEL SOCIAL EN TEMPS RÉEL

À mes yeux, Liam Gillick est un artiste réaliste. Je veux dire par là qu'en dernière instance, son travail constitue une *rendition* (transfert) exacte de ce qu'il voit. Et ce qu'il perçoit à travers son environnement immédiat, apparaissant donc au premier plan dans ses expositions, n'est autre que l'infrastructure idéologique qui enveloppe les objets et les comportements, une infrastructure qui détermine les décisions politiques et l'organisation des sociétés humaines en termes d'espace et de temps. Réaliste ? Cela peut apparaître comme une affirmation paradoxale, concernant un artiste dont on résume volontiers la thématique à l'aide de notions telles que *prévision*, *scénario* ou *planification*. Mais n'oublions pas que celles-ci se voient décrites dans son œuvre en tant qu'inscrites dans le présent ; la prévision et ses dérivés idéologiques formatent notre actualité, de la même manière que les facultés divinatrices de certains personnages des romans de Philip K. Dick ont le pouvoir de modifier la réalité présente à partir du futur, et non l'inverse. « La clé, écrit Gillick dans son premier livre, *Erasmus is late*, c'est de comprendre que le désir de prédire le futur se trouve au centre d'une forme particulière de libre-échange. Le focus sur le progrès. Mais c'est un processus qui peut se renverser, devenir un mythe ou être oublié[2]. » Le futur est encrypté dans le présent : il n'est qu'un effet des projections mentales que les cadres idéologiques formatent en permanence, ombres dans une caverne platonicienne qui n'est plus habitée par des Idées, mais par des scénarios ou des plans. C'est ce monde que décrit Liam Gillick, par l'élaboration de canevas en volume, d'esquisses légèrement tremblées, de scripts mis en espace par des formes empruntées au feuilleton politico-économique de notre temps.

Le « motif » que Gillick tente de représenter sous tous ses aspects, de façon tout aussi obsessionnelle que Cézanne la montagne Sainte-Victoire, c'est le *Capital*. De la même manière que le peintre français tentait de dégager du chaos la charpente chromatique qui sous-tend le spectacle du monde, Gillick entend cerner, partout où elle se présente, celle que constitue le capital dans les activités humaines et les images en circulation. Si Cézanne percevait la montagne Sainte-Victoire comme une architecture cristallisée, et non pas comme un enchevêtrement de minéraux et de végétaux, c'est parce qu'il élaborait ses compositions, expliquait-il, à partir des « assises géologiques » du paysage. Gillick, lui, travaille à partir de ses *assises idéologiques*, c'est-à-dire à partir des éléments les plus fluides, mais aussi les plus persistants, qui traversent le corps social. S'il s'agit donc pour lui de représenter le cadre de vie des individus et des « masses » à notre époque, ce ne sera donc pas à la manière d'un Andreas Gursky, qui le transforme en images spectaculaires que le narcissisme médiatique peut immédiatement assimiler. Et pas davantage pour « révéler » de quelconques éléments prétendument refoulés par le Capital puisqu'au contraire, son travail tend à montrer que tout est bel et bien visible et disposé à la vue de tous, telle la *Lettre volée* d'Edgar Pœ.

Les « assises idéologiques » à partir desquelles Liam Gillick déploie ses représentations appartiennent ainsi au domaine de la temporalité, autant qu'à celui de l'espace : l'anachronisme de principe qui caractérise *Erasmus is late*, récit d'un dîner londonien dont les convives viennent d'époques différentes, appartient à un réalisme conceptuel qui insiste sur la persistance ou la métamorphose de certaines attitudes, de certaines idéologies ou discours à travers le temps. « *Should the future help the past ?* » (le futur devrait-il aider le présent ?) n'est-elle pas la question gillickienne par excellence[3] ? Le cofondateur de Sony et les penseurs libertaires du XIXe siècle, par exemple, ont réellement des choses à se dire, et l'œuvre de Gillick se donne à voir comme l'espace de leur hypothétique rencontre dans les *shopping malls* et les lobbies d'entreprise de notre temps. « Le sujet du livre est l'héritage corrompu des Lumières, ainsi que les conséquences de l'absence d'une révolution en Grande-Bretagne à la fin du XVIIIe siècle », explique Gillick. *Speeches* en lambeaux, dialogues elliptiques ou sibyllins, propos touchant à l'abstraction pure : dans *Erasmus is late*, Gillick met en relief la grammaire même du discours de la planification et de la décision, faisant apparaître au premier plan la logique abstraite de l'action politique. Avec, toujours, cette question lancinante : quelle est la forme exacte du protocole informationnel et théorique qui sous-tend la mise en œuvre d'une politique ? Ici se situe la connexion avec le réalisme tel que l'envisageait Courbet au milieu du XIXe siècle, une « esthétique fondée sur l'action, l'engagement et la capacité de transformation[4]. » « Je ne peins que ce que je vois », disait l'auteur de *L'Atelier du peintre*, qui pratiquait alors son art sous la menace de la photographie. Le réalisme pictural, en tant que reproduction du visible, s'annonçant comme une aventure bien moins excitante qu'auparavant, Courbet a redéfini le réalisme comme un lieu mental et optique, où le récit allégorique se mêle à un projet politique. Avant d'être condamné à l'exil après le soulèvement révolutionnaire de la Commune de Paris, pendant lequel il s'illustra en détruisant la colonne Vendôme, il fut un « séditionnaire » de la peinture, en érigeant en 1855 le « Pavillon du réalisme », après le refus de ses tableaux par le salon officiel. L'Atelier du peintre y figurait. Dans une lettre à son ami le critique Champfleury, Courbet le décrit ainsi : « C'est l'histoire morale et physique de mon atelier. Première partie : ce sont les gens qui me servent, me soutiennent dans mon idée, qui participent à mon action. […] À gauche : l'autre monde de la vie triviale, le peuple, la misère, la pauvreté, la richesse, les exploités, les exploiteurs, les gens qui vivent de la mort. […] Il y a encore contre le mur quelques plâtres, un rayon sur lequel il y a une fillette, une lampe, des pots, puis des toiles retournées, puis un paravent, puis plus rien qu'un grand mur nu[5]. » Structures parallèles : d'un côté, le pavillon concret construit par l'artiste, par lequel il contrôle les conditions de monstration de son travail ; de l'autre, cet « atelier » peint, dont le titre exact est *L'Atelier du peintre, allégorie réelle déterminant une phase de sept années de ma vie artistique*. Si le travail de Liam Gillick peut se voir ainsi rapproché du réalisme de Courbet, c'est parce qu'il se présente comme une allégorie des modes de production contemporains : matériaux fétiches de l'architecture d'entreprise (aluminium anodisé, Plexiglas, câblages...), logos et développements graphiques proliférants, insistance sur le travail en réseau, les « *think tanks* » et les « équipes de projets »... Cette combinaison de matières, de styles et de procédures qui forme l'univers de Gillick représente une véritable allégorie du travail contemporain : tous ses éléments y figurent, mais isolés les uns des autres et épurés, comme desséchés par leur présence dans l'herbier critique de l'exposition. L'on pourrait ainsi aller jusqu'à dire qu'une exposition de Liam Gillick est au monde du travail ce qu'un sachet déshydraté est à la soupe : qu'un peu de liquide idéologique vienne la retremper, et l'on se retrouverait dans un bureau modèle de l'ère du management, dans la salle de réunion d'une grande entreprise.

Si l'acuité du réalisme de Courbet provenait de la présence menaçante de la photographie, le réalisme de Gillick est cerné par un danger plus vague, mais plus aigu. D'une part, la transformation de la sphère privée en une annexe « espace loisirs » du système général de production, l'extension de la chaîne de montage à la sphère privée. D'autre part, le fait que les artistes produisent aujourd'hui sous la menace d'une complète dilution de l'attention dans le spectacle généralisé, qui équivaut à une « dévastation du sens », pour reprendre le titre d'un texte qu'il a consacré à Cerith Wyn Evans. De là, cette propension à ne jamais proposer d'œuvres qui puissent passer pour de quelconques *conclusions* : « J'essaie d'encourager les gens à travailler dans une série de directions parallèles, insiste-t-il, et à finalement accepter qu'une œuvre d'art, présentée dans une galerie, n'est pas la résolution d'une idée[6]. » Cet *inachèvement*, contrairement à ce que l'on pourrait penser, contribue, plus qu'il ne le contredit, à l'instauration d'un réalisme. C'est en effet précisément parce qu'ils étaient les contemporains de la révolution industrielle, puis du système Taylor, que les impressionnistes ont privilégié le « non-fini » dans la peinture, à savoir la trace visible de la main au travail. Se situant hors du champ de la résolution ou de l'objet packagé, les œuvres de Gillick prolongent cette fonction de résistance et en étendent le domaine dans un monde où les idées elles-mêmes se doivent d'être ficelées comme des produits. Peut-on parler ici, pour reprendre une expression que j'ai utilisée au début des années 1990, d'un « réalisme opératoire » ? L'auteur de *Erasmus is late* insiste sur le fait qu'il est « aux prises avec des objets réels et des relations conceptuelles qui impactent la politique quotidienne ; comment on aménage une ville ? Qui contrôle le futur proche ? Comment nous pouvons comprendre les procédures de rénovation[7] ?... » Planning et exécution : tels sont les deux modes opératoires de la pensée à la chaîne, de la politique taylorisée. Cette problématique est présente depuis les premières œuvres, et notamment depuis la série des *Pinboards* réalisés à partir de 1992 : simples plans de travail, dont l'usage oscille entre le domestique et le professionnel, ces *tableaux d'affichage* se présentent comme des surfaces de collecte d'informations, sous la forme de coupures de presse, notes, photographies trouvées ici ou là. L'œuvre ne produit pas de l'information, mais elle en désigne le cadre. Là encore, il s'agit de rendre visible la structure procédurale de l'activité humaine, par un rapprochement insolite entre l'œuvre d'art de la forme des fournitures de bureau, et par le refus systématique de toute fermeture de sa signification, par son ouverture permanente vers des textes et des actions parallèles.

Au sujet de sa première exposition en 1989, Gillick explique que, plutôt que de produire des objets, il s'efforçait de « développer une sorte d'activité parallèle, liée à une réflexion sur l'idée d'autorisation culturelle. Je sentais qu'il n'était pas nécessaire de recevoir d'autorisation pour fonctionner à la manière d'un architecte ou d'un archiviste[8]. » Cette notion d'autorisation préalable renvoie bien évidemment aux structures de pouvoir : qui prend les décisions, qui les applique ? Dans le domaine de la production artistique (comme à tous les niveaux de « qualification » professionnelle), il s'agit de favoriser la décapitalisation, c'est-à-dire de disséminer le capital sous sa forme concrète comme sous ses multiples formes symboliques. Dans une exposition de Liam Gillick, on reconnaît ainsi des structures industrielles, des livres, des postes de télévision, des signes d'art, mais ces éléments nous apparaissent comme isolés de l'infrastructure symbolique (idéologique) qui les fait tenir ensemble dans l'économie culturelle. À l'inverse d'un Damien Hirst dont la pratique consiste à accumuler et injecter du capital dans des objets spectaculaires, Gillick expose des formes vidées au préalable de leur capital symbolique : structures extraites d'un récit absent, textes renvoyant à des formes présentées ailleurs ou à des procédures à venir... Soulignée par la structure parallèle de l'œuvre, cette absence désigne donc le sujet « impossible » de l'œuvre de Liam Gillick : l'utopie, ou encore l'auto-détermination des groupes humains pour ce qui est de leur avenir. « Puisque l'opposé du possible, c'est assurément le réel, disait Lacan, nous serons amenés à définir le réel comme l'impossible[9]... » Nul besoin de cacher un objet pour qu'il demeure introuvable, comme nous l'apprend Edgar Pœ dans la nouvelle *La Lettre volée* : le réel, pour Lacan, c'est ce qui manque à sa place même – telle une lettre laissée en évidence, à la vue de tous, mais que personne ne songe à ouvrir. Et en l'occurrence, pour Gillick, c'est le concept même de politique qui s'est absenté du pouvoir et qui « manque à sa place », à tel point qu'il en devient un simple objet d'exposition.

Rien donc, dans l'inventaire gillickien, qui ne soit visible et accessible à n'importe quel observateur du monde contemporain ; mais rien non plus qui vienne rétribuer le consommateur de sens. En effet, ce travail est simultanément obscur et lumineux – ou plutôt l'un et l'autre, en parallèle. C'est à l'aune de cette clarté de principe que l'on peut interpréter sa critique de cette propension fort répandue des artistes à adopter le mode de la « révélation » – ce que Gillick qualifie de « dog art » : en bref, l'art comme mécanique dont l'objectif serait de ramener sur le tapis de l'exposition ce que le corps social entendrait dissimuler. « La société perçoit le sens implicite des images et des récits qui lui sont présentés, et les rejette un par un comme autant d'obstacles à la continuité du processus d'absorption des images et des récits. L'artiste, en gros, rapporte ces images, comme un chien rapporte fièrement à son maître le bâton qui a été lancé, mais celui-ci sait déjà à quoi il ressemble, puisque c'est lui qui l'a jeté[10]. »

Lassé de renvoyer un bâton qui reviendra quoi qu'il arrive, le propriétaire du chien finit par le garder en main : c'est la situation actuelle, et la parfaite métaphore de la culture telle que la dessine le schéma dominant, divisé verticalement en « *high* » et « *low* ». Le maître s'attend au retour du bâton sur le tapis, et cela lui convient tout à fait : l'industrie culturelle y trouve son compte puisque ses produits bénéficient désormais d'une seconde vie, tout d'abord consommés en gros, puis en détail. Parmi les structures binaires introduites dans l'idéologie contemporaine par la pensée postmoderne, l'enrégimentement de la production culturelle dans la division du *high/low* constitue certainement la plus pernicieuse. En ce sens-là aussi, l'œuvre de Gillick prétend au réalisme : elle se collette avec le visible et le *displayed*, sans jamais céder à cette cryptométaphysique qui valorise le « dissimulé » et qui n'est qu'un avatar consumériste de la théorie de la conspiration. Tel serait, en dernière instance, le sens d'une œuvre comme *Big Conference Centre. Limitation Screen* (1998) : tout est là, sous nos yeux ; la paroi ne fait que filtrer la lumière et limiter l'accès à l'espace, et l'œuvre suggère simplement que l'on pourrait « établir des limites au développement et à la discussion »… Comme le résume Gillick, « les choses commencent à devenir vraiment intéressantes quand l'art va au-delà d'une réflexion sur les options éliminées par la culture dominante, et tente de questionner les processus qui façonnent l'environnement contemporain[11] ».

II. UNE TOPOLOGIE DU CAPITAL (RÉCITS ET SCÉNARIOS)

Que trouve-t-on donc, dans cet univers formel, qui reflète l'environnement contemporain ? Des volumes et des plans géométriques, de la poudre, des textes. Ce lexique sommaire permet à Liam Gillick, nous l'avons vu, de décrire un réel qui pourrait se définir en deux temps : d'un part, comme un effet concret du système capitaliste et des rapports inter-humains générés par celui-ci ; d'autre part, comme une tache aveugle qui correspondrait à la formule lacanienne du réel comme impossible. Afin de représenter celui-ci, il n'existe qu'une seule voie, celle qu'emprunte le psychanalyste : puisque le réel est précisément « ce qui résiste à toute symbolisation », il doit faire l'objet d'une topologie. L'enseignement de Lacan, à partir de la fin des années 1960, s'effectuera largement par le truchement de « mathèmes » empruntés à la topologie. On peut définir le mathème comme un « atome de savoir » dont la première vertu serait la transmissibilité. Tore, bande de Möbius, bouteille de Klein, cross-cap, nœud borroméen… Les objets topologiques de Lacan possèdent un véritable pouvoir d'étonnement, qui démontre à quel point notre pensée est dépendante de la figure du cercle qui découpe l'espace en intérieur et extérieur, tel que nous y incite l'image que nous avons de notre corps. Ainsi les mathèmes lacaniens furent-ils les instruments privilégiés de l'irruption d'un « réel » de la psychanalyse. La simplicité visuelle revendiquée par Gillick, le caractère parfois énigmatique de ses propositions, le recours à la géométrie sont autant d'indices qui nous permettent d'avancer que chacune de ses œuvres constitue le mathème d'un savoir. Sans dehors ni dedans, ses œuvres se présentent comme autant de rubans de Möbius. L'œuvre de Liam Gillick, et c'est là la meilleure manière d'en percevoir la cohérence, pourrait ainsi se définir comme une topologie des rapports entre les individus et les structures sociales, décrites par des chaînes signifiantes. Ainsi pourrait-on également affirmer que la ligne du *discursif* qui traverse les œuvres de Gillick fonctionne de la même manière que la chaîne de signifiants (qui constituent le sujet humain) se déploie à partir des *points de capiton* qui en nouent les segments à intervalles réguliers, tout en les reliant les uns aux autres. Si l'on place côte à côte quelques-unes de ses œuvres, par exemple *Isolation Platform* (1999), *Big Conference Center. Legislation Screen* (1998), *Post Conference Platform* (1998) et différentes versions des *Think Tanks*, l'on voit se dégager une grammaire dont les sèmes codifient chacun un type de comportement : s'isoler, symboliser, sortir d'un espace de travail, réfléchir, négocier… Ce système de codage, ou de notation, s'avérait particulièrement visible lors de son exposition au Palais de Tokyo, *Court Texte sur la possibilité de créer une économie de l'équivalence* (2005), indexé sur un livre alors en cours d'écriture, intitulé *Construccion de Uno*. Il s'agit de l'aventure d'un groupe d'ouvriers amenés à auto-gérer leur usine d'automobiles après sa fermeture ; revenant sur leur lieu de travail, ils décident de se lancer dans la production d'idées et commencent par remodeler le bâtiment lui-même avant de tester de nouveaux modèles de production en direction d'une « économie de l'équivalence » pour laquelle une unité de sortie (output) équivaudrait à une unité d'entrée (input), une économie où tout investissement humain ou financier serait simplement remplacé, sans perte ni altération. L'exposition se focalisait sur une topographie mentale : le paysage de montagne que les ouvriers voulaient voir depuis leurs fenêtres constituait ainsi l'objet d'une installation en feuilles d'acier multicolores, dont la forme dentelée évoquait le diagramme utilisé par Peter Saville sur la pochette du premier album de Joy Division ; quant au trajet parcouru entre la cafétéria de l'usine et la maison, il était évoqué par une zone de paillettes rouges. Mais là encore, la forme déborde la sphère de la représentation : mettant en application les principes de cette « économie d'équivalence », Gillick recycla les structures présentées de Paris à Madrid, où elles servirent de base pour l'aménagement d'un bar au centre culturel La Casa Encendida, et ce parcours est un élément formel à part entière.

Cette topographie constitue le vocabulaire de base d'une ligne narrative qui, davantage encore que par des récits, s'exprime à travers la forme ambiguë du *scénario*. Ce concept, présent sous de multiples formes dans le travail de Gillick, métaphoriques ou concrètes va au-delà de la définition technique qu'en fournissent les dictionnaires du cinéma. Notion complexe et évolutive, on pourrait la définir comme un faisceau narratif dans lequel entrent en jeu un espace, des procédures, un texte ou un corpus de textes, des activités ou des événements qui pourraient éventuellement se dérouler. Le scénario, chez Gillick, désigne ainsi avant tout un espace en attente de sujets, une virtualité encadrée par des formes. Mais un deuxième sens se substitue parfois à celui-ci, dans lequel le scénario devient alors un protagoniste de l'Histoire, l'un des cadres de pensée en lice dans une bataille pour le contrôle du futur. Le scénario s'oppose alors à la planification, au programme, à la spéculation. « On pourrait affirmer que l'une des grandes batailles du XXe siècle a mis aux prises la spéculation et la planification, et il semble assez clair que la spéculation a gagné[12]. » Gillick revient sur ce conflit lorsqu'il décrit *Literally No Place* (2002), comme « un texte qui cherchait un chemin au-delà de l'étouffant néolibéralisme de notre présent (la victoire de la spéculation sur la planification) et des traces d'éthique dans le monde construit qui nous entoure ».

Autre analogie avec la topologie lacanienne : le fait que le « sujet » de l'œuvre de Gillick ne soit suscité qu'en creux : on parle du réel, soit. Mais celui que le travail poursuit inlassablement, cette autogestion par les êtres humains de leur avenir, de leurs conditions de travail et d'existence, se voit sans cesse médiatisé par des espaces préfabriqués (cloisons, boîtes, salles de réunion, bars, plafonds...) qui transforment cette quête en une odyssée linguistique et formelle. Le désir d'utopie, chez Gillick, se trouve mis en scène selon un principe analytique tout aussi complexe et élastique que la journée du 16 juin 1904 l'est par James Joyce, dans son roman *Ulysse*. Quand Leopold Bloom se rend dans un pub dublinois pour y déjeuner d'un plat de rognons, la superposition de cette scène quotidienne avec l'épisode homérique des Lestrygons produit un effet d'étirement infini : en décrivant le banal comme une épopée, Joyce éclate le réel par le langage, comme si le moindre geste effectué par un être humain pouvait se voir hissé jusqu'à l'infini, molécule soumise à l'accélérateur de particules de la littérature. Cent styles se répondent dans le roman de Joyce, du juridique à l'argotique, de l'essai au sermon : la journée de Bloom est racontée de mille manières, et depuis mille points de vue, mais l'on ne fait qu'effleurer un réel qui s'en dérobe d'autant plus. Il y a, chez Gillick, une pulsion joycienne, une manière de cadrer avec une précision maniaque des situations qui ont l'air, du coup, de s'évanouir avec une infinie célérité en direction d'une précision millimétrée. L'absence de ponctuation, dans certains *wall drawing*, évoque d'ailleurs le protocole du monologue intérieur joycien, ici appliqué à des slogans ou des phrases types. Poussons le parallèle : l'œuvre de Liam Gillick, c'est l'odyssée de la politique à l'ère de sa dissolution dans la financiarisation et dans l'empilement bureaucratique des décisions. Projet auquel l'artiste semble faire allusion, et finalement résumer, en disant que « le déplacement permanent et la projection critique constituent le potentiel politique du discursif[13] ».

III. POSITIONS RESPECTIVES DES FORMES ET DES SUJETS

On n'insistera jamais assez sur les dommages esthétiques causés par les textes écrits par Michael Fried dans les années 1960. Et notamment *Art and Objecthood*, dans lequel il s'élève contre la « théâtralité » de l'art minimal, qui sert encore aujourd'hui à prolonger artificiellement le dogme greenbergien au-delà même de son champ d'application. Cette théorie se base sur un rejet de l'anthropomorphique confinant à l'obsession, dont le fantasme ultime serait l'exclusion radicale de toute trace humaine hors du « processus créatif », au profit d'une esthétique que l'on pourrait qualifier d'antisituationnelle. « Ce qui existe entre les arts relève du théâtre », écrit Fried, du « littéral » – donc du mal… Il conspue également le souci de la temporalité, auquel devrait selon lui se substituer un « présent continu et perpétuel», garant d'un « art authentique[14] ». Les réquisitoires d'un George Baker ou d'une Claire Bishop contre « l'esthétique relationnelle », et notamment contre les travaux de Rirkrit Tiravanija et Liam Gillick, ne seraient pas compréhensibles si on ne les rapportait à cette conception étroite de la forme, héritée de la polémique friedienne et du modernisme selon Clement Greenberg. L'héritage de Michael Fried a beau vouloir se développer dans les années 1990 sur un sol progressiste et militant, il aboutit inévitablement à des positions en porte-à-faux, les bonnes intentions ouvertement manifestées se voyant contredites par un substrat esthétique réactionnaire.

Mais revenons aux termes du débat : « Quand Bourriaud affirme que “les rencontres sont plus importantes que les individus qui les composent”, écrit Bishop, je sens que cette question est, pour lui, secondaire. Toutes les relations qui permettent le “dialogue” sont supposées démocratiques et donc bonnes. Mais de quelle “démocratie” s'agit-il vraiment dans ce contexte ? Si l'art relationnel produit des relations humaines, la prochaine question logique à poser concerne les types de relations qui sont produites, pour qui et pourquoi[15]. Ou encore : "Les relations établies par l'esthétique relationnelle ne sont pas intrinsèquement démocratiques, [...] elles reposent en effet, sur un idéal de subjectivité et de communauté basés une cohésion immanente[16]." » Procès d'intention : aucune relation produite par une œuvre d'art ne se présente, par définition, sans un contenu spécifique, la relation étant par essence un format, au même titre qu'un tableau ou une sculpture. La situation artistique décrite dans *Esthétique relationnelle* n'est autre que le moment historique pendant lequel certains artistes ont appliqué à leur pratique artistique un principe énoncé par Marx dans les *Thèses sur Feuerbach*, dans lequel il explique qu'on ne peut définir la « nature humaine » qu'en tant que système de relations. L'humain n'est autre que l'inter-humain, c'est-à-dire un ensemble fini d'interactions construites par les individus et matérialisées par des institutions, des modes d'échange ou de production ; le social, tout comme l'art, ne repose donc sur aucune « nature » ni aucune définition en amont, il n'est que le produit d'une immense et permanente négociation, dont le travail de Liam Gillick incarne tout particulièrement les méandres et la productivité.

Certains critiques ne voient pas la chose d'un même œil, et l'opposition théorique fut particulièrement forte en Grande-Bretagne, où l'importance prise par les objets spectaculaires des Young British Artists dans les années 1990 tendit à reléguer dans l'ombre des pratiques plus exigeantes, ou simplement plus discursives. Paradigme de cette résistance, Claire Bishop semble faire partie de cette classe de regardeurs dont Gillick déplore qu'ils cherchent dans l'œuvre d'art une « conclusion ». La critique de Bishop repose ainsi sur une conception restrictive de la forme, telle qu'elle l'exprime clairement dans un second texte consacré à l'esthétique relationnelle dans *Artforum* en février 2006 : Ce travail semble dériver d'une mauvaise lecture de la théorie post-structuraliste: au lieu de repenser les différentes interprétations d'une œuvre d'art, on prétend que le travail de l'art est en perpétuel mouvement. Il y a beaucoup d'interrogrations autour de cette idée, dont la difficulté de discerner une œuvre dont l'identité est volontairement instable[17]. Il faut avouer que ces travaux dont l'identité est perçue comme « instable » résistent en effet à tout étiquetage, voire à toute identification. C'est là leur qualité première, qui établit une ligne de partage claire entre des conceptions traditionalistes de l'art et des pratiques basées, comme celles de Gillick, sur la négociation et le refus de l'assignation *a priori* des statuts et des rôles sous l'égide d'une Idée préconçue de l'art. Dans sa réponse à Claire Bishop, publiée par la revue *October*, Gillick souligne le fait que la critique d'art en question ne fait nulle part mention des textes qui accompagnent spécifiquement les œuvres, mutilant ainsi sciemment ces dernières : [*Discussion Island*] n'est pas un livre sur l'ouverture ou le compromis ; c'est une critique de ces choses, ce qui aurait été clair si elle avait auparavant mentionné ce livre ou les autres écrits spécifiques qui occupent un rôle crucial dans ma pratique artistique. [...] Les travaux artistiques liés au texte/ *Discussion Island*/ ont formé une toile de fond qui a permis de développer le livre, d'où la création des « plateformes de discussion» de la fin des années 1990 qui ont crée un site spécifique prenant en compte les idées impliquées[18] ».

Nous sommes ici en présence d'un paradoxe théorique : les plus véhéments détracteurs de l'art de Liam Gillick, qui s'avancent ici au nom de la lutte sociale et d'un art engagé politiquement, sont ceux qui excluent le plus volontiers, et par principe, les visiteurs des expositions – au nom de l'autonomie sacrée de l'objet d'art. Autant exclure les citoyens de l'espace démocratique au nom de la pureté de l'idée démocratique elle-même ; cela fut d'ailleurs mis en place, à quelques occasions, dans l'histoire. Comme l'écrit Gillick : « Mon travail est comme la lumière du réfrigérateur, il ne fonctionne que lorsqu'il y a des gens pour ouvrir la porte du réfrigérateur. Sans ces gens, ce n'est pas de l'art – c'est autre chose-, dans une pièce[19]. » C'est là une autre manière de convoquer les « lots of people » que Tiravanija estime faire partie de chacune de ses installations et qu'il inclut dans la liste des « matériaux » présents dans ses œuvres… Une analyse de la diversité des positions proposées au regardeur chez Gillick ou Tiravanija, en passant par Parreno ou Höller, aurait permis de faire un sort à cette définition générique du « participant », notion héritée des années 1950, et que l'esthétique relationnelle a précisément reléguée dans le passé, tout comme le Pop art historisa le ready-made duchampien. Inutile de préciser qu'aucun des artistes précités n'a rien à voir avec le sous-genre vague et obsolète de « l'art participatif » auquel Bishop réduit les pratiques relationnelles. Par ailleurs, établir comme le fait Bishop une distinction entre « collaboration sociale » et « pratique conceptuelle et sculpturale » des artistes relève d'un lourd contresens : il n'existe aucun hiatus, dans la pratique de Liam Gillick, pas plus que chez aucun des artistes cités dans *Esthétique relationnelle*, entre ce qui appartiendrait à une pratique « éthique » extérieure à la forme et ce qui relèverait de la simple esthétique. Une telle distinction apparaît d'emblée comme fondée sur un a priori, puisqu'un examen, même rapide, des procédures employées par Gillick, montre suffisamment qu'elles ne ménagent aucune division entre un engagement politique et une praxis artistique, bien au contraire : cette distinction est indécidable. Il apparaît étrange de lire que ces pratiques que j'ai qualifiées de relationnelles, parce qu'elles prennent comme point d'horizon théorique et/ou pratique la sphère inter-humaine, privilégieraient la morale à la forme, générant un art purement « social », un modèle éthique prétendument « angélique », pour la simple raison qu'il camouflerait les antagonismes réels existant dans la société. Ce malentendu est d'autant plus incompréhensible que le livre prend pour sujet l'apparition d'un nouvel état de la forme (de nouvelles « formations », pour insister sur le caractère dynamique des éléments en question, qui incluent dans leur domaine de définition la disposition des corps et la temporalité dans laquelle se voient prises les formes). En bref, ce n'est certainement pas la dimension éthique du travail de Rirkrit Tiravanija ou Liam Gillick qui importe, mais leur capacité à inventer des modes d'exposition et de réflexion novateurs à partir de la sphère inter-humaine. Ainsi Gillick définit-il l'ensemble de son œuvre comme un « espace négocié d'idées où les individus contrôleraient réellement la nature du monde dans lequel ils opèrent[20]. » Toutefois, comme le souligne Gillick, « le fait est que si vous ne cessez de changer les règles du jeu, sans que personne ne puisse connaître ses règles, alors vous révélez un phénomène d'ordre politique[21] ».

Un regard moins distrait sur la complexité de la pensée gillickienne aurait pu faire apparaître, par exemple, qu'il situe son travail dans le sillage de l'une de ses influences majeures, celle de Félix González-Torres, qui dès la fin des années 1980 a brillamment renouvelé le lexique de l'engagement militant dans l'art. González-Torres, explique Gillick, « est un artiste très important parce qu'il a parcouru le discours classique et didactique qui a entouré des questions d'identité et de sexualité et a su créer de nouvelles formes de beauté qui ont été racontées à travers des idées profondes et sérieuses. J'ai appris quelque chose de la façon dont son travail joue avec la forme et la manière[22]. » Tout comme celle de Gillick, l'œuvre de l'artiste cubain a été tout d'abord sous-estimée par la critique : on ne vit en lui, pendant un certain temps, que l'artiste qui distribuait des bonbons ou faisait danser des *go-go boys* sur des podiums. Ce type de confusion est devenue paradigmatique : on mélange l'appareillage formel auquel l'artiste recourt (en l'occurrence, une salle de réunion ou un bar pour Gillick, une salle de bal ou des décors de boîtes de nuit pour González-Torres), et l'on en conclut à « l'apolitisme » d'un artiste qui collabore avec l'*entertainment* ou travaille dans le « feel good » (Bishop), c'est-à-dire dans la convivialité la plus superficielle. Autant écrire que Cézanne milite pour le jardinage en raison de la forte présence de fruits dans ses toiles… Or, ni pour González-Torres ni pour Gillick, le regardeur ne peut objectivement se positionner comme ce consommateur d'ambiance que suggèrent de telles analogies. Au contraire, le rapport établi avec le regardeur se voit précisément encadré, en tout cas jamais laissé à l'abandon d'une improvisation ou d'un principe « festif ». Les visiteurs de l'exposition, explique Gillick, « peuvent passer par le faisceau central d'idées, par les scénarios ou les textes, ou bien l'aspect visuel de l'œuvre, les rapports formels, et, à travers ces voies, monter rapidement un cadre pour que quelque chose ait lieu[23] ». Dans *Note sur Discussion Island : item A001*, une œuvre qui se compose d'un petit tas de paillettes grises, il est clair que « le travail désigne une zone fragmentée où il est possible de considérer le potentiel de discussion et de compromis ». « *The work designates a fragmented zone where it might be possible to consider the potential of discussion and compromise.* » Nulle trace, ni ici ni ailleurs, de ce supposé « participant » atomisé et pavlovien auquel Claire Bishop résume l'intégration du regardeur dans les dispositifs d'exposition… Ce qui perturbe fortement le discours critique, c'est que le contenu politique que propose les travaux de Liam Gillick s'oppose radicalement à d'autres formes en vogue, dont le mérite serait sans doute d'être plus explicite : mentionnons, outre le « dog art » cité plus haut, d'autres pratiques fondées sur la représentation, à différentes échelles incluant le 1/1e, de l'aliénation politico-économique. Contrairement à ceux-ci, le travail de Gillick ne va pas exhiber les signes de la répression, du contrôle ou du biopouvoir, et encore moins opérer sur le registre de l'anecdote ou de l'actualité, mais désigner les cadres et les procédures formelles qui permettent à cette répression politique d'opérer. Il s'agit là d'une critique contenue dans la forme, d'une *eidopolitique* en quelque sorte, qui convoque les formats et les signes spécifiques d'une praxis clairement désignée, l'art, tout en les soumettant systématiquement à une batterie de questions relatives à l'inscription de cette praxis dans un contexte global. Une œuvre apparemment orientée vers la fonctionnalité, comme *Prototype Design for Conference Room* (exposée à la Frankfurter Kunstverein en 1999), représente ainsi en dernière instance une étude de la façon dont l'environnement construit modifie le comportement, autrement dit un modèle opératoire. *64th Floor Lobby Diagram* (1999) fonctionne de la même manière, mais en intégrant à ce modèle un coefficient artistique supplémentaire, qui relève du dialogue entre certaines formes de l'art minimal et le design entrepreneurial.

Mais les malentendus qui entourent l'art de Liam Gillick remontent encore plus haut, dans un débat initial dont la scène artistique de Cologne fut le théâtre, au début des années 1990. Liam Gillick note *a posteriori* qu'« une tension était perceptible entre les artistes qui plaidaient pour la transparence dans l'art (Andrea Fraser, Clegg et Guttman et d'autres, associés à la galerie Christian Nagel) et ceux qui pensaient qu'une séquence de voiles et de détours pourraient être nécessaires pour combattre le flot (ebb) chaotique du capitalisme (Philippe Parreno, Dominique Gonzalez-Foerster et d'autres, liés à la galerie Esther Schipper). On peut noter que ceux qui étaient sceptiques quant à la notion de transparence et à une relation directe entre les intentions et les résultats étaient généralement ceux qui provenaient de milieux dans lesquels la croyance en la transparence avait été historiquement imposée par la culture dominante[24]. L'on retrouve ici, en effet, une véritable ligne de fracture dont les effets sont encore perceptibles aujourd'hui : d'un côté, l'obligation de transparence, mimée sur l'art conceptuel historique des années 1960 ; de l'autre, la reconnaissance de la nécessité d'en modifier les paramètres afin de prolonger son impact critique dans une société bien plus complexe que celle desdites années 1960. Lorsque Kosuth rédige « Art after philosophy », c'est pour substituer à celle-ci la critique comme paradigme d'intervention artistique. À partir des années 1990, c'est cette philosophie critique elle-même qu'il s'agissait de dépasser, à travers la prise de conscience qu'aucune position critique n'est tenable depuis un point de vue externe – personne ne peut contempler la société depuis l'extérieur, sinon un dieu… Le fantasme de transparence, dont Gillick souligne la complémentarité d'avec l'architecture de verre des immeubles *corporate*, la société de contrôle et plus généralement l'idéologie régnante, n'est aujourd'hui qu'une adaptation littérale de l'art conceptuel dans une société où règne la prosopopée, c'est-à-dire dans laquelle chaque produit décline son identité avec zèle. Le problème de la compromission conceptuelle se pose alors : tous les artistes, quelle que soit la forme de leur engagement, ne sont-ils pas amenés à collaborer avec les discours qu'ils critiquent ? Cette génération d'artistes qui a choisi les « voiles et les détours » (« veils and meanderings ») contre la transparence postconceptuelle a répondu par une tactique d'immersion assumée, comparable à la « ligne d'établissement » prônée après Mai 68 par le leader des maoïstes français, Robert Linhardt. Là aussi, le récit personnel, un récit d'immersion, constituait une réponse politique : il s'agissait pour les militants de travailler en usine, de préparer la révolution de l'intérieur, au lieu de se tenir avec leurs tracts devant les grilles du système de production. Plus de transparence, mais le secret et la clandestinité ; plus de lutte frontale, mais une installation négociée à l'intérieur du système. Loin des prétendues « marges » d'où l'artiste pourrait commenter et juger le système depuis son envers fantasmé, le « milieu » représente le lieu d'énonciation assumé par l'artiste. Sa problématique s'y déploie par élargissements successifs, par l'investissement des champs les plus divers, par des collaborations avec des groupes ou des individus provenant de disciplines hétérogènes. Liam Gillick s'est établi dans cet espace, au cœur de la domination économique, et il y a installé ses activités parallèles.

[1] Liam Gillick, *The Wood Way*, Londres, Whitechapel Art Gallery, p. 81. Traduction de l'auteur, comme les citations suivantes. (« The texts and the retinal work all deal with different aspects related to issues of compromise, strategy, negociation and renovation. The work you see in the gallery or in specific applied situations is functioning in parallel, both to itself, other similar works and to the texts I use. »)

[2] L. Gillick, *Erasmus is late*, Londres, Book Works, 1995, p. 39. (« The key to everything is an understanding that a desire to predict the future is central to a development of a particular form of free-marketeering. A focus for progress. But a process that can happen in reverse, become mythologised or even forgotten. »)

[3] L. Gillic, *Five or Six*, Berlin, Sternberg Press, 1999.

[4] Catherine Strasser, *Le Temps de la production*, Strasbourg, école supérieure des arts décoratifs, 1997, p. 26.

[5] *Ibid.*, p. 17.

[6] L. Gillick, entretien avec Éric Troncy, in *Documents sur l'art*, no 11, 1997-1998.

[7] L. Gillick, *The Wood Way*, *op. cit.*, p. 18.

[8] Entretien avec Hans-Ulrich Obrist, in *Conversations*, vol. 1, Paris, Manuella éd., 2009, p. 283.

[9] Jacques Lacan, *Le Séminaire*, livre XI. Les quatre concepts fondamentaux de la psychanalyse, Paris, Le Seuil, p. 152.

[10] L. Gillick, *Selected Writings*, Zurich, JRP | Ringier, 2007, p. 226. (« Society understands something implicit in the images and narratives that are presented to it, and rejects them moment to moment as inconvenient to the continuation of the process of absorbing images and narratives. The artist in this case merely brings back those images, like a dog bringing back a stick and proudly showing it to the owner of the dog who already knows what the stick looks like because he or she was the one throwing it in the first place. »)

[11] L. Gillick, « Contingent Factors : A Response to Claire Bishop's "Antagonism and Relational Aesthetics" », in *October* 115, hiver 2006, p. 95-107.

[12] L. Gillick, *The Wood Way*, *op. cit.*, p. 18.

[13] L. Gillick, *Den Bosch*, Hermes Lecture, 2008.

[14] Michael Fried, « Art and Objecthood », in *Contre la théâtralité*, Paris, Gallimard, p. 135.

[15] Claire Bishop, « Antagonism and Relational Aesthetics », in *October* 110, automne 2004, p. 51-79, p. 64. « When Bourriaud argues that "encounters are more important than the individuals who compose them," wrote Bishop, I sense that this question is (for him) unnecessary ; all relations that permit "dialogue" are automatically assumed to be democratic and therefore good. But what dœs "democracy" really mean in this context? If relational art produces human relations, then the next logical question to ask is what types of relations are being produced, for whom, and why? »

[16] *Ibid.*, p. 66. « The relations set up by relational aesthetics are not intrinsically democratic, [...] since they rest too comfortably within an ideal of subjectivity as whole and of community as immanent togetherness. »

[17] C. Bishop, « The Social Turn : collaboration and its discontent », in *Artforum*, février 2006. « Such work seems to derive from a creative misreading of poststructuralist theory: rather than the interpretations of a work of art being open to continual reassessment, the work of art itself is argued to be in perpetual flux. There are many problems with this idea, not least of which is the difficulty of discerning a work whose identity is willfully unstable. »

[18] L. Gillick, « Contingent Factors », *op. cit.* « *[Discussion Island]* is not a book about open-endedness or compromise ; it is a critique of these things, which would be clear if she had once mentioned this book or the other specific writings that occupy a crucial role in my artistic practice. [...] The art work related to the text *Discussion Island* formed a backdrop that allowed the book to be developed, hence the "Discussion Platforms" from the late 1990s that projected a specific site for consideration of the specific ideas involved. »

[19] L. Gillick, *Renovation Filter : Recent Past and Near Future*, Bristol, Arnolfini, 2000, p. 16. « My work is like the light in the fridge, it only works when there are people there to open the fridge door. Without people, it's not art –it's something else– stuff in a room. »

[20] Entretien avec Hans-Ulrich Obrist, *op. cit.*, p. 290.

[21] *Ibid.*, p. 288.

[22] L. Gillick, *The Wood Way*, *op. cit.*, p. 18. « very important because he passed through the classic, didactic discourse that surrounded issues of identity and sexuality and created new forms of beauty that were rooted in deep and serious ideas. I learnt something from the way his work plays with the form and the way that you can loosen up to a certain extent. »

[23] Entretien avec H.-U. Obrist, *op. cit.*, p. 290.

[24] L. Gillick, « Contingent Factors », *op. cit.*

CHAPITRE III
Modèles économiques

True stories.
Le jeu de la signature (1990)

Écrit pour introduire à un cahier spécial intitulé « True Stories », réalisé pour le magazine *Flash Art* en novembre 1990, qui présentait des artistes s'inspirant, à des degrés divers, de l'esthétique de l'entreprise et du secteur tertiaire. Plusieurs noms d'artistes cités dans cet article ne diront sans doute plus grand-chose au lecteur des années 2010, mais les principes de travail et la problématique qui les réunit demeurent toujours d'actualité.

Il serait erroné de parler d'un courant « néo-conceptuel » pour qualifier les travaux des artistes, arrivés à maturité à la fin des années 1980, dont il est ici question. Il serait plus pertinent d'analyser comment cette génération emploie, détourne et segmente les acquis de l'art conceptuel, en tant que mouvement d'ores et déjà historisé. Mais leurs travaux en diffèrent moins par les méthodes employées que par la reprise de celles-ci dans un champ culturel instable. Face aux réseaux, à la prolifération des images et à l'extrême mobilité des structures sociales, les thèmes traditionnels se disloquent. Et si l'un des postulats les plus marquants de l'art conceptuel était la critique de la notion d'auteur, la nouvelle génération s'en sert de base pour établir une dialectique perverse entre l'anonymat et le star system, l'absence et la présence de l'auteur, le « pas encore là » et l'envahissement du nom propre, dialectique qui s'enroule justement autour de l'axe de la signature. D'un côté, un courant travaille à la préservation de la signature par l'entremise d'une mécanique juridique ou d'un logo qui « authentifie » les images. De l'autre, l'individu se dilate dans le spectacle généralisé et les effets de surface.

L'administration de la signature

Benjamin Buchloch évoquait, à propos de l'art conceptuel, une « esthétique de l'organisation administrative et de la validation institutionnelle ». Terrain paradoxal d'une discussion autour de la notion d'auteur, l'esthétique du sigle et de la corporation permet à la signature, en l'occurrence celle de l'artiste, de se constituer en principe d'autorité. Ainsi, Premiatta Ditta, ABR Stuttgart, Ingold Airlines, Art in Ruins et bien d'autres relèvent d'une volonté de réinvestissement de la signature dans un espace autonome et strictement délimité, ce qui autorise l'artiste à mimer les organismes de prestation de services (les défilés de mode organisés par IFP, les « bons d'achat » de Louise Lawler chez Metro Pictures, la « boutique » de General Idea...), la signature préexiste désormais aux signes par lesquels elle se manifeste, le sigle représente l'autorité. Le réel est perçu par l'artiste comme une entité à administrer, gérer et diffuser : ce qui nous renvoie, d'un point de vue critique, à ce qu'Arthur Danto nomme le « critère institutionnel » pour juger de la validité d'une œuvre. L'esthétique administrative, systématisée par cette nouvelle génération d'artistes considérés comme « conceptuels », lui permet de constituer sa propre juridiction, d'authentifier elle-même les signes qu'elle produit. La signature devient une entité commerciale, promotionnelle et juridique. Et si l'art conceptuel définissait l'œuvre comme « une définition linguistique et un contrat juridique » (Benjamin Buchloch), c'est avant tout le contexte qui faisait signature. Désormais, l'artiste cherche à créer son propre contexte, à instituer sa législation personnelle des signes. Là où Joseph Kosuth, Sol LeWitt ou Art & Language développaient une rhétorique de la sérialité et de la répétitivité, les identités génériques ou fictives des artistes de la fin des années 1980 permettent de légitimer cette sérialité par une raison sociale particulière. Marcel Duchamp et ses *Obligations roulette Monte-Carlo*, les « cessions de zones de sensibilité immatérielle » d'Yves

Klein ou les fictions muséales de Marcel Broodthaers sont les ancêtres de cette esthétique juridique. Thierry de Duve critique la propension d'Yves Klein à considérer « le capital comme accumulation et la créativité comme propriété privée », instanciée sur « l'auto-proclamation de l'artiste ». Et cette critique marxiste de Klein met en évidence le comportement spécifique des artistes contemporains, qui se lancent avec jubilation dans une impersonnalité esthétique, diffuse et hédoniste, celle du trademark et de la signature comme effet de surface. Le Cheque Tzanck de Duchamp illustre ainsi parfaitement cette conception de la signature de l'artiste comme instance de légitimation des échanges, banque centrale de valeurs flottantes. L'œuvre prend ici valeur de monnaie, et l'artiste se pose comme le simple garant d'un ensemble de transactions effectuées sous son nom.

Ainsi Gilles Mahé a-t-il décidé de constituer sa force de travail en société anonyme (Gilles Mahé et associés) ; ainsi le groupe Premiata Ditta se présente-t-il comme un organisme d'études statistiques ; la société Strictly business gère les intérêts de Philippe Perrin, la Collection Yoon Ja & Paul Devautour appose son sceau sur des productions artistiques hétérogènes. Plus l'espace de production s'étend et s'atomise dans « l'information secondaire », selon l'expression de Seth Siegelaub, et plus la signature doit se consolider, se faire logo. Le signe artistique, après s'être personnalisé à l'extrême avec l'expressionnisme abstrait, puis raréfié avec l'art minimal, se resserre sur ses prérogatives juridiques et son efficacité promotionnelle. Mais l'art des années 1980 se résumera-t-il à un affrontement entre les valeurs de la production et celles de la diffusion ? Dans nos sociétés industrialisées, le secteur tertiaire est aujourd'hui dominant : il administre la production ou procure des services, distribue ou fait connaître. Quant à la production elle-même, c'est la partie la plus automatisée, la plus discrète de la chaîne de la consommation. Le gestuel de contrôle est prédominant. Dans l'ordre de l'art, ce phénomène se traduit par l'apparition d'un vocabulaire de gestion des images qui emploie le logo, le marquage et l'altération des images dans le cadre d'une stratégie de diffusion et d'infiltration. L'agence Readymades belong to everyone® de Philippe Thomas, les dispositifs anonymes de Patrick Corillon, ou encore l'invitation lancée par Michael Krebber aux visiteurs d'une de ses expositions à se rendre au cinéma pour visionner un film de Jacques Tati, témoignent d'une volonté de contrôle maximum du fait esthétique. General Idea ira même jusqu'à proposer l'éducation du public (*Towards an Audience Vocabulary*, 1977). Et l'agence *Readymades belong to everyone* se veut gestionnaire de transactions visant à la diffusion d'objets ou d'images. Cette évolution de l'ordre de la signature, selon le sociologue Michel Maffesoli, résulte du passage d'une logique de l'identité (manifestée par le marquage corporel, la trace, l'extériorisation du moi) à une *logique de l'identification*, selon laquelle l'individu doit se positionner par rapport à des modèles issus des média et choisir entre des images qui, seules, le constituent en tant qu'individu. On ne se reconnaît qu'à partir de ce qui est autre, et c'est dans ce sens-là que l'artiste contemporain adhère à un réel. L'identité, c'est ce à quoi adhère le sujet. Un phénomène similaire a bouleversé le monde de la musique, avec l'arrivée du scratching puis de la house music. Le musicien s'est mué en échantillonneur (*sampler*) de sons produits par d'autres. La culture devient ainsi un milieu naturel, une réserve « sauvage », un ensemble de matériaux bruts. Des artistes comme Richard Prince et Cady Noland, de même que John Constable ou Frederic Edwin Church en leur temps, apparaissent comme des paysagistes symbolisants. Cette adhésion au réel comme miroir du moi et à l'échange social comme espace de circulation des signes crée un narcissisme collectif où le rôle de l'artiste consiste à désigner des miroirs, à élaborer des jeux de reflets par lesquels il va découper des épiphénomènes dans le champ social. À la fin du XIXe siècle, les « correspondances » théorisées par Emmanuel Swedenborg établissaient ainsi des décalages entre le visible et l'intelligible. Aujourd'hui, les relations « mirroriques » que les artistes instituent dans le réel abolissent les frontières entre l'ordre du désir et les matériaux dont celui-ci dispose pour créer une image. Se dégageant de ses valeurs et de ses idéologies, notre époque s'adonne à l'adhésion immédiate, à l'attraction instinctive, à la fusion.

Une esthétique ludique

De tels modes de consommation des signes bouleverse la chaîne de nos rapports au visible. L'œuvre d'art joue à s'insérer dans les systèmes, comblant les lacunes du binôme production/consommation tout en le parasitant. La passion du camouflage, du semblant et du déguisement qui s'empare de l'art contemporain est l'effet d'une contamination profonde, celle du ludique. L'art, comme l'a défini le philosophe Kostas Axelos, devient « une activité ni directement productive, ni techniquement organisée », c'est-à-dire un Jeu ; entre le « play » et le « game », pour reprendre la distinction établie par Roland Barthes. Le jeu est avant tout une structure. Ainsi le groupe The Three, à partir de leur inactivité plus ou moins avouée, joue à lutter contre la diffusion de leur image, paradoxe maîtrisé de bout en bout. La compagnie d'aviation Ingold Airlines, l'entreprise Premiata Ditta ou General Idea élaborent de véritables jeux de société à l'intérieur desquels l'œuvre n'est produite que comme un coup soumis à des règles précises. L'agence de Philippe Thomas joue à faire de ses clients des artistes, la collection Devautour se présente comme une immense règle du jeu, Guillaume Bijl organise des trompe-l'œil.

Il est par ailleurs indéniable que les plus grandes œuvres du siècle se sont appuyées sur des formes ludiques plus ou moins détournées, tour à tour sacrées, sportives ou comportementales : Duchamp voyait le jeu d'échecs comme la perfection de « l'œuvre ouverte », Klein subordonnait son art aux valeurs du judo, Beuys réinventa les rituels du chamanisme, tandis que Warhol posait à la rock star et que Broodthaers concoctait des calembours visuels. Duchamp ne disait-il pas de l'art qu'il était « un jeu entre tous les hommes de toutes les époques » ? Le ludique est déterminant dans l'apparition d'une esthétique indirecte, portant moins sur ce qui est donné à voir que sur les conditions et le mode d'utilisation de ce qui est produit. L'œuvre d'art, qu'elle soit la bande-annonce d'un événement ou le résultat d'un processus interactif, nous propose les indices d'une totalité immanente, nous enjoint de débusquer des fictions collectives ou individuelles qui éludent volontairement des éléments de leur passé ou de leur avenir. L'œuvre semble rechercher la condition solitaire et tragique de la machine à sous : toutes deux sont productrices de micro-destins, qui se jouent ponctuellement et sans conséquences ; toutes deux ne créent ni richesses ni valeurs, mais se contentent de les déplacer ; et enfin, toutes deux fonctionnent comme des rituels de désœuvrement dans l'hyperactivité urbaine. Considérons les fausses affiches de cinéma de Bernard Joisten, les enquêtes de Fareed Armaly ou Christian-Philip Muller, les étalages symboliques de Mark Dion : ils opèrent une effraction dans l'ordre des signes, effraction que Georges Bataille aurait qualifiée « d'opération souveraine ». Ces formes mimétiques de la production industrielle ou de la prestation de service témoignent de « la faculté particulière au délire des images de briser cet ensemble de signes qu'est la sphère de l'activité », sphère que Bataille opposait, précisément, à celle du jeu. L'art conceptuel était encore lié aux valeurs de la modernité, à la transcendance moderne : la notion de projet, de nouveauté, d'asservissement de la pratique artistique à l'obtention d'un résultat, que celui-ci soit réellement recherché ou fantasmé. En revanche, l'art d'aujourd'hui est nourri par un désir d'immanence, par l'insertion de l'œuvre au sein de la chaîne de l'activité. Les amours de Jeff Koons et de la Cicciolina, les détournements de Michael Krebber ou les « surfaces perméables » de Sherrie Levine fonctionnent comme autant d'effusions subversives par leur adhésion même aux signes qu'ils dupliquent, comme autant d'infractions notoires au code de production des signes artistiques. L'art de la fin des années 1980 est à la fois critique et fusionnel, complaisant et vénéneux : le jeu, sous ses formes les plus cruelles, se déployant comme une lente intoxication.

La star anonyme et l'anonyme fait star

Liant le problème de l'ego à une attitude ludique, la problématique de la visibilité sociale et ses deux figures emblématiques – la star et la foule – travaille en profondeur la production contemporaine. Pour faire image, l'individu oscille entre les deux pôles de la foule indifférenciée et de la représentation médiatique. Philippe Perrin ne se présente pas comme un auteur mais comme le sujet de son œuvre, centre d'un faisceau d'images sans cesse en déplacement. Il est littéralement produit, « acté » par les images, et non pas l'inverse. Philippe Thomas, à l'inverse, se dissimule derrière des collectionneurs-pseudonymes, gérant l'anonymat comme un effet de vérité dans l'ordre figé de la signature. Yoon Ja et Paul Devautour, Michael Krebber présentant à la galerie Christoph Dürr des œuvres de Marcel Broodthaers, Bernard Joisten se définissant comme un « sampler », prennent avant tout une posture de diffuseurs d'objets qui leur préexistent métaphoriquement. Le nom générique « Seymour Likely » a beau être le patronyme réel d'un « artiste » américain, il recouvre aussi un groupe de producteurs néerlandais. Quant à The Three, elles assument la position extrême de non-artistes qui, de plus, se refusent à produire quoi que ce soit. La communication joue le rôle de lieu commun, de degré zéro de l'existence. À l'intérieur de l'acte de communiquer se créent des micro-dispositifs qui sont le véritable sujet de l'œuvre de Philippe Thomas, The Three, Seymour Likely ou Jeff Koons. Le logo, la corporation, actualisent le concept du double. « Le poète jouit de ce remarquable privilège qu'il peut à la fois être lui-même et autrui », écrivait Baudelaire. Le sigle administratif devient alors le double de l'artiste dans la « sphère de l'activité », dans l'univers des décisions politiques et commerciales. Tandis que Duchamp voyait son double dans le domaine du fragile, de l'hétérogène (Rrose Sélavy), Ingold Airlines, Premiata Ditta Bank of Oklahoma ou encore Philippe Perrin et Philippe Thomas s'identifient au pouvoir médiatique ou économique par le truchement de leur double.

Cette politique du double génère des pratiques de retranchement, des systèmes insulaires. L'un des fantasmes de l'artiste contemporain est d'échapper à la loi de l'histoire, de se mettre hors de portée des législations critiques par la pratique du camouflage ou du déplacement. « Je est un autre », et l'artiste échappe aux règles collectives en créant un jeu différent, qui doit ressembler le moins possible au jeu des autres tout en y étant relié. Une qualité primordiale du travail de Peter Fend, par exemple, est d'échapper à toute localisation. Relevant à la fois de la géopolitique la plus pointue et de l'installation, du pamphlet et de l'art conceptuel, ses investigations se situent au confluent de plusieurs courants et de plusieurs milieux. On pourrait en dire autant des propositions de Krizstof Wodiczko pour les « sans-abris » new-yorkais, du projet d'exposition virtuelle « Hyper-Hyper » par Bernard Joisten, Pierre Joseph, Dominique Gonzalez-Fœrster et Philippe Parreno, des activités de Michael Krebber ou de Fareed Armaly.

L'œuvre d'art comme objet frustré

La caractéristique essentielle et paradoxale de l'œuvre d'art contemporaine, c'est peut-être de se donner à voir comme un objet limité, frustré, manqué. Prise dans des stratégies schizophrènes, dans l'administration de la signature et l'immanence cruelle du jeu, elle semble toujours viser une autre condition, un autre statut, toujours demander au spectateur un regard différent de celui qu'on pose habituellement sur une œuvre d'art. Elle se construit autour d'une déception fondamentale, mais une déception qu'elle provoque et organise. « Aucun art n'est aussi pauvre en moyens d'expression, écrivait Witold Gombrowicz à propos des arts plastiques. Peindre, c'est se résigner complètement et définitivement à l'incapacité de peindre ; c'est crier : "Je voudrais beaucoup plus, mais je ne peux pas !" » La théorie de l'écrivain polonais est simple : l'art n'est aucunement nécessaire. Seulement voilà, il fonctionne comme une habitude, il opère comme une intoxication analogue à celle que provoque le tabac. L'œuvre d'art est une cigarette, fumée à laquelle on donne un sens.

Il semblerait que les artistes contemporains travaillent à partir de l'idée que l'art constitue une intoxication, ayant recours à nombre de moyens détournés pour proposer, finalement, autre chose que de l'art : de la musique, de la littérature, du cinéma, de la politique... Voulant pénétrer le social et se lover en lui comme le ferait un virus, l'œuvre d'art épouse la forme de ses manques et de ses désirs. Au milieu des produits calibrés que délivre la société de consommation, répondant exactement à leurs fonctions, l'œuvre d'art éprouve ontologiquement un manque, elle désire : « L'amour, disait Lacan, c'est donner ce que l'on n'a pas à quelqu'un qui n'en veut pas. » Dialogue de sourds, donc, entre l'art et la société, dialogue douloureux qui crée des perturbations dans l'ordre des signes. Le regardeur est amené à participer à cette « souffrance » en manipulant l'objet. Ainsi Joisten, Joseph et Parreno entendent-ils créer des « objets conviviaux dont l'ergonomie définit l'usage ». Qu'il s'agisse d'ergonomie appliquée à l'œuvre d'art, de la constitution d'une identité logotypique ou d'un double fantasmatique, ou encore d'une enquête réalisée dans un but critique, il apparaît que l'œuvre institue un déroulement, et que l'artiste se présente désormais comme un metteur en scène qui fournit des indices ou des didascalies, un plateau ou une annonce.

Gombrowicz étaye sa diatribe contre les arts plastiques par le fait que, pour comprendre le mouvement intérieur d'une personnalité, on a besoin de *monter* des milliers de ses « visions pétrifiées ». L'œuvre contemporaine a repris cette critique à son compte, et vaut ce que vaut un *film-still* : c'est-à-dire que sa valeur intrinsèque ne fait que se surimposer à sa valeur d'évocation, de remémoration, à sa capacité de restitution d'une ambiance.

L'entreprise bleue ou Yves Klein considéré comme une économie-monde (2000)

« Il y a des vies où les difficultés touchent au prodige : ce sont les vies des penseurs. Et il faut prêter l'oreille à ce qui nous est raconté à leur sujet, car on y découvre des possibilités de vie dont le seul récit nous donne de la joie et de la force, et verse une lumière sur la vie de leurs successeurs. Il y a là autant d'invention, de hardiesse, de désespoir et d'espérance que dans les voyages des grands navigateurs ; et à vrai dire, ce sont aussi des voyages d'exploration dans les domaines les plus reculés et les plus périlleux de la vie. »
– Friedrich Nietzsche

L'œuvre d'Yves Klein. Si on veut en saisir l'essentiel, la forme du commentaire critique ne suffit pas ; celle du conte pourra nous être d'un grand secours, car la vie et l'œuvre d'Yves le monochrome constituent un bloc indémêlable dont les fils composent tour à tour un récit philosophique, un roman d'aventures et une science-fiction sociale. Qu'est-ce qu'un critique d'art, après tout, sinon un conteur, un griot, qui devant chaque assemblée, lors de chacune de ses manifestations orales ou écrites, réinterprète inlassablement l'histoire de sa communauté ? Qu'est-ce que l'histoire de l'art elle-même, sinon cette matière sans cesse remuée par de nouveaux récits, par des angles inédits ? C'est donc par un conte que doit débuter ce texte.

L'histoire d'une entreprise

Il s'agit d'un jeune homme, vivant sur les rives de la Méditerranée, allongé sur une plage, passant son temps à contempler le bleu du ciel. Il enrage lorsqu'un oiseau de mer traverse son champ de vision, le trouant de son vol inutile, en altérant ainsi la pureté. Téméraire et enthousiaste, la tête pleine de rêves, il décide d'en faire son entreprise : toutes les grandes entreprises commencent par le choix d'un objet social. Il entrera en apprentissage : il apprendra la dorure en Irlande, le judo dans la plus prestigieuse institution japonaise, l'institut Kodokan, puis l'art patient du monochrome, orange, vert, rouge ou jaune. Puis il constituera les statuts de son entreprise : l'exploration de la sensibilité immatérielle. Il choisira un logo : le bleu. Son propre bleu : l'*International Klein Blue*, dont il déposera plus tard le brevet. Il réunira des associés, des amis d'enfance : Arman, Claude Pascal. Bientôt, il travaillera en réseau avec un critique d'art, des architectes, des galeristes, d'autres artistes. Il optera pour une méthode : refuser ce qui divise, aller au contraire vers l'uni, vers la couleur contre les lignes qui coupent et segmentent, à rebours vers l'indifférenciation du big bang – dont on n'avait alors, sous la quatrième République, jamais entendu parler. « Pourquoi pas deux couleurs à la fois ? » lui demande-t-on aux premiers temps de son entreprise. Il répond qu'il se refuse à donner un tel spectacle, que la mise en présence de deux couleurs équivaut à une lutte entre le fort et le faible : « La représentation même la plus civilisée est basée sur une idée de combat, dit-il, et le lecteur assiste dans un tableau à une mise à mort, à un drame morbide par définition, qu'il s'agisse d'amour ou de haine[1]. » La couleur de l'entreprise sera unie.

Et l'entreprise du jeune homme qui passait son temps allongé sur le sable à regarder le ciel va prospérer, conquérir de nouveaux marchés, breveter des objets inédits, se lancer avec entrain et rigueur à la conquête du réel. Yves Klein, patron d'une entreprise, travaille dans la plus grande usine du monde : le monde lui-même. Les objets qu'il commercialise acquièrent un statut nouveau : loin de constituer l'objectif premier de sa quête, ils ne sont que les cendres de sa véritable production. Les magasins où ils figurent déroutent le consommateur : ils sont vides. Le commerce où Klein excelle déconcerte ses partenaires : il échange ce vide contre de l'or qu'il engloutit sous leurs yeux, les jetant dans le cours du fleuve. L'ingénierie qui fait sa réputation ne traite que de souffles, d'énergies invisibles et de vent. Et en tant que directeur de cette vaste compagnie, Klein règne sur des employés prestigieux, passant contrat avec un prolétariat composite qui comprend la pluie, le feu, l'air, la terre et le corps humain. Mais alors qu'elle atteint son apogée, l'entreprise dépose brutalement son bilan le 6 juin 1962. Certains prétendent que son succès est dû à sa brièveté, qu'elle était presque programmée. D'autres, que de pénibles conditions de travail furent la cause de la cessation d'activité : l'appartement de quatre-vingts mètres carrés de la rue Campagne-Première était en réalité un atelier clandestin. « Quand nous travaillions avec des matériaux nocifs comme l'acétone, explique Rotraut Klein-Moquay, nous ne pensions pas à ouvrir les fenêtres, et nous posions des chiffons épais devant la porte, de façon à ce que l'odeur ne se diffuse pas dans tout l'immeuble. » L'entreprise bleue s'achève ainsi, par le brutal décès de son chef de file. Elle n'aura pas de véritable héritier. Une autre histoire commence.

Le temps libre

« Je n'ai pas fait du monochrome pour refaire du Malevitch, mais parce que j'aime la couleur bleue. J'ai un ami qui passe sa nuit à regarder les étoiles. Quant à moi, j'ai toujours aimé m'allonger sur le sable et regarder le ciel[2]. » Sitôt qu'on aborde les racines de l'œuvre d'Yves Klein, on tombe sur la notion, alors peu abordée, de temps libre. En effet, ce travail est profondément influencé par l'oisiveté, la flânerie, le refus de se plier aux contraintes du labeur organisé. Ce temps libre qui constitue à la fois le matériau et la condition initiale de l'aventure d'Yves Klein ne s'oppose pas à ce temps aliéné qu'est le travail : il est inentamable, entièrement pur, comme l'ensemble des matières que traitera Klein, perçues toujours sous leur aspect métaphysique.

« Ne travaillez jamais », lisait-on en 1953 sur un mur de la rue Mazarine. On a attribué ce graffiti à Jean-Michel Mension, ou à Guy Debord lui-même, alors le principal protagoniste de l'Internationale lettriste. Yves Klein, sans avoir pris à la lettre cet ambitieux programme, puisque son entreprise immatérielle tourna à plein régime pendant les sept dernières années de sa vie, carnet de commandes rempli, s'efforça en tout cas de ne faire travailler que le vide et ses dérivés, et s'appliqua à produire à partir d'un état de non-travail. Il était en vacances, comme le montre cette discussion avec ses amis nouveaux réalistes :

« MARTIAL RAYSSE : Nous sommes des rentiers, nous vivons en vacances, nous n'avons jamais travaillé de notre vie, je ne sais pas ce qu'est que la société, je me suis toujours promené. […]
YVES KLEIN : Effectivement, nous sommes en vacances, toujours en vacances. […]
ARMAN : Et nous rejoignons la définition suivant laquelle l'art, c'est la bonne santé, car, étant perpétuellement en vacances, nous avons le temps de manger, de détruire et de recracher tout ce qui nous passe par la main[3]. »

Dans cette société industrielle qui arrivait alors en France à maturité, au cœur des Trente Glorieuses, le travail commence déjà à occuper la totalité du temps vécu : une fois la journée de travail achevée, explique le sociologue Christophe Dejours, l'employé est obligé de « continuer à cultiver le fonctionnement psychique dont [il] a besoin pour travailler, que ce soit pour s'accomplir dans le travail ou pour se défendre contre la souffrance du travail : de sorte qu'il va organiser son temps et choisir ses activités afin qu'elles n'entrent pas trop en contradiction avec ce dont il a besoin pour travailler. C'est ça la chose terrible : le temps personnel hors travail se retrouve investi par le travail, et en plus, on va retrouver ça dans l'économie familiale tout entière[4]. »

À l'orée, donc, de la civilisation du travail totalitaire, au moment précis où se vulgarise l'idéologie de la productivité et de la performance salariale, les nouveaux réalistes célèbrent la valeur de l'oisiveté. Se vanter de ne rien faire. S'ils produisent, c'est précisément qu'ils ont le temps ; leur production est à moitié assumée par la société elle-même.

Si l'entreprise Klein tourne à plein régime, elle le doit à l'utilisation de cette nouvelle matière première, qui prend tout son sens sitôt qu'elle se voit niée par la raison industrielle : le temps libre. Pour Klein, l'oisiveté ne constitue pas l'objet d'une revendication, mais, paradoxalement, représente l'aboutissement d'un travail. Doublement paradoxal, en apparence, pour un artiste qui se présente comme étant en vacances perpétuelles… Mais le « ne rien faire » de Klein, tout comme ses tableaux monochromes, possède une qualité immatérielle qui le distingue du temps libre social. Ce temps libre doit servir à travailler, c'est même le seul moment où s'effectue le travail : « Un voyage de Paris à Nice aurait été une perte de temps si je ne l'avais pas mis à profit pour faire un enregistrement du vent[5] », écrit-il.

L'authentique temps libre, selon Klein, est celui qui doit être avant tout utilisé pour se produire : « À vrai dire, ce que je cherche à atteindre, mon développement futur […] c'est de ne plus rien faire du tout, le plus rapidement possible, mais consciemment, avec circonspection et précaution. Je cherche à être "tout court". Je serai un "peintre". On dira de moi : c'est le "peintre". Et je me sentirai un "peintre", un vrai justement, parce que je ne peindrai pas, ou tout au moins en apparence. Le fait que "j'existe" comme peintre sera le travail pictural le plus formidable de ce temps[6]. »

Il s'agit donc d'atteindre une certaine qualité d'oisiveté ; plus exactement, une oisiveté qualifiée. Ce que Marx appelait la Praxis : se produire à travers les objets sociaux que l'on contribue à produire, une possibilité niée par les conditions modernes du travail. Que faire, alors, pour un artiste conscient de la marche du temps, sinon essayer de s'insérer dans cet engrenage diabolique ? En 1959, l'un des membres fondateurs de l'Internationale situationniste, l'Italien Giuseppe Pinot-Gallizio, produit à la chaîne des tapisseries abstraites d'inspiration tachiste qui décalquent littéralement le mode de production de masse. Il entend ainsi réduire à zéro la valeur de l'œuvre d'art, « déchaîner partout l'inflation. » En effet, écrit-il dans son Discours sur la peinture industrielle et sur un art unitaire applicable, « avec l'automation, il n'y aura plus de travail dans le sens courant du terme, mais un temps libre pour de libres énergies anti-économiques[7] ».

Cette idée, fort répandue alors, que la généralisation de la production machinique créerait d'elle-même une civilisation des loisirs où les travailleurs n'auraient plus à effectuer de tâches pénibles, on la retrouve ainsi dans les propos d'Yves Klein, mais sous une forme inversée : c'est par une pratique qualitative et purement individuelle, non par le truchement de l'automation, que l'homme du futur sera autorisé à ne rien faire. Et cette oisiveté gagnée contre cette dictature de la production, elle passe, chez l'apôtre de la « Révolution bleue », par la figure la plus élitaire qui soit, celle de l'artiste. Ne rien faire, soit, mais à condition de devenir artiste, à condition de se produire comme un individu exceptionnel. La maîtrise du « non-agir » ne représente pas pour lui un fait social, elle est le point culminant d'une initiation, analogue à celle qu'il a subie à l'institut Kodokan pour acquérir son quatrième dan de judo. Le « ne rien faire » est un équivalent artistique du ki, cette énergie immatérielle, souvent évoquée dans les doctrines de combat orientales, capable de paralyser l'adversaire à distance.

Formé par le judo, Klein esquive tout ce qui a trait au monde du labeur et des pointeuses : ses tableaux doivent être réalisés en peu de temps, mais aussi se charger d'une énergie acquise par un constant travail sur soi. Grâce au rituel des arts martiaux, qui vient se substituer au protocole artistique en lui fournissant un mode alternatif de comportement producteur, il peut justifier efficacement sa rapidité d'exécution. Contrairement au monde du travail qui valorise l'acquisition et l'accumulation des richesses, le gain patient, la projection dans l'épargne, Klein indexe sa pratique sur l'instant présent. Son activité de peintre monochrome se joue ainsi au moment précis où la matière se stabilise sur la surface de la toile, qui se « charge », ou pas, d'énergie immatérielle. Si cette « imprégnation » n'a pas lieu, ça ne vaut rien. Une fois finie, cette toile n'a pas d'autre valeur que celle de prolonger ce bref instant de création, qui a eu lieu en amont du regard qui va se poser sur elle. Une œuvre n'est qu'une cendre. Seule l'étincelle compte. Les tableaux de Klein sont des rediffusions en différé d'un événement qui a déjà eu lieu. Il renverse ainsi la logique sur laquelle se fonde l'aliénation du travail salarié : le temps de loisir, le « temps perdu » à se recharger, représente en réalité le véritable moment de la production, tandis que la fabrication concrète, le temps de travail de l'économie classique, n'est rien d'autre qu'une courte déflagration – un moment orgasmique dont il ne montre rien au public, sinon les draps, alors même que son objet s'est enfui. Présence de l'absence : tel est également le sens de ses *Anthropométries*, pour lesquelles Klein « emprunte » un corps de femme, et le restitue sous la forme d'une trace. L'œuvre d'Yves Klein répugne ainsi à toute tentative de thésaurisation, puisque la richesse qu'elle produit demeure inaccessible et réfractaire au partage. Il se situe ainsi à l'opposé des valeurs sociales du monde industriel, de cette « sphère de l'utile », selon l'expression de Georges Bataille, qui a envahi notre existence quotidienne. Cet instant créateur, pendant lequel l'œuvre se charge de la sensibilité immatérielle de l'artiste, on pourrait d'ailleurs la comparer à cette effusion poétique que Bataille nomme « souveraineté » : comment se déploie le projet qui vise la destruction de tout projet, la démarche non asservie à l'obtention d'un résultat dont je serais l'esclave.

BATAILLE : « Je suis. En cet instant, je suis. Et je ne veux rien subordonner à rien cet instant-ci[8]. »
KLEIN : « Un peintre ne doit peindre qu'un seul chef-d'œuvre, lui-même, constamment. »
BATAILLE : « Ce qui est souverain, en effet, c'est de jouir du temps présent sans rien avoir en vue sinon ce temps présent. »
KLEIN : « [Je suis] en vacances, perpétuellement en vacances. »

Que fait l'artiste, en attendant de pouvoir ne rien faire ? Il se promène. Henry Ford, industriel et militant de la taylorisation, avait déclaré la guerre à « l'odieuse flânerie » : tout le processus de rationalisation du travail en usine, déclenché par le besoin de produire en masse, avait pour but d'éradiquer l'inutile, le pas non nécessaire. Ce qui devient odieux aux yeux du patronat, c'est l'inutile. En réduisant le rôle de l'ouvrier à l'acte d'accomplir un seul et unique geste sur une chaîne de montage dont le rythme lui est imposé, abolissant ainsi la notion de savoir-faire ouvrier, les usines Ford produisirent un nouveau standard de temps vécu. On logea les ouvriers dans des lotissements tous identiques ; on leur accorda un lopin cultivable, afin qu'ils continuent à travailler au lieu de s'engouffrer dans le premier café. On tenta, par tous les moyens, de réguler et de contrôler leur temps libre, qui devint une simple annexe du temps de travail, le moulage de celui-ci.

L'art moderne s'est constitué par rapport à cette uniformisation du temps et de l'espace humain : lorsque

Baudelaire fit l'éloge du flâneur, sans doute avait-il senti ce qu'allait devenir le XXe siècle. L'aventure moderne se nourrit de tout ce qui refuse de se borner à la reproduction de la force de travail, voire la reproduction tout court. Les artistes n'ont eu de cesse d'inventer des promenades. Qu'est-ce que le land art, sinon une promenade champêtre devenue forme ? Un ami d'Yves Klein, le labyrinthique Raymond Hains, personnifie alors le concept de dérive urbaine que le situationnisme fit largement fructifier : parcourir la ville comme un texte qu'on feuillette, et le monde comme un tableau. Préserver la possibilité des récits. Ce temps de la flânerie improductive, que le travail de masse cantonne au rôle de reproduction calorique de la force de travail, au repos nécessaire pour retourner au boulot le lendemain matin, est le temps que les avant-gardes du XXe siècle vont détourner à leur profit. Et c'est finalement moins contre le travail que contre son double inversé, le temps libre calibré selon les besoins uniformes de l'industrie, que s'acharneront les artistes de la modernité.

Tout est travail, mais tout le monde peut être un artiste dans son travail, dira l'œuvre de Joseph Beuys. La classe ouvrière éprouve souvent du mépris pour le loisir en tant qu'oisiveté : « Des mains désœuvrées font l'œuvre du diable », martèle un vieux dicton populaire. Dans le monde ouvrier, et au-delà même de la nécessité économique et de la culpabilité, il y a un véritable goût pour l'activité, pour le « travail à côté », le bricolage. C'est aussi ce que l'on appelle la « perruque », ce travail enfin individualisé et volé à la chaîne de montage une fois le travail fini. Du temps récupéré sous la forme d'un objet.

Dans le temps sans temps mort que définit l'œuvre d'Yves Klein, la promenade tient toutefois un rôle capital, visant à abolir toute distinction entre travail et temps libre. On pourra penser que ce temps indifférencié est le lot de tous les artistes, et de tous les travailleurs indépendants en général, dont le luxe consiste à construire leur journée. Mais l'entreprise Klein se saisit de ce temps-là comme d'une matière : pour que l'énergie imprègne les formes matérielles, il faut qu'ait eu lieu cette période d'accumulation.

Le « Je suis un générateur » de Klein précède ainsi le « Je veux être une machine » d'Andy Warhol : l'artiste d’avant-garde se définit comme un processus d’enregistrement en état de vigilance maximum. Le projet exact ? Devenir « une sorte de pile atomique, une sorte de générateur à rayonnement constant qui imprègne l’atmosphère de toute sa présence picturale fixée dans l’espace après son passage. » Celui de Warhol ? « Mon cerveau est comme un magnétophone qui n’aurait qu’un seul bouton – pour effacer. » Positif/négatif. Attirer l’énergie vers soi ou repousser la mémoire. Dans les deux cas, le passage, hâtif ou méticuleux, d’une machine lancée à travers les circonstances du temps.

Dans un roman à clef de Michèle Bernstein, une jeune femme rencontre un membre de l’Internationale situationniste et lui demande de quoi il s’occupe. De réification, lui répond-il. Elle suppose qu’il s’agit de passer des journées en d’austères recherches dans une bibliothèque… Il la détrompe : mais non, il se promène, tout simplement il se promène. Yves Klein procède de la même façon : « Tout comme les impressionnistes dont je me considère l’un des continuateurs, tout comme, plus directement encore, Delacroix dont je me considère le disciple, je flâne et rencontre des états de choses sympathiques, un paysage réel ou imaginaire, un objet, une personne, ou tout simplement un nuage de sensibilité inconnu que je traverse soudain par hasard, une ambiance[9]… »

Klein se promène pour se faire lui-même, en s’imprégnant du réel ; les situationnistes, pour poétiser la vie quotidienne. Le premier cherche à « devenir une sorte de générateur, de pile atomique », tandis que le groupe dont Debord est le leader milite pour un art unitaire et collectif, se projetant dans la forme des villes. Yves le Monochrome s’exerce à cristalliser l’énergie impersonnelle du monde, persuadé que seul un colossal travail de va-et-vient entre l’artiste et l’infini pourra transformer le réel. L’Internationale situationniste se pose d’emblée dans la sphère du quotidien. Klein, quant à lui, ne voit rien entre l’individu singulier et l’immensité cosmique ; il n’arrive pas à accommoder la réalité sociale. Problème de focale. Cette « traversée d’ambiances variées » qu’est la dérive, outil de construction de situations éphémères, s’oppose finalement à l’esprit de l’entreprise Klein, qui s'attache à définir un genre spécial de flânerie, non pas urbaine, mais cosmique et immatérielle. C'est là toute la différence entre le téléphone et la télépathie, entre les unités d'habitation de Le Corbusier et « l'architecture de l'air ». Klein n'était pas un politique mais un vitaliste : « Il était persuadé qu'entre le corps et l'esprit, il y avait une troisième dimension, qui était celle de la sensibilité. Et cette sensibilité était une façon de s'approprier l'énergie. Postulat très simple : toute communication est à base d'énergie ; le maître de cette énergie est le maître du langage[10]. »

Au printemps 1957, Klein invite Guy Debord et Michèle Bernstein à dîner dans son atelier. Le peintre avait assisté, cinq ans plus tôt, à la projection de *Hurlements en faveur de Sade*, le premier film du jeune Debord, encore lettriste, qui montrait un écran monochrome noir troué par une voix hors champ. Ce jour-là, Klein demande à Debord de prendre la toile qui lui plairait. Celui-ci s'empare de la plus petite : « Parce que je peux la mettre dans la poche de mon duffle-coat[11] », dit-il.

Les objets et leur commerce

Une agence de voyages : le client, assis sur un fauteuil ou debout devant un guichet, échange de l'argent contre un billet pour une destination choisie. Il achète du temps qualitatif. Parfois même, il acquiert du temps organisé par l'agence, une période de vacances prédécoupée vendue comme du temps « naturel » : dans cet endroit, on doit voir ça, ça et ça, et se comporter de telle ou telle manière.

La bourse de Paris (ou Frankfort ou Hong Kong) : on achète des biens matériels que l'on ne verra jamais que sous la forme de titres ; ou bien on échange des valeurs, des participations. L'ensemble des transactions financières mondiales, qui détermine en profondeur notre vie quotidienne et influence durablement la politique des états nationaux, ne correspond à aucune réalité visible ni à aucun objet concret, de la même manière que la « bulle financière » ne renvoie qu'indirectement à la réalité du travail accompli.

Le 10 février 1962, sur les rives de la Seine, l'entreprise Yves Klein procède à la cession de sept zones de sensibilité immatérielle numérotées. Chaque zone est cédée contre un reçu qui indique un poids d'or fin, qui est la « valeur matérielle de l'immatériel acquis ». L'acquéreur doit brûler le reçu afin de se rendre véritablement propriétaire de la zone, et la moitié de l'or employé dans la transaction est jetée dans le fleuve. Le collectionneur se fait actionnaire. Quelque chose est fixé dans la transaction : l'œuvre apparaît dans l'instant de la relation entre le vendeur et l'acheteur. Elle est cette relation.

Au centre de l'entreprise bleue, on trouve donc un flux parallèle à celui de la circulation monétaire, une énergie qui duplique celle-ci tout en la décalant vers un au-delà qu'elle méprise. L'argent ? Dans sa conférence de 1959 à la Sorbonne, Klein définit la monnaie comme le « médium fixatif de tous les individus groupés dans une société, [qui] les momifie, leur enlève leur autorité vis-à-vis d'eux-mêmes, et les dirige tout droit vers la surproduction quantitative au lieu de les grouper. » Le principe monétaire équivaut au principe de composition : l'argent fixe les individus au tableau social, comme le liant de l'International Klein Blue fixe les grains de pigment sur la toile. Yves désigne clairement l'ennemi : le quantitatif, la réification. Une nouvelle économie n'apparaîtra, il en est persuadé, que si l'on mesure collectivement l'importance du qualitatif. En tant que peintre du sensible, il réalise concrètement ce projet dans son œuvre. Tout d'abord en indexant son travail sur l'instant, en « spécifiant » chaque toile, c'est-à-dire en lui attribuant une valeur énergétique particulière.

Après son exposition à la galerie Colette Allendy, Klein explique à Pierre Descargues que chaque acquéreur d'un des monochromes bleus présentés dans la galerie avait spontanément reconnu celui qu'il avait choisi. La sensibilité est transmissible. Et tous ces collectionneurs comprenaient très bien, selon lui, que deux tableaux en apparence identiques soient vendus à deux prix différents. Le qualitatif. « On voit donc, reprend-il, que tout s'analyse en termes de faillite, et le bilan des économies composées n'annonce aujourd'hui qu'un large déficit. Une ère nouvelle devrait donc apparaître où une perception qualitative du champ énergétique de l'économie pourrait enfin orienter l'inertie fondamentale du vivant vers une conception dynamique de la chose créée. » Il s'agit de fonder un nouveau « label monétaire » correspondant à l'ère spatiale : tel est le but ultime de l'entreprise.

Mais revenons un instant sur les propos de Klein au sujet du « médium fixatif » : dans sa critique de la monnaie, celui-ci insiste sur son caractère homogénéisant. L'argent fixe les particules individuelles dans le tableau social, il crée de la ressemblance, aliène les libertés individuelles, standardise. Il est frappant de constater l'extrême cohérence qui lie les déclarations les plus « politiques » de Klein et sa pratique artistique. Il emploie, pour parler de sa peinture, des termes similaires à ceux qu'il utilise spontanément pour décrire l'horreur économique : « Pour peindre, j'ai longtemps cherché le médium fixatif, pour fixer justement ces grains de pigment qui font une masse rayonnante et éblouissante quand le pigment est en poudre dans le tiroir des marchands de couleurs. C'est consternant de voir ce même pigment, une fois broyé à l'huile par exemple, perdre tout son éclat, toute sa vie propre. Il semble alors qu'il est momifié, et pourtant on ne peut pas le laisser par terre et ainsi le maintenir tenu par le médium fixatif qu'est l'invisible force terrestre, car l'homme se tient debout naturellement et regarde à l'horizon. »

Ainsi Klein établit-il finement un parallèle entre l'art et l'économie, tout en posant sa problématique générale : la « masse rayonnante et éblouissante », devenue « momifiée » par le « médium fixatif », doit retrouver son autonomie et sa liberté.

Pour juger des œuvres d'art, il existe un outil dont les résultats peuvent être étonnants : le critère de coexistence. Chaque œuvre d'art produit un modèle de socialité, qui s'avère plus ou moins démocratique et plus ou moins ouvert. On est toujours en droit de se poser la question : pourrais-je exister, et comment, dans l'espace-temps que suggère l'œuvre que je regarde ? Les œuvres d'Yves Klein contredisent souvent ouvertement les références que manipule l'individu Klein, dont on souligne toujours certaines ambiguïtés. Son apolitisme naïf le rend, certes, suspect. Mais en dernière instance, comment ne pas privilégier le sens produit par les formes elles-mêmes au matériau idéologique (archaïsmes spiritualistes, arts martiaux, élitisme, goût prononcé pour des cérémonials passéistes ou bric-à-brac chevaleresque) que l'œuvre vient finalement atténuer, voire nier ? Et quelle était la signification réelle de l'élitisme de Klein ?

Devant un monochrome bleu, on s'émerveille toujours de la brillance de la couleur, de son aspect granulé qui produit presque, à la surface de la toile, un léger effet de pixellisation. La matière est riche, épaisse, poudreuse. Le pigment ne s'uniformise pas, car il n'est pas « privé de ses possibilités autonomes de rayonnement, tout en faisant corps avec les autres ». Chaque monochrome bleu formule un essai utopique, un modèle de fonctionnement, un prototype : Klein y définit la place des individus, propose une cohésion sociale, un juste rapport de l'individuel et du collectif qui produirait « une masse rayonnante et éblouissante. » C'est là un projet politique, un exemple d'entreprise citoyenne.

L'entreprise bleue entend fonder l'échange sur la matière elle-même. Si elle se livre au troc immatériel, ce n'est pas uniquement pour critiquer les fondements de l'économie capitaliste. Certes, avec les *Cessions de zones de sensibilité immatérielle*, on semble retrouver les bases de l'échange financier, mais s'agit-il vraiment d'une abstraction ? Pour Klein, l'immatériel n'est pas abstrait. Ce n'est pas un hasard si l'échange s'effectue par le truchement d'or fin et de feu : c'est de la matière qui passe de main en main, pas de la valeur. Il s'agit, comme il l'expliquera à la Sorbonne, de « jeter les bases d'un système de troc fondamentalement sain et à l'abri des variations conjoncturelles quantitatives », c'est-à-dire de la « suppression de la circulation fiduciaire ». Yves Klein, chef d'entreprise, milite pour l'instauration d'une économie basée sur la qualité, c'est-à-dire débarrassée de l'argent : « Tournons-nous plus simplement vers la valeur intrinsèque de la matière, résidant essentiellement dans la notion de qualité et sur cette base structurellement qualitative, chaque corporation pourrait être tenue d'abandonner dans les caves de la banque centrale, préalablement débarrassée de tout dépôt métallique, le chef-d'œuvre de la profession[12]. »

Quoi de plus absurde, après tout, si l'on y réfléchit un peu, qu'échanger une brouette ou des aliments contre des jetons que l'on a soi-même gagné en vendant un collier ou en gardant un immeuble ? L'argent est distribué en fonction du temps de travail. Du moins, c'est ce que l'on entend nous faire croire, car on serait aujourd'hui en peine de lui trouver un référent universel. Ce que propose finalement Yves Klein, c'est d'indexer la valeur de la monnaie sur la qualité de l'instant, puisqu'il propose le « chef-d'œuvre » comme pierre de touche, et qu'il ne conçoit ce chef-d'œuvre qu'en fonction de la teneur en génie du moment vécu. La sensibilité picturale est une matière première, donc une monnaie d'échanges, la « monnaie de l'univers » : la vie ne nous appartient pas, dit-il, mais nous pouvons « l'acheter » avec notre sensibilité.

Cette conception de l'économie préfigure la « République géniale » qu'inventera, peu de temps après, un jeune artiste français ayant suivi un fort sérieux cursus économique aux États-Unis, un lumineux bricoleur tout aussi précis que délirant, qui deviendra l'un des piliers du mouvement Fluxus : Robert Filliou. « Nous avons tous les mêmes différences, explique-t-il, et c'est cela précisément que nous avons en commun. Je propose donc d'appeler cet échange, basé sur nos différences, le V. T. E. (Vrai Taux d'Échanges). » Contre cet équivalent général abstrait que représente la monnaie, Filliou convoque l'absurde « principe d'équivalence » : selon cet axiome, l'ensemble de ce qui existe serait régi par l'identité du Bien fait, du Mal fait et du Pas fait, qui est la loi de « création permanente de l'univers. » Entre le Bien fait (une chaussette rouge dans une boîte jaune, tel est l'exemple qu'il prend), le Mal fait (la même chose, mais avec des proportions et des couleurs fausses) et le Pas fait, il n'existe qu'une différence de qualité, qui crée de la différence, donc de la valeur. Loi cosmique ? Filliou considère ces trois « réalisations » comme un tout et décide de « les refaire une deuxième fois comme mal faits, et une troisième fois comme pas faits », aboutissant ainsi à une œuvre de dimension considérable, puisque la taille d'une série de cent atteindrait, selon ses calculs, « dix années-lumière. »

La théorie de l'économie qualitative développée par l'œuvre de Klein trouvera également un écho dans l'anthropologie globale de Joseph Beuys. Au « dépassement de la problématique de l'art » annoncé par le premier répond le « concept élargi de l'art » du second, qui, lorsqu'il parle d'informer la matière par le geste, rejoint, avec d'autres mots, la notion kleinienne d'imprégnation. Pour Beuys, « toute intention de travail est point de départ d'une grande œuvre d'art. La distinction entre travail prétendument culturel et travail industriel s'effondre. Tout travail est marqué par le concept de l'art. Le concept élargi de l'art est en même temps concept d'économie. Ou encore : le concept d'économie, le travail, est aussi concept d'art », puisque celui-ci « est concrètement le capital[13]. » La créativité est le capital réel. L'argumentaire des deux artistes est très proche, jusque dans leurs conclusions : « Maintenant, dit Beuys, il n'y a plus qu'à trouver une réglementation juridique pour libérer l'argent de son caractère de marchandise et pour en faire le régulateur juridique du travail. » Mais là où Beuys entend opérer dans le champ de la psychanalyse sociale, provoquant une catharsis dans la psyché collective allemande avec pour objectif une réorganisation de la société sur la base de la démocratie directe et d'une écologie globale, Klein demeure tributaire de sa culture française : c'est le langage qui demeure sa priorité. L'outil lui-même, plutôt que ce qu'il arpente. Ce que Beuys juge « bourgeois » chez Marcel Duchamp, c'est de « refuser le travail en commun », par son silence, par son désintérêt pour l'Histoire. Et lorsqu'Yves Klein évoque la notion de travail en commun, c'est en ces termes : « Coopérer veut dire conjuguer son action, avec d'autres, en vue d'un but à atteindre ; le but pour lequel je propose la coopération, c'est l'art. » On comprend que ce désir-là peut sembler incompréhensible à Beuys, pour qui il s'agit, au contraire, de sortir de l'art par le haut, en l'élargissant, mais surtout en le diluant dans une créativité quotidienne et généralisée, la sculpture sociale.

Souvenons-nous que Beuys jugeait inadmissible l'attitude de Duchamp par rapport à sa *Fontaine* de 1913 : de quel droit signe-t-il un urinoir qui a été produit par une longue chaîne de coopération, du mineur qui travaille dans la mine de kaolin jusqu'au designer qui en a tracé la forme ? On devine la critique qu'il aurait pu faire, selon ces principes, de la production de l'entreprise Yves Klein.

Celui-ci, en effet, évoque souvent les « libres énergies » qui seraient en circulation dans l'espace – comme s'il s'agissait d'une force de travail cosmique se présentant aux portes de ses usines pour s'y enrôler. L'entreprise bleue, c'est l'une de ses caractéristiques, fait travailler les éléments comme s'ils étaient ses employés : le vent est soumis au tarif horaire d'un aller Paris-Nice, le feu et l'air sont domestiqués dans l'architecture pneumatique. Avec la publication de *Dimanche*, « journal d'un seul jour », en 1960, c'est le monde entier que l'artiste revendique comme son œuvre, enjoignant à chacun de continuer à vaquer à ses activités quotidiennes. Klein se comporte comme un patron, le directeur d'une PME existentielle qui a pour vocation d'employer la course de la planète, de la restructurer en filiales. Il dirige des flammes tout aussi bien que les femmes qu'il enduit de peinture bleue lors des cérémonies anthropométriques. Tout au long de celles-ci, il porte des gants blancs, un smoking, un nœud papillon : contremaître du visible, il orchestre du travail impersonnel. Il ne touche pas la matière.

Les corps humains, une fois introduits dans la machine entrepreneuriale de Klein, sont porteurs d'une énergie qui les dépasse en tant qu'individus : la femme des *Anthropométries* est un pinceau. Elle appartient au monde des objets et des outils, mais ni plus ni moins que la plupart des corps « utilisés » dans des performances de la seconde moitié du XXe siècle. Le problème n'est pas là, car nous nous utilisons les uns les autres, consciemment ou pas ; nous sommes tous, à un moment ou un autre, réifiés ou réduits à notre force de travail. Piero Manzoni, dont on a souvent souligné que son œuvre témoignait d'un étrange mimétisme par rapport à celle de Klein, a par exemple signé des corps humains en tant qu'œuvre d'art. L'Italien a industrialisé son propre corps : souffles d'artiste, empreintes digitales sur des œufs, *merde d'artiste* enfermée dans des boîtes de conserve…

À partir des années 1960, dans le sillage de Klein et Manzoni, avec Broodthaers ou le Pop art, puis l'art corporel, l'art pourrait passer pour une industrie de soi-même. L'artiste découpe et exploite telle ou telle partie de sa personnalité ou de son physique, devenant ainsi, à sa guise, l'entrepreneur de sa propre vie, ou l'employé de forces qui le dépassent, dont il ne fait qu'assumer l'action.

La force de Klein résidait dans sa capacité à passer, sans cesse, de ce statut d'entrepreneur à celui d'employé : il faisait vivre les signes, en un refus instinctif de la réification. Or, les procédés industriels peuvent parfois jouer de mauvais tours aux artistes qui les utilisent : au lieu d'habiter autrement ces modes de production, ce sont ceux-ci qui viennent les pervertir. Ainsi, Arman, l'ami d'enfance, le confident de Klein, qui, notamment avec l'exposition « Le Plein » à la galerie Iris Clert, représente le chaînon manquant entre Duchamp et la sérialité qui formera la matrice formelle de l'art des années 1960. Arman a réalisé des pièces majeures, comme les *Poubelles*, les dynamitages de White Orchid (qui préfigure à la fois Ange Leccia et Roman Signer), le *Tas des échanges* de 1974, les Bétons ou encore la destruction pré-punk d'un intérieur bourgeois à coups de hache, en 1975 (*Conscious Vandalism*). Les *Cachets* de ses débuts, les *Allures d'objet*s ou la plupart des *Colères* nous parlent encore trente ans plus tard. Seules les dimensions réduites de certaines pièces, eu égard à l'ampleur de l'univers industriel qui leur sert de référence – et en comparaison avec nos standards américanisés –, peuvent donner à l'œuvre un caractère daté. Mais un second Arman supplantera le premier : c'est le Arman metteur en scène, celui qui dramatise la radicalité brute de son attitude. Drame, décoration : avec ses sculptures classiques tronçonnées, l'artiste délaisse les chaînes de montage pour aborder l'industrie du luxe. Il devient une griffe, et il passe du côté des vitrines. Le génie d'Arman tenait dans ses séries : après avoir appliqué à l'art le mode de production industriel, son travail est devenu un logotype de lui-même.

Le référent de Klein lors des cérémonies anthropométriques, sa pierre de touche, n'est plus le monde de l'industrie, mais celui de la mystique et de la religion, lui-même inséparable du monde de la valeur. Qu'est-ce qui fonde la croyance ? Qu'est-ce qu'une preuve ? Que peut révéler la matière ? En 1959, Klein répond à une invitation pour une exposition collective, à Anvers, sans amener avec lui le moindre objet. Se tenant dans l'espace qui lui est réservé, il récite une phrase de Bachelard, fume une cigarette et part, non sans avoir demandé aux organisateurs trois kilogrammes d'or correspondant aux trois œuvres immatérielles qu'il déclare avoir exposées. L'image s'inscrit dans la matière, telle une apparition, une incrustation vidéo ou une image subliminale. Cette pièce, qui consistait donc en la présence de l'artiste dans un lieu attribué, se définit comme une persistance. Elle renvoie à l'ombre blafarde de *L'Homme d'Hiroshima* sur les murs vitrifiés d'un escalier, telle qu'elle fut saisie par la déflagration. C'est le rite qui fait image, constituant même la seule possibilité d'en produire qui échappe à la réification générale ; puisque tout objet, selon lui, n'est que la cendre d'un feu passé, le dépôt d'une activité, autant s'en tenir à cette activité elle-même.

Les *Anthropométries*, de ce point de vue, ne diffèrent pas fondamentalement de son mariage avec Rotraut Uecker, à l'église Saint-Nicolas-des-Champs, le 21 janvier 1962. Tout aussi ritualisée, avec les chevaliers en uniforme, les musiciens de la garde républicaine, les drapeaux français, les journalistes, la cérémonie fait advenir une image, celle d'un couple. Mais aussi celle d'une réunion improbable : une foule composée d'artistes d'avant-garde, de judokas et de chevaliers. Le patron de l'entreprise bleue organise des manifestations publiques en forme de sculptures sociales, des événements théâtraux dans lesquels le public est tout aussi important que l'action qui s'y déroule.

Le soir de l'ouverture de l'exposition « Le Vide », geste exemplaire et générique de l'entreprise bleue, les seules anecdotes furent le fait des gardes et de la foule, pas de l'artiste. « C'est une exposition d'artistes, ici », s'amuse même le critique-artiste André Verdet. Certains essaient de griffonner quelque chose sur le mur, d'autres sortent un objet du placard de la galerie… Les visiteurs sont renvoyés à leur propre conception du vide, des murs, de l'institution. Le but de Klein, lui, est de démontrer l'existence tangible de la sensibilité immatérielle, de faire partager au visiteur cette sensibilité comme un fait palpable. Nous sommes toujours dans le cadre d'une relation commerciale : si un produit doit « montrer quelque chose au-delà du fini », pour paraphraser Delacroix, pourquoi ne pas montrer cet au-delà, une fois débarrassé du fini ? Le Vide d'Yves Klein est une matière relationnelle, un objet de négoce, le commerce réduit à sa plus simple expression. L'image concrète, et le seul produit visible que l'artiste offrit en pâture au public, fut, ce soir-là, un cocktail, un cocktail bleu comprenant du gin, du Cointreau et du bleu de méthylène. Un objet social par excellence, auxquels nous font penser, quarante ans plus tard, les dispositifs conviviaux d'un Rirkrit Tiravanija ou d'un Pierre Joseph.

Ce que Klein expose, c'est la réalité du phénomène transitionnel lui-même, évidé de l'objet qui lui sert traditionnellement de support. « Le tableau n'est que le témoin, la plaque sensible » qui permet la communication. Avec l'exposition du « Vide », on entre dans un infini qui n'est pas ineffable, et qui est celui de la discussion.

Daniel Buren : « [Klein] a cru également, et fait croire à d'autres, que faire une exposition sans accrocher de tableaux et en repeignant la galerie en blanc, était faire l'exposition du vide. C'est bien là une croyance typique de peintre qui pense qu'aussitôt qu'un espace est vide de tableaux (ou d'objets), celui-ci "montre" le vide. [...] Un mur sans tableaux n'est pas un mur vide, mais un mur plein de lui-même[14]. »

Mon hypothèse est que l'opinion de Buren n'entre peut-être pas en contradiction avec le propos de Klein. Effectivement, une galerie est aussi une institution, et prétendre qu'on montre le vide à l'intérieur d'un tel appareil idéologique serait faire preuve de naïveté. Mais cette énergie immatérielle dont Klein affirme faire l'exposition, ne se confond-elle pas en réalité avec la matérialité de cette « communication d'esprit à esprit » à laquelle Delacroix fait allusion dans son journal ? Ne se confond-elle pas avec cette « troisième dimension entre le corps et l'esprit » par laquelle Restany résume le vitalisme Kleinien, et qui n'est autre que le langage ? Cette énergie que l'artiste s'approprie en « spécifiant » l'immatériel en libre circulation, c'est peut-être, finalement, celle de la communication inter-humaine. Celle du langage, non dirigé par un artiste, mais suscité par un maître de cérémonie. L'exposition du vide deviendrait alors celle de l'interaction entre les êtres, et ce « mur plein de lui-même » dont parle Buren, un vecteur de communication.

L'ingénierie pneumatique

Dans les rave parties et dans certaines boîtes de nuit consacrées à la musique électronique, on peut parfois accéder à l'un de ces espaces soigneusement tenus à l'écart du tumulte sonore, que l'on nomme des chill-out rooms : lieu de relaxation, de rafraîchissement, de méditation, de recharge. Directement inspiré par la vague spiritualiste fourre-tout du new age, ce syncrétisme pas si éloigné des intuitions spiritualistes et des agglomérats religieux baroques de Klein, l'espace du chill-out est faiblement éclairé par des lumières bleutées ; il est épuré, voire complètement vide ; on y diffuse de l'ambient, un genre musical très proche, dans l'esprit, de cette symphonie monoton que Klein avait composée comme le pendant sonore de ses monochromes. L'ambient music, combinaison de la « musique d'ameublement » chère à Érik Satie et de la tradition orientale, est faite de modulations lentes autour d'une gamme de sons océaniques, étales, infiniment calmes.

La clientèle s'y presse : elle consomme de l'ambiance.

Il existe des professionnels de cette nouvelle marchandise ; ils sont chargés de concevoir des environnements visuels et sonores, de réaménager des bars et des galeries marchandes. Qui aurait pu prévoir, à l'orée de ce siècle, que les aspects les plus évanescents de notre vie quotidienne feraient l'objet d'activités rémunérées spécifiques ? Et il y a quelques années à peine, que la construction de situations nourrirait des corps de métier ? Entre la production des biens matériels et la sphère de la consommation, une infinité de strates est venue s'interposer. L'artiste a pour tâche, explique Klein, de « spécialiser » une « valeur réelle », de « décontracter de l'énergie ». Il « spécifie » des ambiances.

Le jour du vernissage de son exposition du « Vide », Klein déclarait : « Ce que je veux présenter ici ce soir, ce n'est pas du tout les murs de cette galerie, mais c'est l'ambiance de cette galerie, j'ai peint les murs de cette galerie uniquement pour y voir clair dans ma propre atmosphère[15]. »

La sensibilité immatérielle est un gaz. Une substance invisible qui vient gonfler les œuvres, les augmenter d'une aura élastique, les nimber de valeur. L'entreprise bleue est une compagnie du pneumatique : Klein utilise d'ailleurs le terme pour séparer sa « période bleue » de la « période pneumatique », celle de l'exposition du « Vide » ou de *L'Architecture de l'air*. L'art est le médium fixatif d'un gaz. D'une ambiance devenue sensible, et partageable. L'entreprise Klein trouve donc avec les fournisseurs de gaz ses partenaires logiques. Pour son exposition au Haus Lange Museum, il collabore avec la compagnie du gaz de Krefeld, qui amène un pipeline souterrain jusqu'au musée afin d'alimenter deux jets de feu, situés des deux côtés de l'entrée de l'exposition, et une haie dotée de cinq rangées de brûleurs. Puis, l'entreprise bleue passe un contrat avec Gaz de France pour travailler au centre d'expérimentation de la Plaine-Saint-Denis, qui donnera lieu à une série de trente tableaux-feu réalisés avec d'immenses chalumeaux dernier cri. L'art sera-t-il demain distribué dans tous les foyers comme le gaz de ville ? Certains aspects de *L'Architecture de l'air* préfigurent ce qu'est en train de devenir le réseau Internet : la généralisation de la connexion. « Au vide correspond comme matériau de construction la lumière bleue. Dans la stratosphère, c'est de l'énergie qu'il faut employer, dans l'atmosphère, on construira avec de l'air lourd ou tout autre gaz plus lourd et plus dense que l'air, en jouant de plus avec des feux optiques, le magnétisme, la lumière et le son. »

Le *pneuma*, le souffle, parcourt tout l'art du XXe siècle comme s'il en constituait l'une des obsessions secrètes.
La maîtrise de l'énergie, et l'espoir d'en produire à partir de rien : Luigi Galvani et ses grenouilles ressuscitées par le courant électrique, la créature de Frankenstein ou les montgolfières nomades de Jules Verne constituent la part inavouable de cet imaginaire, venu du XIXe siècle, qui nourrit l'enfance des artistes du siècle suivant. Une énergie pneumatique parcourt ainsi le Grand Verre de Marcel Duchamp, alimenté par des chutes d'eau, des pistons de courant d'air, habité par le cimetière des uniformes et livrées, les moules *mâlic*, figures gonflables rechargées par un invisible « gaz d'éclairage », ou encore la dynamo désir ou l'énergie de la pesanteur… L'une de ses sources littéraires, Raymond Roussel, invente dans *Locus solus* d'improbables machineries, ballons dirigeables ou containers à résurrectine alimentés par un pétrole fictionnel qui dépasse l'imagination. Ubu lui-même, le père Ubu d'Alfred Jarry, est un personnage rond comme une outre ; et le *Surmâle*, du même auteur, fait l'apologie de l'énergie sexuelle débridée. Comment nourrir la machine ? Et celles qui viendront ? Marcel Duchamp fait l'inventaire des « énergies timides » :

« L'excès de pression sur un bouton électrique
L'exhalaison de la fumée de tabac
La poussée des cheveux, des poils et des ongles
Les mouvements impulsifs de peur d'étonnement
d'ennui de colère
Le rire
La chute des larmes [...]
Les soupirs etc. »

La physique duchampienne possède son principe de base : le déplacement. Celle de Klein repose, elle, sur l'activation de principes considérés dans leur pureté. En ce sens, et son projet d'architecture de l'air l'illustre suffisamment, il est l'un des précurseurs de l'écologie moderne et des récents développements de la recherche sur les énergies non fossiles. « L'air, les gaz, le feu, les odeurs, les forces magnétiques, l'électricité, l'électronique sont des matériaux », écrivait-il. Lorsque Peter Fend expose ses travaux autour du traitement des algues marines, lorsque le groupe d'artistes hollandais Superflex installe dans les villages d'Afrique des générateurs d'énergie fonctionnant au recyclage des déchets, ils ont une dette envers l'entreprise pneumatique d'Yves Klein.

Épilogue : le premier voyage organisé dans le vide

L'entreprise Klein vous propose un geste simple, quoique exigeant de la méthode et de la concentration, pour un voyage inoubliable : tout d'abord, se poster devant une fenêtre, si possible à un étage élevé. Retenir son souffle (le souffle est un matériau précieux). Ouvrir les deux battants de la fenêtre. Prendre son élan. Courir vers cette ouverture, dont on aura préalablement vérifié la taille par rapport à son propre corps – il importe de pouvoir en surgir sans dommages. Courir donc vers la fenêtre, et, arrivé à quelques pas de l'ouverture, se placer d'un coup de talon en position horizontale, de sorte que le corps se soulève brusquement vers le haut de la fenêtre et fasse ainsi irruption dans le vide.

Le peintre de l'espace se jette dans le vide : tel fut le voyage inaugural, le premier voyage dans le vide réalisé par un particulier, qui s'est déroulé en 1960.

Sur la photographie de Harry Shunk, on perçoit nettement la double exemplarité du geste de Klein.

a : on peut se jeter dans le vide sans peine, à condition de savoir capter l'énergie pneumatique, de devenir soi-même un souffle ;

b : ce voyage minimal peut s'effectuer n'importe où, l'image le prouve. Regardez ce sur quoi l'on peut retomber, après s'être précipité dans le vide : une rue de banlieue résidentielle, sans qualités particulières ; la France paisible et moussue de François Mauriac ou d'Emmanuel Bove, avec ses facteurs et ses petits murets. N'importe où, vraiment. Mais, pour l'individu qui se livre à cette expérience, l'impression, sans doute, d'avoir traversé le cosmos.

Un texte bouddhique dit que l'on doit « accomplir des actes très spéciaux, si l'on veut jamais en venir à une intuition nouvelle sur la vie et sur soi-même », car « la pratique précède la vision », et « la connaissance est à atteindre non par l'inaction [...] mais par un mode de vie audacieux et vigilant[16] ». Le saut dans le vide accompli (ou rêvé) par Yves Klein est l'un de ces « actes très spéciaux » par lesquels peut se profiler une intuition supérieure. Le geste par lequel il s'est identifié au vide, après l'avoir suscité, puis exposé. Le temps libre comme apesanteur fugitive. Les textes bouddhiques, encore : le vide n'est pas différent de la forme, la forme n'est pas différente du vide. « Ce qui est forme est vacuité, ce qui est vacuité est forme », comme le dit la prajnapārāmita. L'image du Saut est celle, manquante, qui lie la forme au vide. Un acte exemplaire qui deviendra une formule populaire de lévitation universelle, un modèle pour l'habitant futur de l'architecture de l'air : pourquoi, après tout, ne pas se jeter dans le vide – retenu par un élastique ? On l'aura compris, je n'ai pas cherché ici à faire œuvre d'exégète. Je me suis efforcé de comprendre l'aventure d'Yves Klein, sans prendre au pied de la lettre, par exemple, ses références spiritualistes. Des Rose-Croix à Bachelard, de sainte Rita à l'alchimie, celles-ci ne sont rien de plus que les briques d'un Meccano de pensée, des molécules qui se sont progressivement fondues dans un ensemble dont l'envergure les dépasse. La culture spiritualiste de Klein lui servait avant tout à rejoindre sa vision de la matière, extrêmement cohérente, dans laquelle le visible et l'invisible cesseraient d'être perçus contradictoirement ; elle lui permettait aussi d'approcher une intuition obscure, celle du feu qui brûlerait en chacun de nous et jusqu'au cœur de l'immatériel. Pierre Restany donne une interprétation convaincante de cette trajectoire dans son essai *Le Feu au cœur du vide*, et cette part hermétique et ésotérique me semble parfois empêcher d'autres lectures d'une œuvre qui produit toujours d'étranges feux. L'entreprise bleue nous donne encore des leçons de temps libres, et ses produits, attendant d'être pleinement envisagés, nous servent encore de générateurs.

[1] Yves Klein, « L'aventure monochrome », in cat. *Yves Klein*, Paris, musée national d'Art moderne de la Ville de Paris, 1983.
[2] Lettre à Pierre Descargues, cat. *Yves Klein*, Museet for Samtidskunst, Oslo ; Sara Hildén Art Museum, Tampere ; Museum of Contemporary Art, Sydney, 1997, p. 131.
[3] « Klein, Raysse, Arman : des nouveaux réalistes », in cat. *Yves Klein*, Paris, *op. cit.*, p. 262. Entretien réalisé en 1960.
[4] « Faut-il croire au travail ? », in *Le Travail en questions*, Paris, Mille et une nuits, 1999, p. 50.
[5] « Manifeste de l'hôtel Chelsea », in cat. *Yves Klein*, Paris, *op. cit.*, p. 195.
[6] « L'aventure monochrome », *op. cit.*, p. 174.
[7] *Internationale situationniste*, n° 3, p. 33.
[8] *Critique*, n° 8-9, p. 140.
[9] « L'aventure monochrome », *op. cit.*, p. 172.
[10] Pierre Restany, entretien avec Catherine Millet, in *Art Press*, n° 67, février 1983.
[11] Christophe Bourseiller, *Vie et mort de Guy Debord*, Paris, Plon, p. 112.
[12] Yves Klein, « Conférence de la Sorbonne » [3 juin 1959], Paris, galerie Montaigne.
[13] Joseph Beuys, *Par la présente, je n'appartiens plus à l'art*, Paris, L'Arche, 1988.
[14] *Art Press*, n° 67, février 1983.
[15] Entretien avec André Arnaud, Europe 1, 28 avril 1959.
[16] H. Zimmer, *Les Philosophies de l'Inde*, Paris, Payot, 1978, p. 427.

Ben

Principes, méthodes et rapports de production dans l'œuvre d'un artiste niçois de la fin du XXe siècle

Les propos reproduits ici proviennent d'une discussion de l'artiste avec l'auteur, en mai 1995.

Ben l'ethniste, Ben l'égocentrique, Ben-le-promoteur-de-l'art d'attitude, Ben le moraliste du nouveau, Ben-le-Fluxus : ces cinq propositions résument à elles seules les 9/10e des études critiques qui lui sont consacrées. Étranges limites, posées a priori sur l'œuvre d'un artiste qui a paradoxalement réussi, en refusant toute distinction entre sa production et le commentaire qu'il pratique sur celle-ci, à intimider ses exégètes en leur suggérant les questions qui doivent lui être posées, posant d'ailleurs lui-même, sans cesse, les cadres théoriques à travers lesquels son œuvre doit être analysée. Ben ne se contente pas de produire des œuvres, il fournit aussi la matière des débats qu'elles doivent susciter. Contrôle absolu. Maîtrise permanente des enjeux. Mais le bât blesse quand lesdits enjeux ne sont plus relayés par la critique, quand celle-ci se contente d'entériner les propositions et de compter les points : par son inaptitude actuelle à prendre position sur des questions pourtant fondamentales, la critique en arrive à transformer l'œuvre d'un artiste tel que Ben Vautier en un simple discours. Qu'est-ce qu'un discours, en matière d'art ? C'est de la pensée envisagée en dehors des rapports de production qui lui donnent une forme concrète. Ne reste que la sécheresse d'un discours lorsqu'on isole artificiellement les signes de leur contexte relationnel vivant, de leur base comportementale, de leur physicalité : tel est pourtant le sort que l'on réserve aux artistes quand pour les écouter trop, on cesse d'interroger leur œuvre. Ainsi l'on s'agace ou l'on se réjouit des théories ethnistes et de la recherche de la « vérité » de Ben, sans jamais questionner leur lieu d'énonciation réel : son œuvre considérée comme la théorie globale d'une production de différence. Ainsi, l'on s'énerve de sa surproduction, de ses redites, de sa tendance au capharnaüm, sans se poser la question de leur justesse par rapport à un système de production et à un mode de vie. En somme, on aimerait mieux Ben s'il n'en faisait pas trop, alors que le trop est justement le principe directeur de sa pensée. Demanderait-on à Robert Ryman ou Niele Toroni de se diversifier un peu plus ? On ne saurait juger de ces problèmes qu'en fonction d'une problématique globale de la production artistique ; qu'en se demandant si telle pratique est oui ou non pertinente dans le champ général des signes émis par la collectivité, oui ou non créatrice de valeurs, oui ou non productrice de modèles relationnels opératoires. On peut faire l'économie de ces questions : la critique d'art ne serait alors qu'un résidu de l'iconologie classique, voire un détachement vaguement intello de la critique de télévision, jugeant tel ou tel programme plus intéressant qu'un autre. Le but de ce texte est tout autre : il vise à restituer le « discours » de Ben à l'intérieur de son économie matérielle, et montrer ainsi que sa pensée l'excède largement.

I. L'HISTOIRE

Ce qui caractérise tout d'abord le travail de Ben, c'est son rapport à l'histoire. Nul artiste ne fut jamais plus historiciste que lui ; ce qu'il vise, c'est sa position dans l'histoire. Il est pourtant frappant de constater que, bien qu'il fut le contemporain de la vague structuraliste, des travaux de Michel

Foucault et de Fernand Braudel ou de la redécouverte de l'école des Annales, sa vision de l'histoire prend le contre-pied de la leur. Ben ignore les périodisations longues et les ruptures discrètes de « l'histoire immobile » chère à Braudel : l'histoire de l'art qu'il met en scène et qu'il discute est avant tout celle des avant-gardes, celle de la recherche du nouveau, au moins dans la première période de son œuvre. La question « que peut-on faire de nouveau en art ? » se pose comme le principe moteur de sa démarche, qui implique d'emblée une transparence absolue : il s'agit de savoir ce qui a été fait et d'agir en conséquence, de réagir contre ce qui existe, de se positionner par rapport à un héritage. Peut-être cette conscience affûtée de l'acquis détermina-t-elle non seulement son angoisse du nouveau, mais aussi les bases de son esthétique. Francis Picabia disait : « L'art moderne est mort, et je suis le seul à ne pas en avoir hérité. » La position de Ben par rapport à l'avant-garde n'est pas si éloignée, et elle suffit à légitimer l'excentricité picabienne de son œuvre. Comme Picabia, il n'accorde aucune valeur théorique au style et il croit au dévoiement de l'art par le non-goût et la surproduction. Comme Picabia, il doit affronter l'ombre ironique de Duchamp. Comme lui, il croit aux ruptures violentes, au « choc » comme valeur esthétique. Ces similitudes entre les deux hommes naissent d'une configuration intellectuelle comparable : croyant d'une manière absolue en l'Histoire comme valeur et comme sanction esthétique, ils préfèrent tous deux renier l'art s'il ne se montre pas à la hauteur de celle-ci, plutôt que renoncer à leur idéal téléologique. Ben comme Picabia sont des artistes du *telos* déçu. Leur goût commun pour l'aphorisme provient de cette déception fondatrice, en face de laquelle on ne peut que ruminer la pensée. Ben croyait tellement aux vertus du « nouveau » qu'il commença sa carrière, en 1956-1957, par un inventaire des formes utilisées par les artistes modernes : à la suite d'une longue enquête, pendant laquelle il remplissait des cahiers de dessins ou de photographies, il découvrit par recoupements que la forme de la banane n'avait jamais été utilisée. Il la pratiqua donc pendant quelque temps, avant de remettre en question l'optique « formaliste » qu'il avait choisie : la peinture de formes abstraites sur une toile n'était-elle pas, elle-même, une voie conformiste ? Il apparaît évident que pour Ben cette notion de « nouveau » est synonyme de « différence », cette différence qui permet seule de signifier quelque chose, qui alloue à celui qui la détient le droit d'écrire sa propre histoire. En effet, l'histoire, selon lui, n'est rien d'autre que celle des différences successives, le récit des ruptures d'avec le commun, d'avec le confort collectif. Contrairement aux études de « l'histoire immobile », qui portent sur de longues périodes et procèdent par le relevé des petits décalages, des lents processus qui érodent les discours et les dispositifs d'une époque, Ben voit l'histoire de l'art comme un champ héroïque où les idées nouvelles feraient sans cesse exploser les manières de voir. Qui n'apporte pas le nouveau n'existe pas en tant que tel. Mais qu'est-ce que le nouveau ? Avant tout, pour Ben, une nouvelle définition de l'art basée sur une forme inédite. Plus encore, une nouvelle annexion du réel par l'art : il perçoit l'art comme un terrain de conquête. Duchamp a annexé l'objet de série, Cage le hasard, etc. Les artistes, dans la perspective ouverte par Ben, sont les généraux d'une armée nommée « art », dont le but serait de conquérir de nouveaux aspects du réel. Cette terminologie rappelle évidemment celle qu'employait alors métaphoriquement Pierre Restany, appelant les nouveaux réalistes à « assumer le réel sociologique », en s'emparant de tel ou tel domaine de formes existant dans la vie quotidienne : Tinguely la machine, Christo l'emballage, Arman l'accumulation, etc. Ce sont ces faits d'armes qui deviennent alors les emblèmes d'une pratique, et que Raymond Hains nomme des « blasons ». Cette théorie de l'annexion artistique a profondément marqué l'univers de Ben. N'oublions pas que ses rencontres avec Yves Klein et Arman modifièrent profondément sa vison de l'art ; le Nouveau réalisme, sans influencer réellement sa pratique artistique, lui donna malgré tout une solide certitude : l'histoire de l'art est l'histoire des conquêtes de l'artiste sur la réalité et sur les méthodes qui caractérisent son domaine spécifique.

II. LA PRODUCTION À FLUX CONTINU

Principes généraux

C'est la vie dans sa totalité que Ben eut pour ambition d'annexer : « tout est art ». C'est-à-dire que n'importe quel objet ou phénomène s'avère susceptible de se voir « conquis » par le monde de l'art et désigné comme fait plastique. Il lui fallait donc logiquement signer ce « tout », afin d'en présenter des « parties » en tant qu'œuvres. À cette ambition expansionniste, qui s'inscrivait dans le mouvement des avant-gardes initié par le dadaïsme et Marcel Duchamp, correspondaient des méthodes de production nouvelles. Le mouvement Fluxus, dont Ben fut l'un des membres actifs à partir de sa création en 1962, tentait d'abolir la différence qui existait a priori entre l'activité artistique et la vie quotidienne. Ces conceptions ne manquèrent pas d'avoir des répercussions sur les modes de production des œuvres. Spontanéité, utilisation du hasard, méthodes de capture du temps vécu et le recours au jeu en furent les principaux motifs de recherche. Néanmoins, il existe plusieurs variantes des mêmes modes de production parmi les membres du groupe Fluxus, voire plusieurs conceptions radicalement différentes de la production. En effet, l'assimilation de l'art à la vie ne détermine aucune méthode, aucun principe directeur. En annonçant par avance le moment arbitrairement choisi de la sélection d'un readymade (ses « rendez-vous d'art »), Duchamp affirme la valeur du hasard à travers la valorisation d'un instant particulier, distingué entre tous. George Brecht, par contre, accordait à chaque minute une importance égale : il ne procédait à aucun découpage préalable de son temps vécu, mais introduisait dans ce présent perpétuel une dimension cyclique. Son *Water Yam* (1963), sorte de « boîte de jeux » Fluxus centrée sur la banalité quotidienne, contient une myriade d'œuvres virtuelles, énergie accumulée qui ne demande qu'à s'actualiser dans la pratique : l'œuvre brechtienne est destinée à revenir sans cesse dans le présent, à être rejouée infiniment comme le sont les partitions. Ce thème de la partition appartient d'ailleurs à l'ensemble du mouvement Fluxus qui propose unn modèle musical à l'opération artistique. Néanmoins, le présent de Brecht n'est pas celui de Ben, et ceci suffit à différencier radicalement leurs productions respectives. Un entretien entre les deux hommes, datant de 1965, le démontre amplement :

BEN VAUTIER : « Mes références appartiennent à l'histoire de l'art. »
GEORGE BRECHT : La différence entre nous commence ici. Je ne pars pas du tout de là.

BV : Pourquoi ?
GB : Parce que l'art est déjà quelque chose de limité. Ce n'est qu'une série de possibles parmi d'autres. Je m'intéresse à toutes les possibilités.
BV : Mais toutes les possibilités font partie de l'art. Pour moi, John Cage a rendu possible le fait que tout soit musique ; Marcel Duchamp, le fait que n'importe quel objet soit une œuvre d'art ; et je pense que tu transformes tous les événements en art.
GB : Pour moi, c'est la même chose, peut-être. Tu dis : « Tout est art. » J'essaie de ne pas penser à l'art ; je vois les choses comme elles sont et je ne pense pas à l'art. Nous faisons la même chose.

Dans ce dialogue s'opposent clairement le comportement de Brecht et « l'art d'attitude » selon Ben : le premier entend tirer les leçons de l'art dans la conduite de son existence, tandis que le second considère l'attitude comme un moyen de produire des signes susceptibles de s'insérer dans l'histoire de l'art. Brecht aplatit l'art sur sa vie, Ben inclut la sienne dans un projet artistique auquel tout se voit subordonné. On ne comprendrait pas grand-chose à la situation de Ben dans le mouvement Fluxus si l'on ne considérait pas attentivement la logique productiviste qui l'anime, et qui le sépare, d'une certain manière, de ses collègues d'alors. C'est son fonctionnement et sa méthode qui divergent radicalement d'avec un Dick Higgins, un Robert Filliou ou un Benjamin Patterson. Il envisage simplement la production artistique selon d'autres paramètres, dont le plus important semble être le rendement : Ben, qui a, ne l'oublions pas, signé le monde en guise de préalable, entend que chaque aspect de la vie soit soumis à une forte productivité. Il se livre ainsi à une véritable culture intensive des situations, « signant » à tour de bras, pour les inclure dans son tableau de conquêtes, les attitudes et les moments de la vie quotidienne. Son terrain de chasse est bientôt soigneusement délimité : « signant » d'une manière ou d'une autre le vide, l'angoisse, la signature, le balayage d'une rue ou l'attente d'un autobus, Ben produit de l'art comme les empereurs chinois de jadis, en faisant le tour de leurs terres, se les appropriaient par le simple sceau de leur regard. Il lui faut tout d'abord faire le tour de ce qui pourrait lui appartenir ;

puis, par l'application de son principe de productivité, distinguer et agrandir un geste ou un aspect du réel, pour en faire une œuvre d'art. Dans l'œuvre de Ben, le premier geste fut le bon : après avoir fait l'inventaire des formes revendiquées par les artistes pour en trouver une qui lui appartiendrait en propre, il s'est employé à répertorier et à récupérer « en tant qu'art » les phénomènes qui ne l'étaient pas encore.

Le système de production : le lieu de travail

Si le champ d'application (le réel) et le contexte idéologique (les avant-gardes) de Ben furent largement discutés, le principe intermédiaire ne le fut quasiment jamais. Par « intermédiaires », nous entendons l'ensemble des opérations par lesquelles un artiste transforme le champ des gestes et des objets quotidiens en œuvres d'art et en expositions. Ce chaînage de pratiques, loin d'être anodin, représente au contraire la « vérité » – pour reprendre l'un de ses termes favoris – de l'œuvre de Ben. L'évolution de son « attitude » se lit en parallèle à celle de son discours : l'attitude est une posture choisie, une gestuelle devenue art par la décision de l'artiste. Par contre, l'évolution d'une méthode de production révèle le comportement de tout artiste. Or, un comportement artistique est un complexe de gestes et d'attitudes, de méthodes et de choix qui produisent des rapports au monde, rapports constitués par des signes, des actions ou des formes. Pour analyser la nature de ces rapports, il convient de s'attacher aux principes matériels de la production des œuvres (ou des dispositifs d'exposition).

Chez Ben, on se trouve en présence d'un système extrêmement élaboré, aujourd'hui centré sur un lieu unique, sa maison-atelier située sur les hauteurs de Nice. Cette maison est divisée en pièces qui, nous le verrons, correspondent à des tâches ou des fonctions spécifiques. Signalons au préalable qu'elle se présente comme une œuvre in progress : le bâtiment est truffé d'inscriptions, incrusté d'objets et de formes qui en font une étrange mosaïque, dans un esprit très proche des expérimentations du facteur Cheval, dont Ben apprécie l'excentricité et l'originalité. Il se réfère aussi, concernant l'évolution de son habitat, aux *favelas*, aux bidonvilles dont les occupants arrivent parfois à inventer des dispositifs ingénieux, à l'aide de ce qu'ils ont sous la main. Les œuvres et les objets qui ne trouvent pas leur place dans les expositions ou sur le marché viennent ainsi s'incorporer automatiquement à la maison : rien ne se perd dans ce système éco-artistique, et ce que l'œuvre rejette trouve sa place dans cette structure seconde.

Système de production : la valeur ajoutée

Ayant occupé jadis la profession de revendeur de disques d'occasion, Ben pratique très naturellement le recyclage. Les matériaux qu'il utilise ne sont jamais neufs, sauf rares exceptions : c'est la récupération de vieux gadgets, cadres détériorés, peintures échouées sur les marchés aux puces, jouets usagés et autres rebuts, qui occasionne l'œuvre. Si l'on retrouve ce matériel d'occasion dés ses débuts, c'est – fort significativement – au moment où il abandonnera ses activités marchandes que les objets commenceront à pulluler dans son travail d'artiste, la première période de Ben se caractérisant plutôt par une certaine sobriété, avec ses « écritures » blanches sur fond noir. Le choix de ces matériaux bon marché n'est pas fortuit : Ben avoue « éprouver une certaine culpabilité » s'il emploie des produits chers.
À l'opposé d'un Haim Steinbach qui fait ses courses chez les antiquaires de New York, d'un John Armleder qui n'hésite pas à investir dans des instruments de musique ou des appareils coûteux, pour ne pas citer Sylvie Fleury dont les emplettes valent parfois plus cher en tant que produits de consommation qu'en tant que sculpture, Ben respecte la loi de la plus-value maximum : autrement dit, la présentation du produit fini sous forme d'art vaut cent fois, mille fois plus chère qu'à l'origine. Il serait intéressant, d'ailleurs, de se demander où les artistes de ces dix dernières années ont été faire leurs courses, et d'en tirer des orientations générales... Ben, à l'instar de la génération Fluxus, a privilégié le rebut, pensant que l'opération artistique consistait à valoriser le presque-rien, plutôt qu'à entériner la valeur d'échange comme le firent bon nombre d'artistes des années 1980. En cela, il perpétue une certaine tradition : celle de Marcel Duchamp, mais surtout celle de Kurt Schwitters, qui consiste à « anoblir le détritus ». Exposer une Mercedes (Ange Leccia), une batterie Pearl (John Armleder), c'est

aussi réduire à néant l'héroïsme du geste artistique, le limiter à un geste d'exposition ; montrer « en tant qu'art » un objet dérisoire simplement augmenté d'un texte ou d'une signature, comme le fait Ben, c'est au contraire reconnaître implicitement la valeur de l'opération artistique traditionnelle : dans son cadre de travail, l'art produit de la valeur ajoutée. Dans le cas d'Armleder, de Steinbach ou de Koons, celle-ci est bien moindre ; de plus, ce n'est pas l'intervention de l'artiste qui la produit, mais le fait que l'objet soit distribué dans le système de l'art. Pour Ben, cette valeur ajoutée ne correspond pas à un savoir-faire, mais à une attitude : c'est celle-ci qui valorise les matériaux pauvres, comme la « nouvelle idée » choisie par Duchamp pour un objet de série suffisait à en faire un readymade. C'est une attitude globale qui permet de distinguer tel ou tel objet : c'est donc elle qui lui ajoute de la valeur.

Système de production : les méthodes

Ben travaille très méthodiquement. Il rationalise la production de ses œuvres selon des schémas qui n'ont rien à voir avec la pagaille bohème que l'on suppose généralement. On peut d'ailleurs se demander dans quelle mesure cette hyper-rationalisation du travail d'artiste (gestion saine des matériaux de base, enregistrement précis des stocks et des factures, classement élaboré des informations, séparation des tâches, emploi d'un assistant qui se livre aux tâches d'exécution) ne place pas Ben en porte-à-faux par rapport aux principes de son idéologie libertariste : il reproduit trait pour trait la division capitaliste du travail… Bien entendu, cette structure est aujourd'hui fort banale, et la plupart des artistes de la génération de Ben ont engagé un ou plusieurs assistants, et fonctionnent comme de petites PME ; mais ce qui frappe dans la méthode de Ben, c'est le contraste qu'elle instaure avec le résultat de la production : rarement on aura vu chaos plus organisé, plus contrôlé, plus tenu. Passons au détail : la première étape du travail réside dans la collecte d'informations. Ben trie son abondant courrier, découpe des articles ou des images de magazines, garde des cartons d'invitation ou note des phrases attrapées au vol, des réflexions sur tel ou tel sujet. L'ensemble de ce matériel est placé dans un tiroir « Idées ». Dès qu'il déborde, ce tiroir est trié une seconde fois. Les documents retenus sont alors insérés dans un classeur « Création », qui est mis à contribution lorsqu'une exposition se prépare. À ce moment-là seulement, les trois-quarts de ces « idées » se dirigent vers la poubelle. Celles que Ben retient se voient augmentées d'un dessin, agrafé au document original, concernant le traitement formel qui lui sera réservé ou le commentaire qui lui sera éventuellement accolé. Le dispositif ne sera complet qu'après un examen critique de ces pièces potentielles, étape que Ben qualifie de « moment du doute » : il convoque alors des critiques d'art imaginaires, passe au crible la proposition et décide de sa validité et de sa pertinence, avant de passer – ou non – à sa réalisation matérielle. Parfois, le système de classements successifs lui sert avant tout à trouver un thème d'exposition ; les objets qui se trouvent à sa disposition lui procurent alors de possibles variations autour dudit thème, et tout se décide à partir des courts-circuits intellectuels qu'il aura su opérer entre un objet et un article, un sujet d'exposition et une image trouvée dans un journal.

Ce qui caractérise le système de production de Ben, au premier chef, ne réside pourtant pas dans cette rationalisation, ou plutôt, disons que celle-ci découle d'une superstructure plus décisive, qui est l'organisation de son temps. En effet, Ben a instauré pour lui-même la production à flux continu chère aux usines japonaises. Comme nous l'avons vu plus haut, il a introduit, dans le continuum temporel à l'horizon duquel se situent les œuvres Fluxus, une nuance de productivisme qui dénote son angoisse personnelle, tout autant qu'une vision fort volontariste de la création. Si l'art = la vie, la nature de cette double détermination n'est pas la même pour tous. Contrairement à Robert Filliou dont le modèle créatif se trouvait chez les « génies de bistrot », on ne trouve dans le travail de Ben aucune velléité méditative, aucun signe de cette valorisation de la paresse si fréquente, par exemple, chez les animateurs de « La cédille qui sourit ». Ou, si paresse, il y a, elle s'avère hyper-angoissée, hors-cadre, virant rapidement vers le thème de l'impossibilité créatrice. Ben a besoin d'activité, d'action, à tel point qu'il *fait travailler* le moindre moment de sa vie quotidienne en le comptant au nombre de ses œuvres. L'art d'attitude est avant tout pour Ben une manière de toujours travailler, un remède à la terreur profonde que lui inspire l'inactivité. Sa maison se présente ainsi comme une chaîne de montage, dont une pièce est réservée aux documents relatifs aux ethnies, une seconde à l'histoire de l'art (dotées d'un ordinateur) et une troisième aux archives de son œuvre. En bas se trouve l'atelier de fabrication, la table de montage des œuvres ; des caisses de matériel s'y empilent, munies d'étiquettes : dans l'une, les « petits objets », dans une autre, les « pinceaux » ou encore les « éléments mécaniques ». La voiture de Ben est elle aussi structurée comme un atelier mobile : sur le volant, par exemple, on remarque un bloc-notes où se fiche un stylo, qui lui sert d'aide-mémoire et de carnet de dessins. Jamais de vacances, pas un jour sans art : le flux continu de Ben ajoute à Fluxus la productivité optimum, accouplant le « respirateur » Marcel Duchamp au système de Frederic Winslow Taylor…

III. UN REGISTRE GESTUEL

L'une des tâches possibles de l'historien des comportements créateurs, si cette chaire existait un jour à l'école du Louvre, serait d'établir la typologie des gestuelles artistiques. L'histoire de l'art est aussi celle des comportements, dont l'évolution dépend de celle des techniques spécifiques aux artistes et de celle des modes de production et de diffusion. Quel type de gestes accomplissaient Giotto ou Delacroix ? Comment ces gestes s'enchaînaient-ils dans une pratique individuelle, par rapport à une tradition, en fonction de l'image publique de l'artiste, de l'idéologie en vigueur dans la sphère de la production générale ? L'originalité du travail de Ben provient aussi de sa gestuelle, fort différente encore une fois de celle de Brecht ou Filliou, que j'utilise dans ce texte comme points de référence. Tous deux répugnaient à stocker, à thésauriser des matériaux : l'esthétique de Brecht est une esthétique de la trouvaille, proche de celle des surréalistes, à ceci près que Brecht ne partageait pas leur vision du « merveilleux ». Ben, par contre, amoncelle les objets avant de les utiliser : il « garde tout », puis trie, parmi la masse d'éléments dont il dispose, ceux qui correspondent à ses besoins du moment. Le geste initial de Ben consiste donc à classer, à trier. On retrouve cet aspect méthodique dans sa relation à l'histoire de l'art comme dans celle qu'il entretient à la création : il cherche à partir de la masse d'informations la plus étendue possible, pour aboutir à une sélection selon des critères précis.

Poursuivons la comparaison : George Brecht enferme dans des boîtes, pose les choses sans les assembler ; elles gardent leur autonomie, se préparent à la dislocation. Chez Ben, rien de tel : il cloue le plus souvent les éléments. Son plan d'installation privilégié demeure d'ailleurs le tableau, surface sur laquelle on peut agglomérer des objets très disparates, réunir des réalités hétérogènes sans qu'il n'y ait perte d'unité. Il a besoin, explique-t-il, « d'avoir confiance en la solidité physique d'une œuvre », c'est pourquoi, il a moins volontiers recours à la colle, même si certains assemblages sur des volumes la nécessitent. Clouer, figure archaïque du « collage »… Le clou nie l'organicité de l'ensemble, il réunit sans fusionner, fixe solidement sans unir. Telle apparaît l'œuvre de Ben, hanté par la croyance en l'œuvre d'art, mais débarrassé de l'illusion du chef-d'œuvre ; certain des *effets* provoqués par l'art, mais très peu sûr de sa pérennité. Survient alors logiquement le troisième geste : l'explication.

IV. L'UNIVERS RELATIONNEL

Au commencement était l'angoisse. Ben n'a jamais envisagé une exposition dont il ne serait pas le centre, dont il pourrait s'absenter sans souffrir. « J'aime être présent, expliquer, voir les réactions des gens », dit-il. Le rapport de Ben à son public s'avère ainsi déterminé par le thème du débat, mais celui-ci est toujours centré sur les œuvres qu'il accompagne et tourne invariablement autour de la personnalité de l'artiste. Ce dernier met en scène son ego : qui ne le fait pas ? Qui prétend faire preuve de modestie, alors que l'artiste est mû par la recherche de la gloire ? Ce thème, emprunté à La Rochefoucauld (« Nos vertus ne sont, le plus souvent, que des vices cachés »), est devenu la marque de fabrique de Ben, moraliste de l'art. Mais ne réduit-il pas le désir de reconnaissance, qui s'avère effectivement le moteur principal de nos actes, au désir de gloire ? Il en résulte que, pour lui, il n'existe que deux possibilités relationnelles : juger ou être jugé. En se plaçant au centre de son œuvre, en s'exposant au milieu d'elle comme on placerait un paratonnerre au sommet d'un bâtiment à risque, Ben cherche à désamorcer la bombe du jugement, à faire diversion, à maîtriser la critique. Cette réduction stratégique des motivations de l'artiste à la « recherche de la gloire », cette vision de la société comme espace de jugements mutuels, lui permettent en tout cas de placer l'ego au centre de son dispositif. Ben fonctionne, en dernière instance, comme le tenancier d'une boutique : un magasin n'est-il pas un univers personnalisé, un fouillis structuré, un lieu d'inventaires, trois caractéristiques dominantes de son œuvre ? Comme le tenancier d'une échoppe (fonction, je le rappelle, qu'il occupa réellement dans les années 1950), Ben doit convaincre le client, expliquer, exposer sans cesse les raisons de ses choix. Il ne supporte pas, bien sûr, l'espace perdu : il a « besoin de remplir l'espace », par souci de rendement, et à cause de l'angoisse de ne pas « tout dire ». Son magasin, transporté tel quel au musée national d'Art moderne, illustre, bien entendu, cette théorie. Mais l'armoire qu'il exposa en 1967 au Stedelijk Museum, et qui comprenait un inventaire des objets qu'elle contenait, l'illustre mieux encore : Ben entretient avec les regardeurs le même rapport angoissé qu'un responsable de clientèle, gestionnaire du stock et de l'espace de diffusion. Le regardeur n'est jamais considéré, dans son travail, comme pouvant avoir un rapport direct avec les œuvres ; au contraire, Ben produit celles-ci *en fonction* de sa *présence auprès du public*. Animé par la peur de ne pas « communiquer assez », il va de soi, pour lui, que ses installations ne sont jamais *suffisantes*, qu'elles ont besoin de sa présence. Dans un même souci pédagogique, il veut « pénétrer le marché » en surproduisant ou en diffusant son travail sur le marché des objets de grande consommation : dessinant des chaussettes, des montres ou, plus récemment, une voiture, Ben déborde largement la sphère d'influence de l'art contemporain. Cette tendance à la surproduction se voit renforcée aujourd'hui par l'intérêt qu'il porte à la théorie du chaos, à ces « effets papillons » susceptibles de bouleverser le monde : et si l'une de ses montres, l'un de ses T-shirts, parce qu'ils sont visibles par le plus grand nombre, changeait la face de l'univers ? « J'aurais vraiment voulu, avoue-t-il, que mes tableaux véhiculent un changement chez les gens. Je ne sais pas si j'y arrive. »

L'art s'apparente tantôt à un outil de collecte, tantôt à un moyen de transport. Une œuvre d'art imite ou la fonction de l'un, ou celle de l'autre. Elle sert à synthétiser des informations, ou bien à nous permettre de mieux nous déplacer dans le réel, catégories qui ne s'excluent pas forcément l'une l'autre. L'art de Ben semble d'ailleurs avoir toujours hésité entre ces deux possibilités, en transformant inlassablement notre parcours dans le réel en une source de discussions. Conquérir, et puis débattre... Les deux verbes majeurs de son « art d'attitude » répondent à l'interrogation fondamentale de l'art moderne : faut-il transformer les choses pour changer les rapports humains, ou l'inverse ? La position de Ben se situe encore à l'exacte intersection de ces deux options, l'art d'attitude isolant les actions humaines pour en faire des « moments sculpturaux », des objets intermédiaires, mi-choses mi-gestes. L'œuvre de Ben se constitue ainsi d'une somme de postures, d'attitudes, de comportements et de prises de pouvoir sur le réel, qui constitue, à la longue, un capital en mouvement. De la même manière que les idéologies créent des comportements (la religion, par exemple, en a établi un répertoire), et que la répétition de certains gestes contribue à façonner des structures et à modeler notre environnement (les pratiques culturelles amènent la construction d'espaces qui les entérinent, puis les modifient à nouveau), l'art d'attitude de Ben a amassé un capital de gestes qu'il sera possible de discuter, d'interpréter, de faire fructifier, dans la culture de demain.

Yoko Ono et l'énergie douce (2004)

« Tous mes travaux se présentent sous la forme d'un souhait. Continuez à penser à un vœu tout en participant. »
– Yoko Ono

Robert Filliou, interrogé au sujet du mouvement Fluxus en 1980, répondit que « Fluxus n'a jamais existé, d'une certaine façon », partageant donc une caractéristique avec le bouddha ou le tao : qu'il existe ou pas, cela n'a aucune importance, car là n'est pas l'essentiel. Hélas, on retrouve dans n'importe quel domaine intellectuel des fanatiques, des dévots, des sectaires ; des individus qui adhèrent à la lettre davantage qu'à l'esprit. En art, on pourrait donner comme exemple ceux qui, au nom d'une prétendue « pureté » de Fluxus et de l'adoration d'un art immatériel, renièrent l'œuvre de Yoko Ono à partir de la fin des années 1980 et de ses premiers travaux réalisés en bronze. Mais l'immatérialité a-t-elle jamais été autre chose qu'un moyen, de la même manière que les koan zen ont pour unique but de nous mettre sur la voie de l'essentiel ? « L'Âge du bronze », dans l'œuvre de Yoko Ono, ne contredit en rien l'œuvre antérieure. Les travaux immatériels des années 1960 ou les sculptures des années 1980 ne sont que deux états d'une même matière, comme le sont l'eau et la glace. Une même philosophie imprègne les objets participatifs ou les actions de ses débuts et ces objets apparemment « classiques » qui leur succèdent : une vision de la vie comme source d'énergie, qu'elle soit utilisée pour des constructions « gazeuses » ou solides. « Aucune chose n'existe fondamentalement / Où donc la poussière peut-elle adhérer ? », dit Huineng, dans un poème cité par Yoko Ono dans les *Footnotes* qu'elle écrivit à la suite de sa conférence de 1966 à la Wesleyan University. Ni le bronze, ni l'art en général, ni la conscience, à condition qu'ils soient correctement travaillés, ne sont susceptibles d'emmagasiner la poussière. Or, « la seule raison d'être de [ces] œuvres, écrit-elle, est d'éveiller la musique de la conscience chez les gens ». C'est à travers une subtile problématisation de l'*énergétique* que Yoko Ono parvient à son but : « l'éveil » qu'elle cherche à susciter provient d'une décharge, d'une douce détonation, d'un transfert d'énergie. Et si l'art des années 1960 voit apparaître de nouvelles problématisations de l'énergie, de Fluxus à Robert Smithson en passant par Robert Barry ou Yves Klein, Yoko Ono y apporte une contribution capitale, et sans doute encore mésestimée.

Fluxus et l'œuvre-générateur

C'est un changement radical de statut de l'œuvre d'art, au cours des années 1950, qui témoigne au premier chef de cette nouvelle vision de l'énergie : les pratiques artistiques, à la suite des happenings d'Allan Kaprow ou du groupe Gutaï, puis des manifestations du mouvement Fluxus, sont envisagées comme des processus de production du réel et non plus comme des chambres d'enregistrement de la réalité. Les œuvres d'art se transforment en structures actives, elles se font générateurs d'énergie. À l'opposé d'une conception traditionnelle de l'art qui voudrait que les œuvres soient les réceptacles de l'énergie de leur auteur, un état entropique, solidifié, de l'énergie créatrice, celles des artistes Fluxus manifestent une tendance *néguentropique* : souvent nées du silence, du calme et de la méditation, elles fonctionnent néanmoins comme des accélérateurs et déclenchent davantage de mouvement chez le regardeur qu'il n'en a fallu pour les fabriquer. George Brecht évoque à ce sujet la règle d'Occam : « Il s'agit pour moi de faire le plus – je ne sais pas en quoi, au juste – avec le moins d'énergie possible[1]. » L'énergie Fluxus est potentielle : telle une partition de musique, qui contient une symphonie entière sur une feuille de papier, l'œuvre Fluxus implique l'interprétation.

Dés 1955, Yoko Ono invente ses premières *Instructions*, qu'elle réunira en 1964 dans un ouvrage intitulé *Grapefruit*. Citons par exemple sa *Lighting Piece* (« allumer une allumette et la regarder jusqu'à ce qu'elle cesse de brûler »), qui semble contenir virtuellement toute l'œuvre à venir, dans la mesure où elle ne parle que d'énergie et de consumation, de chaleur et de mélancolie. Mais chaque personne qui se livrerait à cet exercice n'apporte-t-il pas ses propres idées et ses sentiments personnels, rallumant infiniment le feu de l'interprétation de l'œuvre ?

L'idée d'une interprétation infinie, à l'opposé de la réception passive de l'art, structure toute l'activité du groupe Fluxus : les partitions musicales de Giuseppe Chiari, l'*Alphabet Symphony* d'Emmett Williams (1963), les happenings musicaux de Joseph Beuys, Ben Patterson, Robert Watts, Nam June Paik, Dick Higgins, Wolf Vostell ou bien sûr, Yoko Ono, imposent l'idée d'une analogie fondamentale entre l'œuvre visuelle et les arts de la scène. L'événement que représente l'apparition de l'œuvre peut, et doit, se reproduire à volonté : certaines pièces, comme *Take Off* d'Allan Kaprow (1974), se présentent d'ailleurs comme un livret de théâtre ou d'opéra. Dick Higgins, lui, tire sur une partition avec une mitraillette Thomson, et demande à un orchestre de chambre d'interpréter la composition (*Symphonie n° 50*, tirée des « Mille symphonies », 1981).

Par ailleurs, on retrouve chez la plupart des membres de Fluxus une esthétique de la boîte de jeux : « Fluxus en tant que contenant, c'est la suite de la valise de Duchamp », lit-on en exergue des éditions Fluxus. Si le monde est un flux continu, il s'agit de construire des outils pour l'appréhender, et non pas des images faisant écran entre nous et lui. Robert Watts, au sujet de ses *Flux Time Kit*, parle d'un « phénomène d'intégration chez les artistes qui établissent un rapport entre le monde où ils vivent et eux-mêmes ». Toutes les choses et tous les êtres font partie d'un même environnement, et l'artiste doit exprimer son rapport à cette totalité : à cette condition-là, ce rapport pourra être non seulement perçu par le regardeur, mais rejoué par lui. La chaîne du sens n'a pas de fin, personne n'a le dernier mot.

Avec *Water Yam* (1963), George Brecht réalise l'un des chefs-d'œuvre les plus représentatifs de cette nouvelle conception de la pratique artistique. Conçu comme une mallette de jeu de société, cette pièce contient soixante-neuf événements présentés sur des fiches en papier bristol. Sur l'une de ces cartes, prise au hasard, on peut lire : « Trois événements téléphoniques. Quand le téléphone sonne, on le laisse sonner jusqu'à ce qu'il cesse. Quand le téléphone sonne, on décroche et on déplace le combiné. Quand le téléphone sonne, on répond. » Ces événements peuvent être joués par quelqu'un, ou simplement lus. Mais des *Trois Événements aqueux* : eau, glace, vapeur, l'artiste a tiré un film.

Transformant en expérience esthétique des phénomènes de la vie quotidienne, Water Yam transforme son utilisateur en un maître de jeu, tel l'individu qui pratique le Yi-King, l'oracle taoïste. George Brecht travaille dans une perspective musicale, considérant l'art comme une durée susceptible d'être rejouée, réinterprétée tout comme une partition plus que comme un morceau d'espace. L'événement est pour lui une partie isolée du réel qui nous englobe, mais il peut se voir décomposé à l'infini, pour peu qu'il soit intégré dans ce dispositif de connaissance qu'est l'œuvre d'art. Yoko Ono, dotée d'une solide formation classique, place d'emblée son œuvre sous le signe de la musique : *Secret Piece* (1955) se présente sous la forme d'une portée vierge, portant seulement l'inscription d'une clé de sol, et demande au regardeur /performeur de choisir la note qu'il ou elle souhaite – en accompagnement du « chant des oiseaux au petit matin ».

La partition de musique est aussi une structure omniprésente dans le travail de Robert Filliou : ainsi, les objets posés sur un pupitre de *La Tour de Seine sans voir et sans savoir* (1976). Inventeur de la série des « Optimistic Boxes » (1968-1970), il cherchait à réhabiliter la création pure au détriment de l'objet isolé, qu'il considérait comme le symbole de l'aliénation humaine. Contre la standardisation à l'œuvre dans le monde du travail et dans les échanges commerciaux, Filliou propose l'instauration d'un « vrai taux d'échange », basé sur les différences existant entre deux êtres humains ou deux objets. Les œuvres-partitions de Filliou fonctionnent ainsi à l'inverse de la monnaie, qui est un équivalent général abstrait entre les choses. Le « génie sans talent », comme il se définissait, ne crée pas de valeur (l'objet d'art à admirer), mais met des valeurs à la disposition des autres, génère des activités. L'art doit fonctionner comme une boîte à outils : *La Boîte à outils de la création permanente* de 1969 pourrait d'ailleurs servir d'emblème et de porte d'entrée du travail de Filliou : les mots « Innocence » et « Imagination » sont inscrits sur une boîte contenant une sorte de jeu de construction.

Joseph Beuys, en revanche, considère cette partition qu'est l'œuvre d'art comme un levier destiné à soulever la sphère sociale dans son ensemble : pour lui, l'art constitue le terrain d'expériences qui ne seront utiles qu'une fois adoptées par les milieux politiques. « Il s'agit avant tout, explique-t-il, de faire quelque chose qui se rapporte à la pensée et au développement d'une idée, pour ensuite devenir une idée pratique dans la société. » Les performances de Beuys fonctionnent bel et bien comme des générateurs, des sources d'énergie réutilisables, mais l'artiste allemand installe dans son travail un système qui part de l'art pour déboucher sur ce qu'il appelle la « sculpture sociale ». Enfin, le Français Ben Vautier incarne le postulat inverse : seule l'existence de l'art, avec ses attributs (le nouveau, l'authentique, le déjà-fait, etc.), motive une pratique centrée sur elle-même et non plus sur une problématique de l'éveil (Brecht, Ono) ou un désir de politique (Beuys). Ben réalise, en tant que partition impossible, le destin des avant-gardes historiques et le doute qui accompagne leur extinction : pour lui, l'attitude est la pierre de touche d'un art total qui serait « la réalisation de tous les verbes (aimer, dormir, chanter, [...] créer, cracher, poser, etc.) en tant qu'œuvre d'art ». Lorsqu'il balaye la rue de l'Escarène, à Nice, du numéro 1 au numéro 32 (1967), ou attend le bus pendant seize minutes (ses soixante-et-un *Tableaux gestes* de 1964), l'artiste niçois se met en scène : ses travaux ne sont pas des structures ouvertes, comme ceux de Yoko Ono, Robert Filliou ou George Brecht, mais des instants gardés en mémoire. Si n'importe qui peut se servir des tampons « Attention, œuvres d'art » de Daniel Spoerri (d'ailleurs réutilisés ultérieurement par Emmett Williams), en revanche, le « Tout est art » de Ben, démonstration théorique, concerne la figure de l'artiste, le monde de l'art et eux seuls. À l'opposé, nombre de pièces de Yoko Ono sont des sculptures individuelles, destinées à une exécution solitaire. Elles ne s'inscrivent pas dans l'espace social fétichisé par Beuys ou Filliou, ni dans le petit jeu du monde de l'art, mais dans le temps du rapport à soi et de la construction de la psyché. Ainsi, la *Voice Piece for Soprano* (1961) : « Crier. 1. Contre le vent. 2. Contre le mur. 3. Contre le ciel. » Un lyrisme mélancolique imprègne ce type d'actions, qui ne prennent leur pleine signification que par le fait qu'aucun public ne devrait y assister.

Ce qui différencie les œuvres de Yoko Ono de toutes celles que j'ai énumérées plus haut, c'est sans doute cette sensibilité zen qui s'en dégage, légèrement absurde parfois, mais aussi l'amplitude des images qu'elle utilise : ciel, horizons, feux... Ono ne se limite pas à la banalité quotidienne, mais étend le quotidien jusqu'au cosmos. Ayant sans cesse recours aux éléments primordiaux, se référant constamment au corps humain, elle élabore une sorte de médecine douce, une thérapeutique par l'expérience sensible : il s'agit pour l'usager d'une œuvre d'Ono de se mesurer à l'immensité, de ramener le système solaire à des dimensions intimes.

Dans *Sun Piece* (1962), elle demande ainsi au regardeur de « regarder le soleil jusqu'à ce qu'il devienne carré ». Quant aux instructions concernant *Tape Piece I* (1963), elles consistent à « prendre le son d'un caillou vieillissant » (« *Take the sound of the stone aging* »). *Cloud Piece* (1963) demande aux participants d'imaginer les nuages couler et de creuser un trou dans son jardin pour les y enterrer (« *Imagine the clouds dripping. Dig a hole in your garden to put them in* »).

D'autres *Instructions* semblent relever davantage de la prescription, de l'exercice. Ono considère d'ailleurs son activité artistique « plus comme une pratique (*gyo*) que comme une musique » : objets d'exercice, gymnastique de l'esprit... Il s'agit avant tout d'un « rapport avec soi-même » et avec les autres, d'un *corpus* de prescriptions analogue à celles que prodigue l'ordonnance du médecin. En cela, elle renoue avec les sagesses antiques, qu'elles soient orientales ou occidentales : les Instructions fonctionnent comme de modernes hypomnénata, ces tablettes sur lesquelles les

Grecs inscrivaient les préceptes de leur vie morale et forgeaient leur volonté. Dans la Grèce pré-socratique comme dans toutes les traditions orientales, la philosophie s'avère inséparable d'une volonté de prescription, de l'élaboration d'un ensemble de méthodes permettant de conduire sa vie et de régler son comportement. Le travail de Yoko Ono s'approche ainsi des ambitions de Diogène ou du sage oriental : il s'agit de proposer au regardeur une diététique spirituelle, de l'inciter à la sagesse, de modeler en douceur son comportement (et donc sa manière de voir) ; bref, il s'agit d'accepter tacitement de suivre l'« enseignement » d'un artiste, davantage que d'entrer avec lui ou elle dans une relation critique.

Pur exercice d'acuité psychique, *Painting to Be Constructed in Your Head* (1962) demande que l'on observe attentivement trois peintures et qu'on les mélange mentalement. « Participer » à une œuvre de Yoko Ono, c'est-à-dire co-produire une forme en compagnie de l'artiste-éveilleur, requiert des qualités et une disponibilité mentale totalement différente de la « participation » aux happenings d'Allan Kaprow ou de Robert Rauschenberg, par exemple ; il ne s'agit pas d'une figure de style, mais d'une réelle implication, celle qui lie le patient à son thérapeute dans un traitement ou une psychanalyse. Ce qui ne doit pas faire oublier que certaines œuvres, qui comptent parmi les plus fortes de Yoko Ono, induisent même une violence relationnelle d'une rare teneur. L'extraordinaire film *Rape* (1969) part ainsi d'une instruction donnée à une équipe de tournage masculine : choisir une personne dans la foule londonienne et la suivre, où qu'elle aille. Le hasard voulut qu'il s'agisse d'une femme sans doute allemande, poursuivie jusqu'à son appartement. Ono explore avec autant de finesse que de précautions la sphère de la violence, qui culmine, dans son œuvre, avec la performance *Cut Piece* (1964) pour laquelle les spectateurs devaient, un par un, monter sur scène pour déchirer au ciseau les vêtements de l'artiste et en emporter les lambeaux avec eux. Figure expiatoire de l'artiste, bouc-émissaire : il ou elle est là pour guérir, apaiser, catalyser la violence.

Ensemble

Hammer a Nail (1961) met également en scène une sorte de minuscule catharsis. Simple planche peinte en blanc à laquelle un marteau était attaché, relié à une chaîne, cette pièce a été refaite en 1988, en bronze cette fois, en un écho de la performance originale. Planter un clou dans une toile blanche, c'est aussi détruire une surface, s'introduire de force dans l'espace. Les trous ainsi pratiqués n'ouvrent pas sur l'infini, comme ceux que Lucio Fontana pratique dans ses toiles : ils pointent le regardeur lui-même, et sa responsabilité face au monde. Ono place ainsi chaque visiteur de ses expositions devant des choix éthiques : son œuvre tout entière est un piège pour l'esprit, tels ces fétiches à clous africains qui sont supposés capturer les esprits. « Lorsque j'étais enfant au Japon, explique-t-elle, j'allais dans un temple, j'écrivais un vœu sur une feuille de papier et l'enserrais dans un nœud autour de la branche d'un arbre. Les arbres dans les cours de temples étaient toujours remplis de ces nœuds votifs, qui, de loin, ressemblaient à des boutons blancs en train de fleurir[2]. » La dimension votive se double d'une autre, relationnelle celle-là : *Hammer a Nail* figure également le mouvement des multiples individus qui, un à un, en ont modifié la forme. Les œuvres d'Ono sont aussi des accumulateurs, qui conservent en elles l'énergie des regardeurs.

Art et énergies fossiles

Lorsque Yoko Ono étire dans le temps un sourire, dont le ralenti extrêmement lent donne l'impression d'une béatitude éternelle (*Smile*, film de 1968), elle tire le maximum de puissance et d'énergie d'une matière a priori très pauvre. Comment générer de la puissance en partant de presque rien ? Telle est la question centrale que pose l'œuvre d'Ono. Ne faut-il pas avoir la foi en la puissance du « presque rien » pour penser que l'on peut contribuer à la paix dans le monde par le simple pouvoir de l'esprit, comme le suggérait le fameux *sit-in* de 1969, réalisé à l'hôtel Hilton d'Amsterdam en compagnie de John Lennon ? Cette action, à la fois dérisoire et sublime, constitue un modèle pour les résistances du monde entier : ainsi, le petit homme de la place Tien An Men, dressé en 1989 contre une colonne de tanks de l'armée chinoise, était-il l'héritier de cette puissance-là, qui ne s'embarrasse pas de l'analyse. On ne gagne pas le combat parce que l'on possède davantage que son adversaire, mais parce qu'on détourne la force qu'il déploie, comme dans le judo. L'art n'est rien : il peut donc tout.

On peut penser à ces « Énergies timides » que l'art a le pouvoir d'extraire comme un minerai, comme l'expliquait Marcel Duchamp. L'inventeur du ready-made imagina ainsi un « appareil à enregistrer, collectionner et transformer les petites manifestations extérieures d'énergie (en excès ou perdues) comme par exemple : l'excès de pression sur un bouton électrique, l'exhalaison de la fumée de tabac, la poussée des cheveux et des ongles, la chute de l'urine et de la merde, les mouvements impulsifs de peur, d'étonnement, etc.[3] » L'art est un véritable transformateur, aimait à suggérer Duchamp : c'est une machine à passer d'un état à un autre, à déplacer de l'énergie d'une manière douce, à recycler la matière même de la vie. Traité d'écologie esthétique, l'œuvre de Duchamp a déjà quitté, en 1913, l'orbite du productivisme occidental pour aborder les rives de l'énergie douce : elle incite à désencombrer l'espace, réutiliser autrement les mêmes objets, se contenter de déplacer les choses plutôt qu'en produire de nouvelles.

Le philosophe allemand Peter Sloterdijk a montré comment le modernisme occidental était inséparable du mécanisme de la combustion et du mouvement d'épuisement des ressources naturelles, en particulier les énergies fossiles.
Le moderne calque sa logique sur le modèle du moteur à explosion : il voue un culte à la vitesse, au gaspillage, à la surabondance. Il pratique la démesure consommatrice, s'inscrit spontanément dans le cycle production-déchet, et se fait, finalement, l'allié objectif de l'idéologie de la « croissance économique » dévoreuse d'énergie et d'espace. Peter Sloterdijk voit dans l'épopée de la découverte du pétrole aux États-Unis, le derrick planté sur les vastes étendues américaines et giclant son pétrole vers le ciel, la première scène primitive de la modernité. La seconde serait, selon lui, « l'explosion d'une voiture, d'un avion. Ou encore mieux, celui d'un grand réservoir d'essence qui est l'archétype du mouvement divin de notre époque[4] ». Le modernisme est pétrolier, fossile, gaspilleur, complice de l'exploitation de la nature. Souvenons-nous du futurisme exaltant la guerre comme une « hygiène » salutaire ; de la beauté « explosante fixe » du surréalisme ; de la poétique du

déchet du Nouveau réalisme (l'explosion de l'*Hommage à New York* de Tinguely, les expériences de combustions de Klein). Enfin, l'ode à la consommation effrénée du Pop art, dont la matrice visuelle est la série infinie des objets industriels. Même les arts minimal et conceptuel, que l'on pourrait a priori croire exempts de cette violence prédatrice, se révèlent ça et là contaminés : Robert Barry lâche divers gaz dans l'atmosphère, Richard Serra lance du plomb en fusion contre les murs, Barry Le Va expose au sol des formes éclatées, Roman Signer signe des explosions à la dynamite. Dès la fin des années 1960, pourtant, une esthétique de l'entropie apparaît, qui constitue très clairement, de ce point de vue, un premier postmodernisme. Certains artistes pressentent l'épuisement du modèle « explosif » moderne : les *Sites/Non-sites* de Robert Smithson, par exemple, en font partie. Le travail de Smithson pourrait ainsi être décrit comme une fine analyse de l'entropie à travers la figure du creusement : ses « earthworks » forent et retournent la terre ; le land art pratique des excavations, creuse des trous. Gordon Matta-Clarck, d'une manière analogue, explore le monde souterrain des grandes cités : des œuvres comme *Sous-sols de Paris*, ou encore *Descending Steps for Batan*, témoignent de cette fascination pour l'entropie qui s'empare de l'art américain du début des années 1970. Quant au travail photographique de Bernd et Hilla Becher, dans sa monotone et splendide répétitivité, il exhibe la face obscure du modernisme industriel, l'interminable agonie du processus productiviste, la lente désaffection des machines à forer et des silos. L'art descend alors dans les galeries les plus lointaines de l'idéologie moderniste. Avec un mélange d'ironie et d'humilité, Yoko Ono se livrait au même moment à une déconstruction plus douce en exposant en 1966 sa *Sky Machine*, un appareil qui distribuait automatiquement, en échange d'une pièce de monnaie, un petit papier sur lequel était inscrit le mot « ciel ». N'a-t-on pas davantage besoin du ciel que de bouteilles de soda ? L'automatisation ne pourrait-elle pas, après tout, produire également de la poésie, de la surprise ? Dès le départ, Ono s'oppose à la fois à l'explosion et à l'entropie : ses œuvres font le pari de l'énergie renouvelable, du développement durable, de la non-agressivité. Si *Cut Piece* ou *Rape* prennent la violence pour thème, ce n'est que pour l'aspirer, la canaliser, lui trouver une forme positive. C'est la frénésie productiviste qui incarne l'ennemi. L'industrie, sous toutes ses formes, est le principal adversaire de ce que Yoko Ono appelle la *danse* : ce mouvement de ralentissement, d'éveil, de prise de conscience, qui est la raison d'être de l'art, et qui devrait nous inciter à la frugalité, à la simplicité, à la fantaisie ou à la concentration. « Il est bon de maintenir la pauvreté de l'environnement, du son, de la pensée et de la croyance, écrit-elle. Il est bon de rester petit, comme un grain de riz, au lieu de se dilater. » Mais peut-on réellement redevenir pauvre, repenser la pauvreté, lorsqu'on est un urbain occidental ? Un énorme et complexe appareillage nous entoure, qui nous emprisonne dans un univers de la quantité. Être un artiste, nous explique Ono, c'est faire disparaître la quantité au profit de la qualité, réapprendre des formes créatives de la pauvreté, se débarrasser de toute graisse mentale, apprivoiser enfin les « énergies timides » dont parlait Duchamp. Il est étonnant de s'apercevoir que dès le début des années 1960, Ono prend conscience de l'importance que revêt cette sortie hors du cycle énergétique moderniste pour inventer une nouvelle approche de la puissance, un voltage moins intense, mais tout aussi efficace. Comme le suggère Sloterdijk, notre époque commence à rattraper, pas à pas, l'intuition d'Ono et de Fluxus en général : « Tout converge vers un certain adoucissement, écrit-il ; l'esthétique du doux va reprendre le dessus. Le XXe siècle, on le gardera en tête comme l'âge noir de la violence, durant lequel la surabondance d'énergie était aussi le fondement du style des deux grands conflits de ce siècle[5]. » Réenvisager un modernisme sans violence, un modernisme enfin affranchi du moteur à explosion, voilà le défi lancé aux artistes de ce début du XXIe siècle. Cet *altermodernisme* (halte aux « post » et aux « anti ») s'accompagnerait d'une nouvelle lecture de l'histoire de l'art, pour laquelle la notion de « nouveau » deviendrait anecdotique, et qui ne se résumerait pas à une succession d'inventions formelles, liste dont l'énumération s'apparente souvent à celle des dépôts de brevets scientifiques. Comme le disait George Brecht, il est plus facile d'être le premier à faire quelque chose qu'être le neuvième, « parce que pour être le neuvième, il faut apprendre à viser ».

Dans cette optique, lorsque Yoko Ono pratique, à partir de 1986, la « reprise » en bronze de certaines de ses œuvres des années 1960, elle inaugure un geste original, provocateur et bien plus profond qu'il n'y paraît : ainsi mis en boucle, le mouvement même de son œuvre dessine une trajectoire non linéaire. Il s'agit pour elle de revenir dans le passé, mais pour collaborer avec lui plutôt que de le mépriser ou de le considérer comme clos, comme ce fut souvent le cas dans l'histoire du modernisme. Re-faire. Re-découvrir. « Je me souviens d'avoir porté une clé en verre pour ouvrir le ciel, écrit-elle dans *The Bronze Age*. Les années 1980 sont une époque de confort matériel et de solidité. On ne donne pas l'accolade aux étrangers dans la rue et on n'a pas non plus le souffle coupé. Lorsque les deux grands se serreront la main au sommet, il vaut peut-être mieux qu'ils échangent des clés en bronze que des clés en verre. »

[1] Irmeline Lebeer, entretien avec George Brecht, in *Chroniques de l'art vivant*, n° 39, mai 1973.

[2] Yoko Ono, in *Happenings and Fluxus*, cat., Paris, galerie 1900-2000, 1989, p. 153.

[3] Marcel Duchamp, *Notes*, Paris, Flammarion, coll. Champs, 1999, p. 107.

[4] Peter Sloterdijk, *Ni le soleil, ni la mort. Jeu de piste sous forme de dialogues avec Hans-Jürgen Heinrichs*, Paris, Hachette, coll. Littérature, 2003.

[5] *Ibid.*

Jean-Pierre Raynaud
Psycho-objets et sérialité (1998)

Au tout début des années 1960, le débat esthétique s'articule autour de la société de consommation et de ses structures industrielles : le Nouveau réalisme, puis le Pop art utilisent des objets de série et des images multipliables à l'infini, ou appelées à le devenir. Dans les travaux de cette génération d'artistes, on voit clairement à l'œuvre la logique de la production de masse, mais leurs objets ou leurs images sont le plus souvent uniques et ne font que suggérer la sérialité – à l'image de la peinture de Roy Lichtenstein, des installations de Martial Raysse ou des premières œuvres d'Andy Warhol. Seul Arman expose des séries d'objets, mais les regroupe au sein d'un système formel, l'accumulation, qui conserve des liens avec la sculpture classique. En 1959, le situationniste italien Giuseppe Pinot-Gallizio produisait des « Peintures au mètre », grâce auxquelles il entendait « déchaîner partout l'inflation » au sein d'une société basée sur la maîtrise de la rareté. Andy Warhol, lui, ne multipliera sur sérigraphie l'image des bouteilles de Coca Cola qu'en 1962, révélant la pulsion de mort qui hante le processus de massification. Ce que problématise l'art de cette époque, c'est donc la sérialité, et il apparaît, à l'évidence, que cette génération ne s'en est pas emparée pour de simples raisons formelles : ils répondent à un bouleversement fondamental, qui touche à la visibilité de la valeur.

Nous savons que l'être humain surgit au sein d'un monde matériel qui se caractérise par la rareté ; autrement dit, il n'y en a pas pour tout le monde. Or, l'œuvre d'art classique appartient d'emblée à cet ordre de la rareté : se donnant comme un luxe, comme un supplément de richesse, elle existe généralement pour un seul propriétaire et reflète une hiérarchie dans la production, dont elle constitue un sommet symbolique. Quand Cézanne peint un compotier, les pommes ont beau être accessibles à tout le monde, c'est le regard de l'artiste qui se présente comme une valeur et un bien précieux, qui sera négocié en fonction de son unicité. Andy Warhol, lui, va représenter des bouteilles de Coca en réduisant au minimum la valeur ajoutée du style : il montre ainsi un objet de consommation courante à l'aide d'un système visuel de masse, à savoir cet étalage où toutes les choses se donnent comme disponibles, consommables dans l'instant. Dans le langage marketing, on appelle ça le facing. Jean-Pierre Raynaud, en multipliant à l'infini son objet-fétiche, le pot de fleurs, parle cependant moins de ce monde de la production de masse que de la situation psychologique de l'être humain. « Je ne multiplie que ce qui est déjà multiplié dans la vie[1] », explique-t-il. Son travail tente de définir la psychologie de l'homme sériel.

Le pot comme machine célibataire

Jean-Pierre Raynaud n'a donc guère tardé à aborder directement la notion de série, mais à travers celle d'acte machinal. Il s'avère impossible d'en saisir les mécanismes sans partir de la « scène primitive » de son œuvre. Au retour d'une sale guerre d'Algérie – dont, à ma connaissance, il n'a jamais parlé –, le jeune étudiant en horticulture fut plongé dans un état proche de la léthargie, qui dura de nombreux mois, et dont il ne réussit à sortir que par l'accomplissement d'une sorte de rituel cathartique : en remplissant de ciment, un par un, les pots de fleurs entreposés dans son garage. Pendant ses études d'horticulture, ces pots de terre cuite constituaient ses outils de travail. La violence de ce récit inaugural naît de cette condamnation sans appel du métier auquel l'artiste entendait se consacrer. Nulle ironie duchampienne, donc. Oblitérer ainsi un pot ne signifie pas détourner un objet de consommation courante de sa fonction, comme le fit Marcel Duchamp avec ses readymades, mais, au contraire, nier toute fonction, et le plus brutalement possible. Prononcer le mot de readymade concernant le travail de Raynaud me semble donc l'effet d'une paresse intellectuelle. À travers la cimentation du pot de fleurs, Raynaud initie un discours sur le mort et le vif. Il se sert de l'objet comme d'un déclencheur, s'attachant à son impact sur le regardeur davantage qu'à son statut théorique dans l'espace social. Son œuvre se situe donc d'emblée dans le champ psychologique et entend, sinon s'y limiter, du moins harponner le monde à l'aide d'un outillage psycho-sociologique. Toutefois, par la suite, le pot prendra son autonomie par rapport à l'ensemble des « Psycho-objets » des années 1960. Il se déclinera dans d'autres couleurs que le rouge, se fera série illimitée, totem gigantesque, puis objet-témoin et nomade – bref, il prendra place d'une manière récurrente dans le système plastique de l'artiste comme s'il s'agissait d'une « forme-test » extensible, accompagnant systématiquement son évolution esthétique. Ainsi, si cette série n'est pas forcément l'élément central du travail de Raynaud, elle en constitue non seulement le prélude, mais aussi sa racine psychologique et sa jauge formelle.

Par sa radicalité, le geste fondateur du pot cimenté rappelle celui qu'effectua Marcel Broodthaers deux ans plus tard (1964), en coulant cinquante exemplaires de sa propre plaquette de poésie dans du plâtre et installant le tout sur un socle. Au sujet de cet acte exemplaire, Broodthaers évoque d'ailleurs la notion d'interdit : « On ne peut ici lire le livre sans détruire l'aspect plastique, écrit-il. Ce geste concret renvoyait l'interdiction au spectateur, enfin je le croyais[2]. » L'artiste belge entend dévoiler le lent cheminement de la réification : le monde devient inhabitable parce que les gestes s'y transforment en choses, et que seuls les objets peuvent désormais dialoguer les uns avec les autres. Chaque chose devient matrice, le *moule* d'une autre. L'interdiction dont parle Broodthaers n'est autre que l'injonction qui nous est faite de cesser de lire le monde : désormais sommés de le consommer et d'en répéter les formes, qui s'organisent de manière sérielle. Le remplissage du pot par Raynaud n'est donc guère éloigné de l'analyse de la réification par Broodthaers, à ceci près que ce dernier l'évoque à travers un système de valeurs, et le premier comme un système qui nous entraîne dans une névrose collective. Formellement, le Français va développer une stratégie d'enfermement visuel dans laquelle les signaux semblent condamnés à se raréfier, tandis que le Belge déploiera, à travers son *Musée d'Art Moderne. Département des Aigles*, une forme exhibitionniste et foisonnante, en perpétuelle expansion. Tous deux, cependant, tentent de rendre visible les processus abstraits qui quadrillent notre environnement matériel. Mais Raynaud, répétons-le, s'attache à des symboles : au sein de la sphère formelle ouverte par les nouveaux réalistes, il fait figure de cas isolé ; tel un Odilon Redon du consumérisme, il se tourne vers son monde intérieur.

Ce geste *a priori* négatif – clore pour toujours un récipient destiné à contenir un germe – contient aussi un principe éthique. « À l'école d'horticulture, explique Raynaud, on m'avait appris à soigner les fleurs, mais pas à les empêcher de mourir. Je décidais d'éviter de nouvelles victimes en remplissant les pots avec du ciment. » Le moins qu'on puisse dire, c'est que nous nous trouvons là aux antipodes du vitalisme d'un Joseph Beuys ou du mouvement Fluxus, fort loin encore de l'ironie d'un Piero Manzoni, mais en revanche tout proche du pessimisme développé par les livres d'Emil Cioran ou des épures géométriques d'un Samuel Beckett. Pour en revenir à Duchamp, et pour établir un véritable point de contact entre son univers et celui de Raynaud, la notion de « machine célibataire » apparaît comme une piste plus féconde. Chez Raynaud, la vie organique n'est rien d'autre qu'une disparition annoncée : exister, c'est affronter sans répit « l'inconvénient d'être né », c'est-à-dire mettre inlassablement en forme le récit d'un cheminement vers une pétrification, celle du squelette. Si l'on considère les premiers fragments de carrelages blancs, puis l'apparition du crâne humain sur ces mêmes carrelages, à la Biennale de Venise de 1993 – qui me touche moins, peut-être parce que le sens en est trop explicite, presque obscène –, on voit que l'œuvre de Raynaud représente le développement, au sens photographique, d'une image de la mort. Afin de créer ce lent étouffement plastique qui constitue le mouvement même de son travail, il lui fallait logiquement commencer par obturer l'organique, ligaturer la croissance : tel est le plan à partir duquel son œuvre peut s'organiser, comme une réfutation définitive et péremptoire de l'hypothèse biologique, comme une lente asphyxie. Cette négation l'autorise à installer ses formes dans des espaces qui semblent choisis en fonction de leur capacité à produire du vide ou à s'évider de l'intérieur, en fonction de leur hermétisme, de leur étanchéité symbolique par rapport à la prolifération désordonnée du cellulaire. Combler un pot de fleurs à l'aide d'une matière minérale, n'est-ce pas d'évidence signifier un refus absolu de la fécondation ? Le pot est une machine célibataire rudimentaire, délibérément violente et sans humour. Ce n'est pas un hasard si Raynaud ne pratique guère la citation : on trouve dans son travail peu d'allusions à d'autres artistes, et il ne s'étend pas davantage sur l'histoire de l'art. Il avoue d'ailleurs qu'à ses débuts il ne connaissait rien à l'art de son temps et éprouvait un goût fort modéré pour l'art en général. Son œuvre est née d'une nécessité, d'une pulsion vitale, et non d'une émulation intellectuelle. Là encore, il s'agit d'éviter la filiation.

Piet Mondrian construisait dans sa peinture les structures d'une existence idéale, basée sur un optimisme théosophique. Raynaud, lui, a choisi de vivre à l'intérieur de structures dont sa propre œuvre forme le prétexte. Jusqu'en 1993, il s'affaire à édifier sa fameuse maison à Saint-Cloud, et les pièces qu'il expose dans les galeries ou les musées ne sont que les extraits de cette construction majeure. Après la destruction totale de la maison et sa dissémination dans de petits récipients chirurgicaux, exposés à Bordeaux cette année-là, une logique nomade semble gouverner le travail. La maison, entièrement carrelée de blanc, était conçue comme un laboratoire évolutif, une cabine de cosmonaute permettant à Raynaud d'expérimenter au quotidien le protocole de sa disparition. Le fait qu'il ait décidé de la détruire ne conjure pas ce processus d'enfermement, mais l'amplifie, au contraire, jusqu'à la planète tout entière : Raynaud se voit désormais libre de procéder à ses recherches archéologiques partout où il l'entend. À partir de la destruction de la maison, la forme du pot semble dominer à nouveau son univers intérieur. Balayons du regard l'ensemble des travaux : partout des cages, des containers, des sens interdits, des espaces clos... Le pot, dans l'inventaire formel de Jean-Pierre Raynaud, représente l'unique échappée vers le dehors. Son rôle primordial est d'aller à la rencontre de l'autre.

Le pot comme machine relationnelle

« Regarder le monde à travers l'objet, affirme Raynaud, est un combat sans violence : vous traversez l'objet et l'objet vous traverse. »

Les pots constituent bel et bien des objets transitoires, mais quel type de relations sociales décrivent-ils ? Revenons au constat de départ : plante abolie, vie bétonnée, le pot de Raynaud est un objet symbolique mettant en œuvre les notions de sérialité et d'objectalité dans la psychologie collective. Cette notion de sérialité, on la trouve au centre de la philosophie sartrienne, notamment dans le fameux – et peu lu – Critique de la raison dialectique, publié en 1960. Que dit Sartre ? Que les individus se meuvent dans des séries, expression concrète de l'isolement dans la masse ; que la passivité de l'individu sériel est organisée, puisque la « non-réciprocité » règne, par la prépondérance de l'information sans possibilité d'action. Je ne résiste pas à la tentation de citer un passage de la Critique qui semble décrire de l'intérieur le projet de Raynaud : depuis sa fenêtre, Sartre observe la rue, et voit « des autos qui sont des hommes et dont les conducteurs sont des autos, un sergent de ville qui règle la circulation au coin de la rue, et, plus loin, un réglage automatique de la même circulation par des feux rouges et verts, cent exigences qui montent de terre vers moi, passages cloutés, affiches impératives, interdits[3]... » Telle est sa définition du « *pratico-inerte* », qui fait de l'humain sa chose. Ces « impératifs », ces « interdits », ce sont les matériaux mêmes de Raynaud, qui décrit inlassablement l'être humain pris au piège de la sérialité, patinant désespérément dans son tourniquet social, affolé par la couleur rouge qui provoque en lui un réflexe pavlovien, angoissé à la vue des carrelages qui signalent les morgues et les hôpitaux. L'individu selon Raynaud est englué dans la série, comme le rat capturé par le scientifique. Pour s'en échapper, il peut sortir des rangs collectivement, c'est ce que Sartre appelle le « groupe en fusion ». Mais il peut aussi pratiquer la politique du pire, c'est-à-dire boucher toutes les issues, plâtrer les portes, détruire la maison afin d'échapper à ses poursuivants : Raynaud a choisi cette dernière voie.

Le pot de fleurs, obstrué à jamais, n'appartient plus à la menaçante « série » que constitue la reproduction biologique, et qui, chez Raynaud, symbolise aussi la loi sociale. Une fois cette série-là épuisée, il s'agit de reconstruire, autre chose, et à côté. Toute l'œuvre de Jean-Pierre Raynaud est déterminée par ce désir vide : à partir de ces absences d'espace que constituent les pots, inciter le public à inventer des formes variables d'interactivité. Ainsi peut-il se présenter comme un objet de transaction, comme lors du projet développé par l'artiste à l'école du Petit-Quevilly (1970), où les élèves d'une école primaire, comme dans une expérience de laboratoire, se virent confier des pots pour les transformer selon leur goût. L'année suivante, au musée d'Israël à Jérusalem, Raynaud disposa quatre mille pots en matière plastique, vides cette fois, définissant ainsi une sorte de friche, une banlieue du sens installée devant le bâtiment du musée. Ces séries de pots vides ou pleins, alignés les uns à côté des autres, quel mode relationnel mettent-ils en jeu ? Dans les deux cas cités plus haut, le public est placé en situation de curiosité : – de quoi s'agit-il ? Pourquoi cet objet a priori familier revêt-il soudain un caractère étrange, par le fait d'un minuscule écart fonctionnel ? Le regardeur se sent en droit d'interpeller ses voisins ; sa présence devant l'œuvre est littéralement constituée par l'énigme banale qui le lie à elle ; sa participation est transcendée par ce mystère diffus qui agace ou passe inaperçu, et qui rapproche les pots des accessoires du culte, sans que l'on puisse établir avec certitude la nature de la croyance qui le fonde. L'objet en question peut ainsi se faire immense, jusqu'à trois mètres cinquante de haut pour le pot doré exposé dans le parc de la Fondation Cartier.

[1] Entretien avec Catherine Millet, « Jean Pierre Raynaud, un jardinier dans la ville », in *Les Lettres françaises*, 5 février 1969.

[2] Marcel Broodthaers, in cat. *Marcel Broodthaers*, Paris, Galerie nationale du jeu de Paume, 1991, p. 58.

[3] Jean-Paul Sartre, *Critique de la raison dialectique*, Paris, Gallimard, 1960, p. 363.

Jens Haaning
Travailleur clandestin (2003)

Le style suffisait jadis à définir l'identité d'un artiste ; mais l'identité, dans le monde contemporain, n'est plus guère qu'un code d'accès ou un logo (au mieux), voire un argument de vente (au pire). Il ne s'agit plus, donc, d'arpenter un territoire de formes considéré comme une propriété privée. Aujourd'hui, beaucoup d'artistes procèdent ainsi par une succession de « coups » esthétiques apparemment isolés les uns des autres : ils produisent des expositions qui présentent souvent une grande disparité formelle, dans la mesure où ils considèrent les formes comme autant d'outils, plus que comme l'aboutissement de leur travail. Parmi eux, on pourrait citer Maurizio Cattelan ou Gianni Motti, Henrik Plenge Jakobsen, Kendell Geers, Matthieu Laurette, Christian Jankowski, Wim Delvoye et, enfin, Jens Haaning. Leur démarche ne peut pas davantage être qualifiée d'expérimentale (du moins, ce n'est pas leur particularité) dans la mesure où elle ne se fonde pas sur l'image d'un laboratoire-atelier. Elle approfondit moins une problématique (par une démarche verticale, de forage) qu'elle ne se déploie sur une ligne horizontale où certains éléments récurrents finissent par définir un univers personnel, c'est-à-dire un outillage spécifique apte à traiter une masse d'informations. En fonction de ce recentrage de l'esthétique vers le mode d'usage des formes, comment mesurer la qualité des œuvres ainsi produites ? On l'aura compris, il ne s'agit pas simplement de savoir si « ça marche » ou pas ; beaucoup d'œuvres qui « fonctionnent bien » s'avèrent désastreuses ou, tout simplement, ennuyeuses. La notion de justesse semble plus convaincante. Ce que l'on appelle par commodité la « beauté » d'une œuvre n'étant, le plus souvent, que la traduction en langue courante d'une impression de justesse qui nous saisit : la forme adéquate pour véhiculer une vision du monde singulière, une manipulation précise des outils. « Pas juste une image, disait Jean-Luc Godard, mais une image juste… »

Pertinente dans le débat esthétique en cours, pertinente pour l'époque qui la voit naître. Et possiblement durable, si les divers éléments qui y « tiennent » ensemble persistent dans leur association, ce qui n'est pas forcément le cas, comme on s'en persuadera aisément en feuilletant le moindre catalogue d'exposition des années 1980.

Les œuvres de Jens Haaning fonctionnent, et en temps réel. Elles appellent notre participation, non pas d'un point de vue théorique (comme l'impliquait la notion de « participation » dans les happenings des années 1950), mais afin de vérifier l'hypothèse concrète qu'elles matérialisent. Lorsqu'il monte une agence de voyages à la galerie Chouakri à Berlin, celle-ci délivre d'authentiques billets d'avion ; lorsqu'il installe un supermarché de produits importés à Fribourg, le public peut véritablement comparer les prix et acquérir lesdits produits (*Superdiscount*, 1998). Loin d'une esthétique de la reconstitution (comme c'était le cas avec Guillaume Bijl, qui transformait les lieux d'exposition en figure de trompe-l'œil), Haaning construit des structures dont le fonctionnement constitue l'objet même de sa pratique, au-delà de toute considération sur la nature de l'art ou du musée. Cette attitude envers le système de l'art est d'ailleurs emblématique : tandis que le lieu d'exposition constituait un médium en soi pour les artistes conceptuels, un lieu exemplaire à partir duquel il était possible de questionner la société dans son ensemble, il est aujourd'hui devenu un lieu de production parmi d'autres, un espace quasiment neutre, puisque l'ensemble des espaces sociaux a été homogénéisé par l'économie néo-libérale. Pourquoi travailler spécifiquement sur la galerie ou le musée, puisque ceux-ci ne font qu'appartenir à une chaîne d'espaces interdépendants ? Il s'agit désormais moins d'analyser ou de critiquer cet espace que d'en situer la position à l'intérieur de systèmes de production plus vastes, dont les relations doivent être établies et codifiées par l'artiste lui-même. En résumé, c'est le socius (l'ensemble des canaux qui distribuent l'information, les marchandises et les relations humaines) qui devient pour les artistes de cette génération le véritable lieu de l'exposition. Le centre d'art ou la galerie sont des cas particuliers qui appartiennent néanmoins à cet ensemble totalisant que l'on pourrait appeler la place publique. Pas d'in situ, des projets in socius ; pas d'œuvre site specific, mais des œuvres time specific. C'est le cas, par exemple, d'une œuvre de Haaning comme *Untitled* (De Appel – De Gelderse Roos, 2000), pour laquelle l'artiste instaure une liaison vidéo depuis un centre d'art vers un hôpital psychiatrique : il ne s'agit pas d'un modèle d'échanges démagogique puisque cette connexion est univoque, transformant une salle d'exposition en spectacle ou en zoo humain. Là où l'on attendrait un commentaire sur l'institution artistique, c'est sur l'institution psychiatrique que Haaning nous donne à réfléchir.

La société, telle qu'elle apparaît dans les travaux de Jens Haaning, est un corps divisé en lobbies, quotas ou communautés. Mais elle représente avant tout un vaste catalogue de trames narratives qui fonctionne sur le modèle audiovisuel du montage. Son œuvre pose la question : ce montage dans lequel nous évoluons est-il le seul possible ? L'un de ses modèles privilégiés est la communauté immigrée. Dans n'importe quelle société, pour une forte partie de la population « nationale », l'immigration représente une sorte de corps étranger, d'autant plus forte dans l'imaginaire collectif qu'elle se voit en général privée de toute représentation positive et dénuée de tout champ d'inscription : un hors champ par rapport à l'imaginaire social, une « marge » sans images, si l'on excepte les représentations codées politiquement par lesquelles on les perçoit le plus souvent. À travers plusieurs travaux, Haaning a tenté de matérialiser ces collectivités semi-invisibles : par exemple, avec *Turkish Jokes* (1994) ou *Arabic Jokes* (1996), pour lesquelles il injecte le son d'une langue étrangère dans les rues de la cité, assemblant autour d'un haut-parleur ceux qui la pratiquent, excluant ainsi les « autochtones » pour une fois privés de toute possibilité de lecture du message. *Turkish Jokes* fonctionne comme ces produits chimiques que l'on inocule dans le corps d'un patient, rendant temporairement visible le réseau de ses veines sous les rayons X. Rendre visible : en posant des autocollants sur leur voiture, il dévoile la nationalité des chauffeurs de taxi (*The Employees of Taxa*, 2000). Le fait de permettre à tous les étrangers d'accéder gratuitement à la piscine municipale renverse la donne des privilèges, mais permet aussi de produire une image de leur présence (*Foreigners Free/Biel Swimming Pool*, 2000). Haaning reproduit plusieurs fois ce geste entre 1997 et 2000, décrétant la gratuité totale pour les immigrés dans les musées et centres d'art dans lesquels il est invité, élisant ainsi un « peuple » qui serait le spectateur idéal de ses travaux : le déraciné en butte au racisme et à l'incompréhension, le nomade économique produit par l'ultralibéralisme et la paupérisation du tiers-monde. Plus généralement, le travail de Jens Haaning pointe le fait que toute œuvre produit non seulement un certain type de comportements, mais également une micro-communauté de regardeurs. *Maales'h* (2000) sera ainsi perçu comme un élégant caisson lumineux en noir et blanc par un regardeur occidental ; en revanche, celui qui sait lire l'arabe y verra un étrange signe de connivence : « Who cares ? ».

Le travail de Haaning s'inscrit dans le cadre théorique de l'esthétique relationnelle, dans la mesure où il évolue dans le champ de l'inter-humain, producteur de socialités et de négociations, avant toute autre considération esthétique. Mais Haaning ne considère pas l'univers des relations humaines comme un espace angélique, c'est le moins qu'on puisse dire… Loin de la caricature socioculturelle et pleine de bonne volonté à laquelle on réduit trop souvent les pratiques « relationnelles », Haaning prend en compte les contradictions et la violence de l'espace social, allant même parfois jusqu'à les mettre en scène à travers des situations insoutenables : c'est le cas lorsqu'il réunit une équipe de travailleurs dans le but de construire des armes de combat (*Weapon Production*, 1995), mais aussi, plus subtilement, lorsqu'il propose de transformer en camp de vacances une usine textile en faillite située à proximité d'un ancien camp de concentration (*Das Faserstoff Project*, 1998). Nazisme, taylorisme, industrie du loisir : une même racine ? Toute communauté n'est pas bonne.

L'échange, ou plutôt la substitution, est l'une des figures dominantes de cette pratique de mise en relations forcée : ainsi un tube de néon provenant d'un espace d'exposition danois se retrouve-t-il installé au plafond du *Luther King food store* à Houston, Texas (*Copenhagen-Texas*, 1999). Une chaise de la galerie Nicolai Wallner est échangée avec une autre appartenant au *Klub Diplomat*, un lieu réservé aux étrangers à Copenhague. Les objets usuels ainsi déplacés fonctionnent comme l'inverse d'un ready-made : l'objet manufacturé ne change pas de statut, mais matérialise un jumelage ; il lie entre eux deux lieux, créant ainsi un espace qui est la forme même du travail, à savoir un espace entre deux places, un va-et-vient entre deux situations, figure que l'on retrouve dans quelques autres œuvres contemporaines. Rirkrit Tiravanija recrée ainsi les dimensions de son appartement new-yorkais à la Kunstverein de Cologne ; Maurizio Cattelan expose à la fondation De Appel les produits d'un cambriolage réalisé à quelques dizaines de mètres de là ; Pierre Huyghe travaille sur la distance qui sépare une expérience vécue d'une fiction hollywoodienne… L'art actuel évolue sur la ligne d'un espace frontalier dont Haaning est l'un des plus obstinés explorateurs. Matthieu Laurette, lorsqu'il se porte candidat à l'acquisition de la citoyenneté d'un paradis fiscal, pose un problème qui n'est pas éloigné de la pièce de Haaning, *Danish Passport* (1997), constituée par le passeport de l'artiste mis sous verre : tous deux entérinent l'idée que nous vivons dans un espace dominé par la marchandise, à l'intérieur duquel la nationalité n'est qu'une possession parmi d'autres – c'est-à-dire monnayable.

Cette manière d'injecter de l'humain dans des structures abstraites est certainement la figure centrale des activités de Jens Haaning. L'espace de l'échange est bel et bien le lieu, la forme de celles-ci, mais il s'agit le plus souvent d'une substitution ouvertement affichée, qui met en évidence des codes normatifs (ethniques, sociaux, esthétiques). Ainsi son *Refugee Calendar* est-il un calendrier analogue à n'importe quel autre, qui se contente de substituer les images habituelles du désir à celles que l'on refuse de regarder en face, celles de l'étranger qui habite à quelques rues de la nôtre, « en situation irrégulière », comme on le dit des sans-papiers, des travailleurs clandestins, des familles ou des individus parqués dans des camps de transit. Cette « situation irrégulière » est aussi celle que revendique l'artiste dans le champ de l'art contemporain : le travail dans les caves de l'esthétique.

From Planet Marx... Plamen Dejanoff, le capital et le vide (2007)

La culture contemporaine est un chaos horizontal où se mêlent désormais la culture et le divertissement, l'œuvre et le produit commercial, l'art et la mode. Les strates culturelles, qui, jadis, donnaient au champ culturel les coordonnées de son espace (haut/bas), se sont effritées, puis décomposées. Ainsi l'avant-garde et le kitsch, les variétés et la musique savante, la littérature de gare et le roman expérimental s'entremêlent-ils désormais, leurs contours disciplinaires s'effaçant peu à peu. Cet écroulement des strates culturelles se produit sous l'égide du numérique, véritable hub qui redistribue les positions des uns et des autres ; mais il est également causé par la pression de la marchandisation. Le chaos culturel du XXIe siècle est riche de figures hybrides, que l'art contemporain explore avec énergie. Une nouvelle figure de l'artiste émerge : celle du sémionaute, inventeur de trajectoires parmi les signes, nomade créateur de parcours, reliant un monde à un autre, une forme à un récit, un objet d'aujourd'hui à une légende d'hier. L'artiste procède comme un navigateur lancé à la poursuite des signes et surfant sur de gigantesques masses d'information. Le travail de Plamen Dejanoff problématise les rapports entre l'art et l'économie et rassemble, dans des installations d'objets, des opérations de longue durée ou des espaces aménagés, les signes de l'économie contemporaine. On retrouve dans ses « prises » les paradoxes qui accompagnent aujourd'hui la manipulation par les artistes de notions telles que la valeur, la critique ou l'utilisation des acteurs économiques réels. C'est d'ailleurs l'une des premières qualités du travail : son caractère paradoxal, indécidable, ambigu. « Pour chacun de mes projets, on peut raconter différentes histoires sur chacune des œuvres, et toutes me conviennent », explique Dejanoff. Dans une lettre datant de 1824, John Keats perçoit chez l'artiste la nécessité de « rester en deçà des faits et des raisons », de s'immerger dans la réalité plutôt que de tenter de la rationaliser et de l'expliciter. C'est cette faculté que Keats nomme « capacité négative » de l'art. Cette capacité négative, le travail de Dejanoff la possède au plus haut point, à la fureur de nombreux critiques d'art qui attendent des œuvres qu'elles énoncent sagement leur position, dûment dotée d'un écriteau « Attention ! Ceci est une critique. » Cette ambiguïté, l'artiste en a fait un mode de production : à travers un jeu de tensions entre son identité de résident européen né en Bulgarie communiste, ses collaborations avec les entreprises les plus emblématiques du capitalisme globalisé et son attitude de hacker (pirate), ses compositions minimalistes et le projet ambitieux qu'elles relaient, Dejanoff joue sur les limites ; et, ce qui est plus rare, il les trouve.

Réification et communication

Depuis le milieu des années 1990, Swetlana Heger et Plamen Dejanov ont réalisé bon nombre d'expositions ; ils ont initié en couple certains des projets et des motifs que l'on retrouvera plus tard dans la carrière de Dejanoff en solo : le format de la plate-forme monochrome, la collaboration avec des marques, la culture du *sponsoring*. C'est en 2001 que commence le travail en solo de Plamen Dejanoff. Il s'est séparé de Swetlana Heger, à la foi professionnellement et intimement, et cet événement douloureux, loin d'être cantonné à la sphère privée, va devenir le socle du travail qui suivra immédiatement. « Il était important pour moi de transformer cette séparation en thème », explique-t-il. Puisque sa vie change radicalement, il va en profiter pour se recréer à partir de rien et déménage de Vienne à Berlin. Sur place, il fait appel aux services d'une agence de conseil en communication, qui lui suggère notamment de changer son look vestimentaire et de modifier son nom de Dejanov en Dejanoff – comme Davidoff, Smirnoff ou d'autres marques cherchant à s'occidentaliser en facilitant la prononciation de leur patronyme et en effaçant leur origine. Et surtout, il habite un atelier high-tech, dans l'un des immeubles les plus spectaculaires du centre du Berlin contemporain, à Hackescher Markt, où il n'est environné que de bureaux et d'agences prestigieuses. C'est à partir de cet espace vierge de tous les signes de l'art que Dejanoff va redéployer son travail, ou plutôt : c'est cet espace qui va incarner son travail.

Pendant plus d'une année, la carte de visite de Plamen Dejanoff, agrémentée de la formule « New adress », sera l'unique signe émis par l'artiste. On retrouvera celle-ci, designée par les graphistes français M/M, en couverture de Flash Art et dans d'autres revues, puis sous sa forme en volume, sculpture plane en verre qui circulera d'une exposition à l'autre, telle l'excuse du jeu de tarot. Le travail se réduit alors à une information : Dejanoff a changé de nom et il vit à Berlin. Réminiscence de l'art conceptuel, dont les premières expositions organisées par Seth Siegelaub se réduisaient à la présentation d'un ensemble « d'informations sur le travail des artistes », cette opération a aussi pour but de constituer une sorte de table rase : une plate-forme nouvelle à partir de laquelle le travail peut se redéployer, à l'image des plateaux (très matériels, ceux-ci) sur lesquels le duo Heger-Dejanov déployait autrefois ses trouvailles. Mais cette carte de visite élevée à des dimensions monumentales renvoie également à la réification du nom d'artiste, devenu marque et logo. On pense à l'utilisation que faisait Marcel Broodthaers de sa signature, répétée jusqu'à saturation sur tous les supports possibles, signe de l'inéluctable réification de l'individu dans le processus de monstration. Mais aussi à « l'outil visuel » que Daniel Buren avait choisi avec ses rayures de 8,7 centimètres, ou le bâton constitué d'anneaux de couleur qu'André Cadere transportait dans les expositions, pèlerin de l'art, jusqu'à sa mort en 1978. Bref, la carte de visite de Dejanoff transpose dans l'univers des relations publiques les recherches effectuées par ses devanciers conceptuels sur le nom devenu logo, le corps fait œuvre et l'art en voie de réification.

En effet, le fait que Dejanoff ne montre rien d'autre sur une longue période, sinon une série de photographies de son nouvel atelier, toujours accompagnées de sa carte de visite, est sans doute le fait le plus marquant : assumant sa métamorphose en signe mis en compétition avec d'autres signes sur le marché de l'imaginaire, il fait le vide. Entre 2000 et 2002, Dejanoff se fait lui-même plate-forme : il dispose d'un espace, d'un nom, et c'est tout. Il a compris que la communication efficace consistait à réifier autant que possible le matériau que l'on cherchait à diffuser. Ce matériau, c'est lui-même et sa force de travail : il va donc se réifier lui-même, résister à la tentation de « faire l'artiste », ne rien produire, mais faire d'une information simple et banale (un changement d'adresse, souvent synonyme de nouvelle vie) une matière aussi souple et malléable que la glaise, une information devenue objet en soi. Et à partir de ce positionnement simple, il va reconstituer un espace spécifique. Bertrand Lavier raconte volontiers que les artistes intéressants émettent sur une longueur d'onde qui leur est propre, reconnaissable entre mille même si les formes qui la relaient s'avèrent très dissemblables. Il semble que ce fut la première décision de Dejanoff : émettre sur une longueur d'onde nettoyée de toute scorie, débarrassée de ses parasites visuels. Et donner à cette période le nom d'un projet à long terme : « Collective Wishdream of Upper Class Possibilities ».

Production à flux continu

Dans un monde où tous les signes se voient arraisonnés par le commerce, le problème de l'art réside moins dans la nature des objets que dans leur mode de production. Le langage numérique, qui rabat tous les signes aux dimensions canoniques de l'écran, génère une esthétique de la traduction et du transcodage. La reproduction en tant que telle n'existe plus, car chacun sait instinctivement que le passage d'une forme à travers un appareil technique génère toujours de la différence, et souvent des bugs, ce qui ouvre un nouveau domaine de formes. Confrontés à une gigantesque masse d'informations visuelles et à un immense stock de savoir, les artistes des années 2000 y piochent librement et pratiquent un art de la postproduction des formes. Doublage, légendage, remix, détourage, sous-titrage appliqués à des formes ou des images d'ores et déjà existantes, sont quelques-unes des figures stylistiques les plus communes aujourd'hui. « On pourrait définir les artistes selon les lieux où ils vont faire leur shopping », me disait un jour Liam Gillick. Et les ateliers d'aujourd'hui font penser aux usines Toyota telles qu'imaginées après la Seconde Guerre mondiale par l'industriel japonais Taiichi Ōno : des espaces dans lesquels il n'y a pas de stock (la théorie du « stock zéro »), traversés par des lignes d'approvisionnement, elles-mêmes connectées aux lignes de la fabrication. Jeff Koons, Haim Steinbach, John Armleder, et dans la génération suivante Sylvie Fleury ou Jason Rhoades, fonctionnent sur ce mode acquisitif. Ils trouvent dans les magasins les objets et les signes dont leur production a besoin, mais, là encore, c'est la logique de l'approvisionnement qui détermine des thématiques : Fleury pratique le shopping dans des boutiques de luxe et esquive toute fonctionnalité en achetant des formes issues du monde du superflu, depuis les cosmétiques jusqu'aux talismans new age. Jason Rhoades, lui, achemine jusqu'à ses installations-chantiers des objets généralement achetés en masse, en une sorte d'indistinction boulimique et aveugle : n'importe quoi mais beaucoup. Chez Plamen Dejanoff, la question de l'approvisionnement est centrale : les objets qui s'inscrivent sur ses plate-formes, et ceux sur lesquels il va imprimer, en les utilisant, le sceau de son travail, ne relèvent pas du monde du shopping : objets rares ou en série limitée, ils témoignent généralement d'un contrat liant l'artiste à une entreprise et à une institution. Il peut également s'agir d'œuvres d'art : la production des autres devient une autre source d'approvisionnement, placée sur le même rang que les autres.

Le travail de Dejanoff consiste ainsi en une opération de mise en relation, par laquelle des objets s'emboîtent à des espaces : d'un côté, des sources d'approvisionnement, localisées par l'instauration de contrats, par la simple désignation d'un réservoir de formes ou l'acquisition d'œuvres d'artistes ; de l'autre, les multiples niveaux du display et la création de lieux et d'espaces permettant la visibilité des formes, c'est-à-dire leur mise en valeur. Le contrat est la forme privilégiée par l'artiste : après avoir mis la force de travail du duo Heger-Dejanov au service de BMW pendant toute une année (1999), Plamen Dejanoff a repris cette forme de production à travers ses relations avec l'entreprise *Tomato S.A.* (2003), puis *Porsche* (2006). Pour la première, il s'agissait de la représenter et de l'associer à ses activités pendant une période donnée. Quant au constructeur automobile, il a offert à l'artiste une Porsche Cayenne. Celle-ci, importée dans le système Dejanoff, est tout d'abord « customisée » à la Kunsthalle de Kiel par des accessoires plus luxueux au cours d'une performance. Et la vidéo montrant son transport par une grue sera achetée par Porsche pour qu'elle rejoigne la collection permanente de la Kunsthalle. Boucle bouclée. La voiture sera également montrée au Mumok de Vienne, contenant la collection d'œuvres d'art de l'artiste et flanquée de sculptures en cristal. Pour Dejanoff, « plus une chose est inhabituelle et moins elle est transparente par rapport à un contexte artistique, et plus il est fascinant de l'utiliser artistiquement ». Cette opacité recherchée, il la trouve par l'introduction de la publicité sur les lieux institutionnels d'exposition. Le seul équivalent de ce geste dans l'art de la dernière décennie serait celui de Maurizio Cattelan louant son espace de la Biennale de Venise à une marque de parfum (*Lavorare e un brutto mestiere*, 1993). Mais dans le cas de Dejanoff, il s'agit d'un véritable système de production : autrement dit, moins le statut des objets qu'il expose est clair et défini, plus ils deviennent des œuvres de Dejanoff. C'est ce permanent brouillage des codes et des formes qui lui fait office de style. Le recours au sponsoring, outre qu'il fait de ses expositions de redoutables chevaux de Troie, affirme également l'artiste comme un canal vide, un vecteur de communication clandestin dans des systèmes apparemment fermés.

Formats et plus-values

Formellement parlant, les *shelves* (étagères) de Steinbach entretiennent un rapport de cousinage avec les plate-formes de Dejanoff, à ceci près que les premières évoquent les rayonnages des boutiques, accrochées à un mur, tandis que les secondes, au sol comme les espaces sculpturaux de Carl André et la plupart des œuvres minimalistes, entretiennent davantage de distance avec le display classique des magasins, tout autant qu'avec la rhétorique de la vitrine pratiquée par les simulationnistes américains des années 1980. Autrefois rigoureusement définies par la bichromie, lors de la période Heger-Dejanov, elles tendent aujourd'hui à s'effacer derrière les objets qu'elles contiennent. Plus besoin d'alibi formel : c'est leur passage entre les mains de Dejanoff qui leur octroie une plus-value esthétique, sans qu'il ait besoin d'avoir recours à l'évidence d'une stylisation. On pourrait même dire que les œuvres sont interchangeables, et qu'un objet peut s'y substituer à un autre sans que cela ne modifie en rien la structure du travail : ce qui fait forme, chez Dejanoff, c'est le mouvement (la circulation entre l'approvisionnement et le display). Certaines caractéristiques sont récurrentes, comme le cristal et la transparence en général, le luxe exacerbé, la présence des marques les plus chic, la puissance des moteurs ; mais au-delà de ces quelques traits, le travail de Dejanoff ne s'inscrit pas dans l'ordre de la composition : son mode de visibilité est à l'art traditionnel ce que l'écran est au tableau. Concepteur d'un mode écran sophistiqué et d'un hardware artistique suffisamment spectaculaire pour que les softwares que l'on y introduit passent au second plan, Dejanoff manipule des formats, pas des contenus. Dans sa génération, Philippe Parreno, Liam Gillick et Pierre Huyghe (dans la double filiation de General Idea et de Daniel Buren) ont poussé très loin ce désir de maîtrise des formats où s'inscriront le travail : le contenant des images est aussi important que leur nature, le texte sous lequel elles défilent tout aussi déterminant que le récit qu'elles déroulent. Maîtriser les formats, au-delà d'une volonté d'autonomie, c'est aller le plus loin possible dans la maîtrise de la valeur ajoutée d'un travail artistique.

Jean-Luc Godard disait que reproduire la réalité, c'était déjà lui donner une plus-value[1]. Qu'il s'agisse de gadgets promotionnels, d'accessoires ou d'œuvres d'art, les éléments manipulés par Dejanoff sont de purs objets d'échange provenant d'un univers du luxe absolu, à l'intérieur duquel l'acte d'achat est totalement immatérialisé et irréalisé : dans cette sphère, acheter ne signifie plus rien et n'est plus relié à un quelconque besoin. L'art de Dejanoff n'a donc que peu de chose à voir avec la consommation en tant que telle, car la valeur y est totalement déconnectée d'avec l'échange.

Le statut des œuvres d'art et celui des espaces d'exposition, deux points limites de son esthétique, témoignent de cet affolement de la valeur : luxe et immobilier, deux domaines à part de l'économie globalisée, où se concentre la plus-value. Les œuvres d'art produites par d'autres artistes, mais présentées par Dejanoff, voient ainsi leur statut flotter dans une extrême ambiguïté : où se situent-elles, une fois « re-signées » par lui, entre les objets rares liés à des marques et la signature de l'artiste qui vient chapeauter le tout ? Cette re-signature produit encore de la plus-value, comme si le haut de gamme n'avait plus de plafond. « Mais l'art est un article de luxe de toute façon, explique l'artiste. Alors tout ce que nous faisons est un luxe. Le simple fait d'avoir l'idée de produire un objet en bronze est un luxe. »

Une partie du travail se concentre dans des opérations immobilières. Ainsi, à la suite du déménagement à Berlin, Dejanoff a-t-il utilisé son espace (de vie, de travail) pour abriter les institutions qui l'invitaient, en un retournement de situation des plus perturbants. En octobre 2002, cet espace a donc été transformé en antenne berlinoise du Palais de Tokyo : en tant que curateur, j'ai dû déplacer dans le local de Dejanoff l'infrastructure du centre d'art parisien, me retrouvant dans la position de fournir un contenu dans un espace fourni par l'artiste... Tandis qu'à l'étage, une mini-exposition consacrée aux éditions JRP | Ringier venait s'immiscer dans le dispositif. Plus tard, c'est la galerie de Jan Winckelmann qui s'installera dans les lieux, en septembre 2003, sans toucher l'environnement de posters et d'objets mis en place par l'artiste. Mais celui-ci se lance alors dans un projet plus ambitieux : il achète sept maisons dans le centre historique de Veliko Tarnovo, l'ancienne capitale de la Bulgarie, où il est né. Il les fait rénover, faisant appel à des architectes prestigieux, et tente de les convertir en espaces d'exposition d'art contemporain pouvant être utilisés par des musées ou des centres d'art internationaux, qui y montreraient leur collection permanente ou des projets spécifiques. Ce projet en cours, intitulé *Planets of Comparison*, inaugure un nouveau rôle pour l'artiste : promoteur immobilier et producteur des espaces à l'intérieur desquels il était jusqu'alors supposé se contenter d'exposer. Producteur de plus-value, Dejanoff opère au cœur du système en fabricant des espaces vides.

Un vide central

Portrait de l'artiste en signe vide : si le travail de Plamen Dejanoff a un impact sur le système de l'art, les mécanismes de la valeur et de la plus-value, c'est en se présentant à rebours de la définition classique de l'artiste comme fournisseur de contenus pour des canaux conçus et gérés par d'autres. Intermédiaire ou porteur, Dejanoff travaille là où les autres s'arrêtent : au cœur du moteur. Dans Le Gai Savoir, Nietzsche explique que ce sont dans des périodes « proprement démocratiques et folles » que l'art exprime sa pleine puissance. Comment mieux qualifier la nôtre ? Reviennent, au sens fort, les formes et les signes dont le modernisme croyait nous avoir débarrassés dans sa quête de la pureté esthétique : et ils ne cessent de revenir (ainsi que leurs contraires), pour ébaucher ce *cercle* parfait à l'intérieur duquel toutes les esthétiques se côtoient désormais, en un espace riemannien, à touche-touche, contaminées les unes les autres, plombées par leur incapacité à disparaître dans l'Histoire, irréelles, car survivantes à leur inscription dans la chaîne des signes. Le nirvana historique n'aura donc pas été atteint : boddhisattvas creuses dans un grand mahāyāna culturel, les formes reviennent nous sauver. Nous vivons dans un manoir hanté où elles sont devenues fantômes, spectres de leur adhérence passée à l'Histoire, simples notes de bas de page ou entrées d'index d'une encyclopédie dont manquerait le dernier volume. Ce qui représentait la forme même du moderne, à savoir le projet d'émancipation par rapport à la tradition, la valorisation de l'expérimentation et du jeu, la conquête de la vie par l'art, est devenu un pur contenu qui se diffuse par le biais d'un paysage immanent de formes. Quelques signes ayant orné une jarre grecque du IVe siècle peuvent aujourd'hui exprimer une pensée voisine de celle de Beckett ou Mondrian. Et c'est le vide, le vide central du bouddhisme, qui permet cette ventriloquie généralisée des formes dont le ton, l'accent, la voix sont les seuls éléments nous permettant de distinguer une opinion mièvre et obéissante d'une pensée aventureuse.

[1] Jean-Luc Godard, « Premiers Sons anglais », in *Écrits,* Paris, Flammarion, 1995.
[2] Frederic Nietzsche, *Le Gai Savoir,* Paris, Idées Gallimard, 1950.

Daniel Pflumm
Le fantôme de l'emploi (2004)

On pourrait définir la méthode de travail de Daniel Pflumm par une expression anglaise, « corporate shadowing ». Le terme « shadowing » signifie ici : mimer, doubler les structures professionnelles, mais aussi les prendre en filature, les suivre. Pflumm exécute le même travail qu'une agence de communication. Il s'empare des logos de grandes marques comme AT&T et il « aliène et défigure » ces sigles en « libérant leurs formes » dans des films d'animation dont il réalise la bande-son. Ce travail s'approche de celui d'une agence de graphisme lorsqu'il expose, sous la forme de caissons lumineux abstraits qui évoquent le modernisme pictural, les formes encore identifiables d'une marque d'eau minérale ou de produits alimentaires. « Dans la publicité, explique Pflumm, tout, depuis la conception jusqu'à la production en passant par tous les intermédiaires possibles, est un compromis qui passe par un ensemble d'étapes de travail absolument incompréhensibles. » Sans oublier ce qu'il appelle « le véritable mal », c'est-à-dire le client, qui condamne la publicité à un rôle d'activité asservie et aliénée, ne permettant aucune innovation. En « doublant » ainsi le travail des agences de publicité avec ses clips pirates et ses enseignes abstraites, Pflumm produit des objets qui apparaissent totalement détourés dans un espace flottant qui relève à la fois de l'art, du design et du marketing publicitaire. Sa production s'inscrit dans le monde du travail, dont il duplique le système sans toutefois s'asservir à ses résultats ni dépendre de ses méthodes. L'artiste comme employé fantôme ? Cette stratégie de « dubbing » du travail rappelle une œuvre de Pierre Huyghe, un ensemble de trois photographies montrant un individu qui répare la chaussée ou entretient des pots de fleurs dans un jardin public, sans que l'on puisse déterminer s'il est employé ou bénévole (*Posters*, 1995). On pourrait également rapprocher la démarche de Pflumm de la décision prise par Swetlana Heger et Plamen Dejanov de consacrer leurs expositions, pendant un an, à une relation contractualisée avec BMW : ils louent alors leur force de travail, mais aussi leur potentiel de visibilité (les expositions auxquelles on les invite), créant ainsi un support « pirate » pour l'entreprise en question.

Mais les relations avec BMW instaurées par Heger et Dejanov adoptent la forme d'un contrat, d'une alliance, tandis que le travail réalisé par Pflumm est totalement sauvage, en dehors des circuits professionnels ou d'une relation de client à fournisseur. Le travail de Pflumm sur les marques définit un monde où le travail ne serait pas distribué selon une loi de l'échange et régi par des contrats entre entités économiques, mais où il serait laissé à la libre volonté de chacun, en un potlatch permanent qui n'autoriserait pas de contre-don. Le travail ainsi redéfini brouille les frontières qui le séparent du loisir : exécuter une tâche sans qu'on vous le demande est généralement lié au temps libre. Parfois, ces limites sont franchies par les compagnies elles-mêmes, comme l'a noté Liam Gillick au sujet de Sony : « Nous sommes confrontés à une séparation de l'ordre professionnel qui a été crée de toute pièce par les compagnies d'électronique. [...] Les magnétophones enregistreurs, par exemple, existaient seulement dans le champ professionnel dans les années 1940, et les gens ne voyaient vraiment pas à quoi cela pourrait leur servir dans la vie de tous les jours. Sony a brouillé la frontière entre le professionnel et le domestique[2]. »

Les images de Daniel Pflumm sont ainsi les produits d'une micro-utopie dans laquelle l'offre et la demande seraient perturbées par les initiatives individuelles, un monde où le temps libre générerait le travail, et vice-versa. Mais dans le contexte présent, il s'agit aussi d'un monde où le travail rejoint le hacking informatique. On sait que certains hackers s'introduisent dans les disques durs et décodent les systèmes d'entreprises ou d'institutions dans l'espoir de se faire rémunérer pour améliorer leur système de défense : ils font la preuve de leur capacité de nuisance, puis proposent leurs services à l'entité qu'ils viennent d'attaquer. Le traitement que Pflumm fait subir à l'image publique des multinationales procède du même esprit : le travail n'est plus rémunéré par un client, contrairement à la publicité, mais distribué dans un circuit parallèle qui occasionne des modes de financement et une visibilité totalement différentes. Là où Swetlana Heger et Plamen Dejanov se positionnent en tant que prestataires de services pour l'économie réelle, Pflumm exerce un chantage visuel sur l'économie qu'il parasite. Les logos sont pris en otage, remis en semi-liberté, tels un freeware que les usagers seraient priés d'améliorer par eux-mêmes. Heger et Dejanov vendent un logiciel à l'entreprise dont ils propagent l'image ; Pflumm met en circulation des images en même temps que le pilote, le code-source qui permet de les dupliquer.

Lorsqu'il réalise une vidéo à partir des images détournées de la chaîne CNN (*CNN, Questions and Answers,* 1999), Pflumm change de poste et devient reprogrammateur – un mode de production qu'il connaît par ailleurs, à travers son activité de DJ et de musicien. Esthétique tertiaire : retraitement de la production culturelle, construction de parcours à l'intérieur des flux existants ; produire du service, de l'itinérance, à l'intérieur des protocoles culturels. Pflumm se consacre à « encourager le chaos d'une manière productive ». S'il emploie cette expression pour décrire ses interventions vidéo dans les clubs techno, elle s'applique également à l'ensemble de son travail, qui s'empare de déchets formels, de « bouts de code » issus de la vie médiatique, afin de construire un univers formel dans lequel la grille moderniste rejoint les extraits de CNN sur un plan cohérent, celui du piratage général des signes.

Pflumm ne se contente pas de l'idée de piratage : il construit des montages d'une grande richesse formelle. D'un subtil constructivisme, ses œuvres sont travaillées par la recherche d'une tension entre la source iconographique et la forme abstraite. La complexité de ses références (abstractions historiques, Pop art, iconographie des flyers, vidéoclips, culture d'entreprise) va de pair avec une grande maîtrise technique : ses films sont plus proches de la qualité en vigueur dans l'industrie du disque que du niveau moyen de la vidéo d'art. Le travail de Daniel Pflumm représente ainsi, pour le moment, un des exemples les plus probants de la rencontre entre l'univers de l'art et celui de la musique techno. On sait que la *techno nation* a pris pour habitude, depuis longtemps, de détourner les logos connus sur des T-shirts : on ne compte plus les déclinaisons de Coca Cola ou de Sony truffées de messages subversifs ou d'appels à fumer de la sinsemilla. Nous vivons dans un monde où les formes sont indéfiniment disponibles à toutes les manipulations, pour le meilleur et pour le pire, un monde dans lequel Sony et Daniel Pflumm se croisent dans un espace saturé d'icônes et d'images. Tel qu'il le pratique, le mix est une attitude, une posture morale, davantage qu'une recette. Quand Liam Gillick connecte le monde de l'entreprise sur la grille moderniste, en détournant le vocabulaire de l'art minimal sur l'univers de la bureautique et des multinationales, il procède à une archéologie sauvage de la grille moderniste. La puissance du travail de Daniel Pflumm réside, elle aussi, dans cette capacité à insérer les formes dans des scripts qui nous révèlent les couches de signification moins accessibles dans lesquelles elles trempent.

[1] Daniel Pflumm, entretien avec Wolf-Günther Thiel, in *Flash art*, n° 209, novembre-décembre 1999.

[2] Éric Troncy, entretien avec Liam Gillick, « Les gens étaient-ils aussi bête avant la télé ? », in *Documents sur l'art*, n° 11, 1997-1998.

Michael Lin et la notion d'ambiance (2009)

En quelques années, Michael Lin s'est imposé sur la scène internationale de l'art avec un travail dont les motifs s'avèrent aisément identifiables, déclinés dans des contextes divers. C'est cette apparente immédiateté qui est trompeuse : de la même manière que le travail d'un Rirkrit Tiravanija est fréquemment réduit à une séance de distribution de nourriture thaï, celui de Lin se voit résumé à la reproduction de motifs décoratifs asiatiques. Si je rapproche ces deux noms propres, ce n'est pas au hasard : tous deux assimilés à tort à la formule visuelle et/ou conceptuelle qui a marqué leurs débuts, ils présentent également d'indéniables points communs – mais pas où l'on pourrait le croire à première vue. Premièrement, tous deux extraient de la production sociale générale une forme nettement identifiable et issue de la culture populaire de leur pays d'origine, sur laquelle s'appuie leur travail. Deuxièmement, ils explorent tous deux une problématique qui s'est développée en tant que telle dans les années 1990, celle de l'ambiance, et une forme qui lui correspond et la traduit, la plate-forme à l'intérieur de laquelle s'opère la jonction avec les visiteurs de l'exposition. Mais l'œuvre de Michael Lin est impensable en dehors du constat que la peinture, et l'abstraction en particulier, est parvenue à un moment critique de son histoire. Dans chacune des interventions de l'artiste dans l'espace architectural se joue la question de la survie du lexique pictural, de son autonomie par rapport à la structure qui l'accueille, de sa résistance à l'instrumentalisation, de son efficacité par rapport à une certaine situation historique, de sa valeur en tant que langage témoignant d'une position esthétique. Dans les contextes les plus variés, Lin met ainsi à l'épreuve les formes issues du modernisme en les passant à la double épreuve du décoratif et du ready-made. Qu'est-ce qu'un motif ? Qu'est-ce qu'un décor ? Que devient la peinture lorsqu'elle se prête volontairement au jeu de sa disparition dans une ambiance ? Tout le travail de Michael Lin est sous-tendu par ces questions complexes, que ce texte va essayer de déplier à partir de mes souvenirs de travail avec l'artiste en tant que curateur.

Le motif en tant qu'outil visuel

Le geste qui caractérise ce travail – la reproduction de motifs de papier peint – appartient à une catégorie pratique : la postproduction de l'histoire du motif. Mais, avant de commenter le sens et la valeur des opérations qui composent ses œuvres, il faut s'attarder sur leur iconographie et se poser la question du sens que prend pour l'artiste l'emploi d'un tel répertoire de formes. Dans de nombreuses interviews, Lin met en avant son histoire personnelle, et plus particulièrement sa mémoire familiale, ainsi que le désir de faire « revivre » des motifs et des procédures traditionnelles en voie d'extinction. Doit-on en déduire que son œuvre reposerait sur un geste d'actualisation, de « mise au présent » du passé ? Ces papiers peints (appartenant, du moins dans un premier temps de son travail, à la tradition taïwanaise du motif floral), sont issus de la mémoire collective ; ce sont des productions anonymes et populaires, destinées à un usage domestique. Par le choix de ce matériau de base, Lin s'inscrit dans un espace-temps spécifique :

non seulement un lieu géographique (l'Extrême-Orient), mais aussi un espace socioprofessionnel délimité, celui de l'artisanat. Ces motifs ne sont néanmoins pas immédiatement reconnaissables comme provenant d'une époque révolue : leur persistance dans le temps, mais aussi leur diffusion internationale ultérieure leur assurent une sorte d'intemporalité, ou, du moins, les rendent difficile à dater ; d'autre part, leur origine géographique elle-même n'est pas toujours évidente lorsqu'ils intègrent, une fois agrandis, l'installation conçue par l'artiste. Ces entrelacs de fleurs de couleurs vives ou ces figures géométriques pastels pourraient avoir été produits, à l'ère de la globalisation, n'importe où à la surface du globe. En effet, paradoxalement, l'ancrage de Lin dans un contexte spécifique se résout dans une sorte d'abstraction. Le motif, chez lui, ne constitue ainsi pas un point théorique, comme c'est le cas pour Yinka Shonibare, par exemple, lorsqu'il met en scène des motifs décoratifs africains produits en Indonésie et importés localement, afin de démontrer la dépossession culturelle à laquelle sont soumis les peuples d'Afrique. Il semble plutôt que cette source iconographique taïwanaise, indexée par l'artiste à des souvenirs d'enfance, fonctionne dans son travail de la même manière que les rayures de 8,7 centimètres chez Daniel Buren, ou que la « barre de bois rond » disposée dans les galeries d'art par André Cadere : c'est-à-dire comme un « outil visuel » permettant un marquage de l'architecture où le travail se trouve exposé. Cet « outil visuel » s'avère toutefois moins neutre apparemment que celui d'un Buren, car chargé de connotations culturelles fortes, liées à Taïwan, au monde de l'artisanat et, surtout, à la nature même du papier peint. Travailler à partir de ce matériau représente, en quelque sorte, une provocation : le papier peint a toujours été perçu, en occident du moins, comme l'antithèse absolue de la peinture, son envers mièvre. Il appartient à l'univers de la décoration, du « joli » en tant qu'opposé du Beau, voire au kitsch.

Le décoratif et l'agrandissement

Cette notion de « kitsch » pourrait d'ailleurs bien être le socle caché de l'esthétique occidentale, dans la mesure où elle constitue le repoussoir absolu de l'art, son démon (voire son daimon, au sens platonicien du terme). Le kitsch est l'art de la masse inculte, qui ne recherche dans les formes que le plaisir et le confort visuel, à l'opposé de l'inconfort que l'art se donne pour tâche de prodiguer en questionnant nos présupposés intellectuels et visuels. Si Henri Matisse a frôlé la question du kitsch en déclarant vouloir réaliser des œuvres « confortables comme un bon fauteuil », et si, aujourd'hui, ce type de productions se voit largement utilisé par des artistes qui travaillent sur la « low culture » en tant que matériau, de Jeff Koons à Mike Kelley, le kitsch demeure, comme en témoigne le texte canonique de Clement Greenberg sur « avant-garde et kitsch », le point central du discours sur l'art en occident. La manière dont Michael Lin s'empare du problème, en construisant des espaces à partir d'un matériau aussi « fade » que des papiers peints à motifs floraux, équivaut à un putsch formel : depuis sa position d'artiste taïwanais nomade, Lin interroge les fondements de l'esthétique moderniste. Cette première revendication se double d'une seconde. En effet, le décoratif est spontanément associé à l'univers féminin, de la même manière que le genre de motifs qu'il utilise associé à la douceur et à l'environnement domestique. Cette association inconsciente va dans le même sens : dans le travail de Michael Lin, le kitsch et les clichés sur la féminité contribuent tous deux à perturber le caractère radical des installations, tel un cheval de Troie séducteur destiné à contenir un discours bien plus âpre. Critique de la visualité de l'art à l'ère de l'ambiance et du display marchand, l'œuvre de Lin s'insinue comme un gaz dans les contextes les plus divers. Il s'adapte d'ailleurs à son cadre d'exposition par un principe de travail in situ qui poursuit certaines interrogations des années 1960 sur le rapport de l'œuvre d'art à son contexte. L'on pourrait dire que les installations de Lin se voient réalisées selon le principe de l'agrandissement infini : à partir d'un motif choisi, la taille de l'œuvre est exponentielle, ne dépendant que du lieu qui lui est imparti. Lorsqu'il réalise un wall drawing pour la façade du bâtiment La Sucrière, invité par Jérôme Sans et moi-même pour la Biennale de Lyon 2005, c'est un minuscule échantillon de papier peint qui devient monumental, gigantesque mural de plus de cent mètres carrés qui recouvre toute la surface du mur et s'adapte à ses contraintes, transformant ainsi l'édifice en objet. Ce protocole dimensionnel renvoie évidemment à celui de la publicité, à une esthétique de la vitrine et de la promotion marchande, tout autant qu'à l'histoire du design visuel et de l'art. N'oublions pas que les expressionnistes abstraits américains ont précisément adopté le grand format au moment où apparurent les publicités surdimensionnées et où les studios de cinéma hollywoodiens inventèrent le format cinémascope et la « vistavision », qui témoignaient de la volonté d'immerger le spectateur dans le spectacle. La manière par laquelle Michael Lin étend le motif à des dimensions monumentales correspond à un stade historique particulier de cette iconographie capitaliste du surdimensionnement, du « devenir-environnement » de l'image : son moment gazeux.

Le découpage de la production sociale

L'art du XXe siècle a vu se développer de nombreux protocoles permettant d'importer des objets, des images ou des figures issus de la production industrielle ou artisanale. Ces processus de « découpage » furent des gestes radicaux et avant-gardistes en leur temps, mais ils constituent aujourd'hui un répertoire de gestes et de méthodes utilisables – une « boîte à outils », comme je les ai décrits dans mon essai Postproduction. Parmi ces outils de découpage, on trouve bien entendu le ready-made duchampien, qui est un pur prélèvement dans la production des objets de consommation courante, sans modification. Le principe du ready-made s'est complexifié et diversifié dans les années 1950 avec les travaux des « affichistes » Jacques Villeglé, Mimmo Rotella ou Raymond Hains, qui collectaient dans la rue des affiches lacérées, les rebuts visuels de l'industrie iconographique urbaine. Ou avec le Belge Jacques Charlier, qui utilisa dès 1964 son emploi rémunéré dans les services techniques de la ville de Liège pour en exposer les productions photographiques. De nombreuses méthodes de découpage de la production sociale apparaissent dans les années 1960, liées à la représentation picturale, sculpturale ou mécanique des objets de consommation : le Pop art y ajoute la sérialité propre à la culture de masse américaine, tandis qu'un mouvement méconnu apparu en 1963-1964, le mec-art (mechanical art), mené par le Français Alain Jacquet ou l'Italien Gianni Bertini, s'applique à explorer les moyens purement mécaniques de constitution de l'image. Mais le principe de découpage qui s'avère le plus proche des travaux de Michael Lin semble se situer dans le concept de « peinture industrielle » tel qu'il fut développé dès 1959 par l'un des fondateurs de l'Internationale situationniste, Giuseppe Pinot-Gallizio : le « manifeste de la peinture industrielle » appelle à la fin de l'art comme activité séparée du reste de la production, prônant un art « inflationniste », un « art appliqué unitaire » fabriqué selon les principes de la chaîne d'usine, grâce aux moyens offerts par la machine. Des milliers de kilomètres de peinture doivent être exposés dans les rues, dit Pinot-Gallizio, un art pour le peuple, sans copyright et sans auteur. Quand Michael Lin élève un échantillon de papier peint aux dimensions d'un environnement total, il poursuit, d'une certaine manière, le rêve de l'artiste situationniste : il crée, littéralement, une « situation » à partir d'éléments de la culture populaire, un art virtuellement « inflationniste » puisque agrandissable et multipliable à l'infini, et basé sur une production destinée à l'usage courant. On peut, certes, trouver dans le travail de Lin un écho de la « peinture industrielle » telle que la concevait Pinot-Gallizio, mais il substitue au modèle du travail à la chaîne en usine, encore dominant en 1959, celui du télétravail numérisé qui est devenu le modèle hégémonique aujourd'hui. Les grandes installations de Lin sont ainsi réalisées à partir d'une pixellisation de l'image : découpée en segments géométriques, celle-ci se voit peinte aux dimensions voulues par une équipe d'assistants, puis assemblée sur le lieu d'exposition. Ce moment où l'œuvre devient un immense chantier appartient, à mes yeux, à la logique de l'œuvre elle-même. Lin n'est pas forcément présent physiquement à toutes les étapes de cette fabrication, ce qui correspond à la logique profonde du mode de production et des processus de travail contemporains ; et la manière dont chaque assistant se voit tout d'abord confronté à la réalisation d'un fragment infime de l'œuvre, comme s'il s'agissait d'un tableau autonome, puis pris dans un mouvement collectif d'assemblage, ramène le travail de Lin à son point d'origine : l'atelier de production.

La figure de la plate-forme

Lorsque Jérôme Sans et moi-même fûmes nommés codirecteurs du Palais de Tokyo à Paris, en 1999, l'une de nos premières décisions fut de confier à des artistes la direction artistique d'espaces qui nous semblaient stratégiques pour un lieu d'art contemporain. Les fenêtres du restaurant furent ainsi le support d'un projet de Beat Streuli, tandis que nous pensâmes immédiatement à Michael Lin pour l'aménagement de l'espace de la cafétéria, située en contrebas des salles d'exposition, ouvert sur la grande terrasse qui lie le Palais de Tokyo au musée d'Art moderne de la Ville de Paris. La particularité de ce projet fut de se dérouler en deux temps : tout d'abord, à partir de l'inauguration en janvier 2002, l'œuvre fut présentée en tant que telle, dans un espace encore indéfini, parsemé de coussins installés par l'artiste sur lesquels les visiteurs pouvaient s'allonger ; puis, quelques mois plus tard, les tables et les chaises de la cafétéria furent installées dans cette zone, donnant à la spectaculaire floor piece de Lin (un motif floral peint dans des tonalités violet, fuchsia et jaune de chrome) un statut plus ambigu, entre celui d'un espace fonctionnel et celui de « restes » d'une œuvre autonome.

La génération d'artistes apparue dans les années 1990, à laquelle appartient Michael Lin, a donné à la notion d'ambiance, jusque-là considérée comme tout aussi péjorative que le terme de « décoratif », une valeur conceptuelle à part entière, qui provient en partie de l'essor de l'ambient music et de ses dérivés dans la première moitié des années 1990. À partir du moment où « l'ambiance » (la « situation construite », pour le dire autrement) se voit intégrée dans un projet formel, elle est considérée comme un élément plastique parmi d'autres et non plus comme un vide. L'une des possibilités de traduction formelle de cette notion d'ambiance, qui devient alors un cadre de travail largement utilisé par les artistes, est la figure de la plate-forme : l'œuvre comme structure d'accueil des visiteurs de l'exposition, comme espace structuré dans lequel se déploient des activités de diverses natures. Rirkrit Riravanija organise ses expositions selon un certain type de fonctions (prendre un repas, lire, dessiner, etc.), Liam Gillick propose des espaces architecturés dédiés à des tâches spécifiques liées à l'univers de l'entreprise, Surasi Kusolwong élabore des environnements où se combinent différentes activités commerciales ou ludiques… La liste de ces œuvres-plates-formes serait longue : cabinets de lecture, cafés, espaces de prise de parole, lieux de production collective… Les années 1990-2000 ont vu proliférer ces travaux à l'intérieur desquels le regardeur fait partie intégrante du dispositif formel, et qui constituent l'une des figures de cette sphère artistique que j'ai essayée de décrire à l'époque dans *Esthétique relationnelle*. Michael Lin a toujours incorporé cette préoccupation dans ses travaux : *Kiasma Day Bed* (Helsinki, 2001), qui constituait un espace de relaxation pour les visiteurs de l'exposition, ou *Untitled/ Cigarette Break* (Taipei, 1999) à l'intérieur duquel on pouvait venir fumer, représentent deux parfaits exemples de cette double intégration du visiteur d'exposition et de la fonctionnalité des œuvres d'art. « Quand on regarde un tableau, explique Lin, on est concentré et debout, alors que la relation qui s'établit avec mes œuvres est plus physique. Elle relève plus de la relation qu'il y a entre vous et votre canapé que de celle qui peut exister entre vous et une peinture. »

Cette « physicalité » de la relation à l'œuvre répond à une question canonique du modernisme, celui de la gestion de la durée dans l'art : l'on se souvient que Michael Fried critiqua l'art minimal, dans le texte *Art and Objecthood*, en raison de sa « théâtralité » et de son caractère « scénique », c'est-à-dire de l'inclusion d'éléments liés à la durée, par opposition à la « présence » (presentness) et à « l'instantanéité » qui caractérisaient selon lui le modernisme pictural. L'œuvre-plate-forme prolonge la problématique de l'art minimal et sa critique du modernisme en organisant la durée de la présence du visiteur d'une manière dialogique, en faisant de cette durée un élément formel à part entière. Ici, c'est l'activité (s'asseoir, s'allonger, fumer…) qui détermine une durée. Il s'agit donc moins du « temps de vision » de l'œuvre, comme c'était le cas dans la problématique d'un Tony Smith ou d'un Robert Morris, que du « temps de passage » du visiteur à l'intérieur de l'environnement-plate-forme. Michael Lin appartient à cette génération d'artistes qui a ainsi bouleversé notre rapport à l'œuvre d'art, en considérant le visiteur-regardeur comme un matériau décisif dans la constitution du sens, en déplaçant le « visionnage » vers le « passage », mais également en renouvelant la question des outils visuels nécessaires à la constitution de telles œuvres-plates-formes.

CHAPITRE IV
Appropriation et usage collectif des formes

Le syndrome Roger Rabbit (l'art américain dans les limbes)

Ces réflexions autour du simulationnisme et des artistes « appropriationnistes », comme on les qualifiait parfois à l'époque, de Jeff Koons à Allan Mc Collum, furent publiées dans un numéro de la revue *Artstudio* consacré à l'art américain, en 1987.

« Les seules œuvres d'art que l'Amérique nous ait donné, ce sont ses installations sanitaires et ses ponts. » Au-delà de son caractère provocateur, cette phrase de Marcel Duchamp représente un véritable fil d'Ariane pour comprendre l'art américain. Étrangement prophétique aussi, cette interview donnée par André Breton en 1941 au magazine View : « Ce qui prend fin, c'est l'illusion de l'indépendance, je dirais même de la transcendance de l'œuvre d'art [...] » Et si la mission historique de l'art américain consistait à redéfinir les domaines respectifs de l'esthétique et de l'ingénierie, de l'objet d'art par rapport au fonctionnel ? L'histoire de l'art américain depuis la Seconde Guerre mondiale est celle de son incrédulité envers les propriétés spécifiques de l'objet d'art, de son acidité pragmatique face à l'idéalisme des « catégories » du vieux monde[1]. Et les *Ultimate Paintings* d'Ad Reinhardt, les icônes mécaniques du pop, les « objets spécifiques » de Donald Judd représentent trois points de repère d'un art qui a délibérément choisi de se porter aux limites. Donald Judd ou Joseph Kosuth, en revendiquant l'émergence du terme « artwork », cherchent à la fois à échapper à la dichotomie peinture/sculpture et à rapprocher leur production du monde « profane » des objets.

L'« artwork » se joue des douanes du territoire artistique, pour mieux pouvoir interroger, tel un cheval de Troie, les lois et les coutumes de la vie courante. Ainsi les *Surrogates* d'Allan McCollum (exposés pour la première fois en 1970) dont la présentation s'apparente à celle des souvenirs dans les boutiques pour touristes, ou encore celle des tableaux chez les marchands du XVIIIe siècle : les *Surrogates* sont des substituts qui possèdent toutes les caractéristiques externes de l'œuvre d'art, mais seulement à titre fictif, ou expérimental : ce sont des leurres, destinés à sonder les capacités de résistance de l'art confronté à des principes hostiles. Prenant à rebours le constat de Walter Benjamin concernant « l'œuvre d'art à l'ère de sa reproductibilité technique », McCollum travaille à partir des éléments contraires à l'aura de l'œuvre d'art traditionnelle : l'abondance, la reproductibilité, la disponibilité. L'original est ainsi reproduit à l'infini, par l'application du modèle du travail à la chaîne. L'objet se transforme en pure valeur d'échange, en une « marchandise absolue »… McCollum met ainsi en évidence le rôle de la machinerie artistique dans la définition de l'œuvre d'art : la forme des *Perfect Vehicles* évoque celle des vases antiques, que l'abolition de leur valeur d'usage transforme en pièces de musée. Un court-circuit historique, qui laisse à penser que les propres objets de McCollum pourraient subir un sort contraire, en cas de défaillance de la « machine-à-art » occidentale. Se donnant à la fois comme extrême nouveauté et comme archéologie, les « produits » de McCollum sont en perpétuel flottement, soumis à la loi de l'offre et de la demande : les *Individual Works*, derniers en date, ont d'ailleurs failli s'appeler Flotteurs… McCollum confronte donc l'œuvre d'art aux lois qui régissent la circulation générale des objets.

En d'autres temps, Georges Braque prenait ses toiles sous le bras pour les emmener dans la nature et vérifier si elles « tenaient » à côté des arbres et des rochers. L'objet manufacturé s'est constitué en tant que modèle analogique à partir de la fascination duchampienne pour les hélices d'avion, puis avec Francis Picabia, Fernand Léger et, enfin, Morton Schaumberg représentant Dieu sous la forme d'une tuyauterie… Mais, si la dissolution de l'art dans la vie sociale est l'un des thèmes fondateurs, l'une des conditions de la modernité, elle ne prend un sens littéral qu'avec la systématisation théorique qu'a effectué l'art américain. Il ne s'agit plus, ici, de construire un mythe qui transcende la pratique, comme chez Piet Mondrian ou Joseph Beuys. Il s'agit de le réaliser formellement, dans les faits. C'est « l'utopie concrète » observée par Jean Baudrillard, qui excède le projet moderne en le faisant sortir de ses gonds mythiques. La disparition de la pratique artistique dans la Cité n'est plus un facteur de transcendance, mais l'agent d'une immanence, comme si le ready-made avait infecté à rebours toute l'histoire de l'art. « Le progrès, c'est la domination progressive de la matière », écrivait Baudelaire. Et, dans ce cas précis, la concurrence qui s'instaure entre l'art et l'industrie, entre la résistance du travail manuel et la fascination pour les produits de l'industrie. Les caissons métalliques d'Ashley Bickerton réalisent cette fascination, jusqu'à l'analogie avec la technologie de pointe, formule1 et matériel militaire : rivés au mur, harnachés pour le combat et bardés de logos, ils satisfont ironiquement aux exigences modernes d'auto-définition en exhibant fièrement leur « composition » de produit artistique, des « précautions d'emploi » utiles pour le collectionneur, ou encore l'appartenance de leur auteur au « Team Sonnabend ». En d'autres termes, « l'objet spécifique » de Donald Judd est devenu un monstre rutilant, clos sur lui-même comme une citadelle sponsorisée… L'œuvre cristallise la somme des acquisitions de l'individu, qui seules désormais sont appelées à définir son identité, comme celle de l'artiste. Dans *Abstract Painting for People*, Bickerton traite le mal comme une série de symboles banals, une entité « abstraite » pulvérisée par ses représentations sociales. Tout comme Ross Bleckner, il établit une circulation incessante entre l'abstraction en tant que forme et l'abstraction en tant que mode de pensée. En effet, l'art américain des années 1980 est avant tout une démonstration de la porosité existant entre l'imagé et l'abstrait, la série et l'unique, le sublime et sa neutralisation.

Comme un poste de TV en perpétuelle implosion, la « commodity-sculpture » est un fétiche qui tire sa force d'énigme de la somme de négations et d'ambiguïtés qu'il rassemble. Ainsi les travaux de Bickerton et McCollum se retrouvent-ils pris en porte-à-faux entre plusieurs statuts ; de même, les objets de Robert Gober ou de Ti-Shan-Hsu tirent leur énergie de cette indécision calculée, oscillant du ready-made à la sculpture traditionnelle. Toutes ces stratégies, quoique usant de moyens hétérogènes, ne servent pas moins une puissance unique : la destruction de l'idée d'art comme domaine autonome.

Ce que l'on pourrait, a priori, prendre pour une reddition devant la toute puissance de l'industrie, n'est en fait qu'une ultime ruse de l'artiste pour préserver son pouvoir au sein d'un rapport de forces nouveau. Consciemment ou non, il s'agit d'une stratégie de l'écart, du camouflage. Meyer Shapiro a établi que l'Action Painting consistait aussi en un système de production de la différence entre l'être humain et la machine, « une chaîne de montage de gestes »... Et nous savons que l'art du XXe siècle ne cesse de ruser avec les structures qui exigent sa disparition : la société de consommation, les médias, l'industrie, le spectacle... L'identification de l'art à la machine fait ressortir les pouvoirs de l'art, tout comme l'abandon de son autonomie face au social nous permet de comprendre par quels mécanismes, en fin de compte, le social est en retour absorbé par l'art... Il est évident que les médias consomment l'art, et que l'art consomme les médias : cette simple constatation est portée par McCollum à son plus haut point d'intensité métaphysique avec les *Perpetual Photos*. Photographiant sur un écran TV une scène de film dont le décor comporte une œuvre d'art, il agrandit celle-ci jusqu'à lui faire reprendre sa place dans la circulation artistique, fantôme d'elle-même... Rephotographiée en tant « qu'œuvre de McCollum », gisant sur les pages des magazines d'art, elle réintègre une fois de plus le circuit des médias. Toutes les définitions qui régissent notre vocabulaire artistique sont alors erronées, poreuses de tous côtés. Les *Perpetual Photos*, spectres d'œuvres jaillis d'une interface terrifiante, sont coupées de leur socle catégoriel. Quand Michael Corris produit des monochromes et expose leur photo dans l'atelier, puis les photos successives de leur lieu d'exposition, il va lui aussi vers l'évanouissement total de toute origine, une distorsion croissante entre l'image et sa source. Les œuvres de McCollum, Corris, Koons ou Gober nous apparaissent comme des fantômes, coupées de tout statut préalable, à jamais entre deux mondes. Sherrie Levine pousse encore plus loin le problème de l'autonomie. « Mes peintures sont comme des membranes perméables des deux côtés, favorisant un écoulement facile entre passé et futur, mon histoire et la vôtre », explique-t-elle. Véritable spirite, elle réalise des séries où surgissent Degas, Rodchenko ou Léger… À travers elle, qui n'agit que comme médium, l'histoire de l'art circule comme un fluide. Curieuse analogie à établir : l'œuvre ectoplasme, coulant de l'atelier de Sherrie Levine comme l'huile grasse des mains d'une vierge de Lourdes… Doublement fantôme, car quand la question de l'authenticité ne se pose pas, comme l'expliquait Baudrillard[2], « c'est que l'œuvre d'art n'est pas menacée par son double », puisqu'elle est « le reflet d'un ordre qui la dépasse ». Mais la nature de cet ordre, ici, reste mystérieuse et indéfinie. Aucune valeur tangible ne soutient les pratiques « simulationnistes », sinon la volonté de se tenir dans les limbes, en deçà de toute valeur, dans cet espace paradoxal où l'objet se tient disponible pour recevoir les énergies contradictoires des deux mondes, celui de l'art et celui de la consommation. Que Mike Bidlo ou Sherrie Levine restituent à l'identique des œuvres antérieures, que Jeff Koons ou Halm Steinbach utilisent des objets de production de masse, que Richard Prince subtilise des photos de magazine, le doute est porté sur la source de la valeur : c'est bien la signature qui authentifie l'œuvre en tant qu'objet culturel, mais l'artiste n'est qu'un donateur.

C'est dans cette interzone que les artistes américains évoluent, tout comme les personnages du film *Who Framed Roger Rabbit ?* de Robert Zemeckis : l'œuvre d'art et l'objet fonctionnel s'y côtoient sur un même plan, tout aussi bien que les « Toons » et les humains, le respect de leurs règles respectives étant émoussé par une longue familiarité… Il ne s'agit plus de l'affrontement du réel et de l'imaginaire, mais du franchissement des frontières entre deux modes de production de l'imaginaire : une production de masse (l'objet, les cartoons) et une production individuée (l'acteur, l'œuvre). Avec ce que j'oserais ici appeler le « syndrome Roger Rabbit », c'est tout le flottement des années 1980 qui se dessine… Par la tentative très warholienne de cerner les « formes du néant », cette génération marque ce qui la sépare des décennies précédentes : si le projet de Warhol consista à circonscrire le territoire de la mort, celui des artistes américains d'aujourd'hui serait plutôt d'arriver à flotter le mieux possible, de se maintenir dans une sorte d'émulsion théorique qui préserve plusieurs issues de secours. Ainsi les installations cinétiques de Jon Kessler traduisent-elles, par l'opposition des lumières et des masses, ce flottement dans l'espace. Ses « images du monde flottant » concrétisent, par le biais de la technologie, ce sentiment laiteux d'aporie qui frappe d'irréalité toutes les images du réel social. Ce sont les poids et les mesures des corps qui font soudainement défaut : et les ballons argentés gonflés d'hélium que Warhol disposait chez Leo Castelli retombent lourdement sur terre avec le Rabbit de Koons, lourd et inaltérable. Les light-shows de Jon Kessler, les *Equilibrium Tanks* de Koons, les *Individual Works* de McCollum sont autant d'objets placés dans l'apesanteur des valeurs boursières, éthiques et esthétiques du monde contemporain. Le sens et la valeur sont dans les limbes, sur les terrasses d'un purgatoire « hyperréel ». Comme l'explique Peter Halley : « La mort et la vie n'existent plus, en ce qui concerne l'évaluation de l'art [...] », le présent s'emparant du passé immédiat et lui assignant le rôle de réel en le vidant et en le systématisant. Pour Halley, le processus même du modernisme consiste en un drainage qui viderait les corps artistiques de la pesante présence de flux contradictoires comme ceux de la vie et de la mort… Cet effet de « zooming » renvoie à des représentations ultérieures. Comment Le Caravage révolutionne-t-il la peinture ? En figurant La Mort de la Vierge sous les traits d'un cadavre de noyée, boursouflé, lourd. Les saints du Tintoret, dont les corps semblent tomber en chute libre du ciel, heurtent le public de l'époque. Il est ici question de la pesanteur des corps : quand on sait que l'art américain s'est en grande partie constitué par le rejet de l'esthétique cubiste, et que l'une des raisons de ce rejet réside dans le caractère anthropomorphique du cubisme, par opposition à l'objectalité revendiquée de la peinture, on ne peut s'empêcher de penser que sa clé pourrait être celle de l'évaluation des corps… La *Black Box* de Tony Smith, par exemple : en tant qu'objet, une « boîte noire » est un système « dont on peut mesurer les niveaux d'énergie ou les quantités d'informations à l'entrée et à la sortie », comme l'explique Thierry de Duve. Et l'analogie avec le pragmatisme psychologique américain (le behaviorisme, l'École de Palo-Alto) est étonnante… Mais pourquoi le poids des corps, des objets et de l'art se dérègle-t-il ? Transposés sur un plan inconnu, dans un milieu expérimental qui n'en reconnaît plus leur spécificité et leurs besoins, ils se déforment comme le visage des pilotes d'essai ou des cosmonautes soumis à une très grande vitesse. Lâché dans l'univers ultra-rapide des médias et de la circulation des objets fonctionnels, l'art se pare de lueurs intenses mais inquiétantes. Il ne peut plus nous rassurer par la fiction d'un « monde de l'art » autonome, gouverné par l'intemporel. Alors, les lapins de dessins animés de Roger Rabbit ou les lapins inoxydables de Jeff Koons se moquent de notre condition de mortels. Le fait est là : que le domaine de l'art se laisse envahir par la réalité (ou l'hyperréalité), et c'est la mort qui prend le dessus, qui gonfle, qui nous écrase. Seule surnage l'attitude d'Ashley Bickerton, qui veut « donner des coups de pied au corps corpulent, cellulitique de l'art, pour en tirer une poésie perverse ». Là encore, il s'agit de la prolifération des cellules, du dépassement des limites naturelles du corps… Tout comme les *Cancer Paintings* de Peter Nagy, composées de logos juxtaposés et photocopiés jusqu'à devenir méconnaissables, qui montrent comment un système peut se détruire dans la limite de ses propres principes lorsque ceux-ci sont devenus hors contrôle. Les *Cancer Paintings* sont de véritables monuments au désordre nés de l'ordre, à la perte de sens par l'excès même de sens et d'informations.

Tout aussi mortuaires sont les toiles de Ross Bleckner, pour lesquelles l'abstraction semble se recharger au contact des images et des valeurs qui indiquent une pulsion de mort du social. « Le regard porté sur une œuvre doit placer dans un état de confusion, proche le l'écroulement », dit-il.
Les trouées de lumière blafarde ou l'indication du nombre des victimes du sida, les couronnes funéraires ou l'inscription « Remember Me » témoignent de cette volonté de

réconciliation entre l'abstraction et l'éthique qui marque son œuvre. Penser les limbes de la morale, décrire l'indicible état des choses dans une société flottante où circulent la solitude, la maladie et la mort, comme des entités désormais insaisissables par l'art : le programme de Bleckner consiste à trouver une formulation plastique de ces catastrophes, en donnant, lui aussi, une valeur implosive à ses œuvres. « Je tente d'atteindre le sublime par sa démystification », avoue-t-il.

Et c'est là la véritable tentation de l'art américain d'aujourd'hui : construire le mythe artistique de nos années de flottement. L'art fait ainsi une expérience proche de celle de la métempsycose, mais sans que rien ne le relie au cosmos : une métamorphose en état d'apesanteur...

[1] Note de 2011 : c'est là évacuer un peu rapidement le formalisme greenbergien, entre autres.

[2] Jean Baudrillard, *Pour une critique de l'économie politique du signe*, Paris, Gallimard, coll. Les Essais, 1972.

Actualité de Roy Lichtenstein
(1991)

Les récents développements de l'art contemporain témoignent d'une réelle actualité du Pop art : son iconographie se réinvestit dans le champ de la « sculpture » contemporaine, l'imaginaire dont il est issu nourrit aujourd'hui le débat esthétique, et la peinture actuelle est encore fortement marquée par la frontalité, les couleurs contrastées et la simplification des formes qu'il a empruntées à la publicité. De Cady Noland à Guillaume Bijl, tout un pan de l'art contemporain se mesure à l'image pop. L'abstraction (de Jonathan Lasker à Gerwald Rockenshaub, de Peter Halley à John Armleder) se révèle plus tributaire du Pop art que de l'art minimal[1]. Tout se passe comme si le système de représentation mis en place par Rauschenberg, Johns, Warhol, Lichtenstein, Rosenquist et quelques autres, était devenu aussi crucial pour notre époque que la perspective monoculaire centriste pour la Renaissance. Le pop, matrice des images contemporaines, affirme précisément l'image comme matrice, comme reproductibilité infinie. Le monde ne s'y donne pas dans une ordonnance spatiale déterminée par un point de vue unique, mais sous une forme emblématique.

Si la perspective constitue une hiérarchisation des choses à partir du regard du sujet, le cubisme un éclatement des points de vue désintégrant la « vérité unique » de l'objet, le pop marque l'apparition d'un nouveau statut de la représentation : désigner du semblable. Que ce soient les Campbell soups, les Marylin de Warhol ou les détournements de comics et d'œuvres d'art par Lichtenstein, l'image n'est pas un indice de qualité : elle renvoie à une quantité.

Une toile de Braque, ou de Jackson Pollock, témoignent d'un moment unique, d'un phénomène qui ne se reproduira plus ; le *Whaam!* de Lichtenstein évoque un déjà-là qui peut se répéter ad libitum. Son matériau d'origine est disponible, et même omniprésent. Notre fascination pour la prolifération des images et l'indétermination de leur origine n'étant pas épuisée, c'est le Pop art qui fournit l'essentiel du substrat théorique des interrogations artistiques contemporaines. On peut légitimement présenter l'œuvre d'Allan McCollum comme un approfondissement de la sérialité warholienne. Warhol mais pas Lichtenstein : celui-ci mime la sérialité tandis que celui-là la met en œuvre ; Lichtenstein prend la trame comme sujet et la met à distance, Warhol prend pour sujet la dissolution du moi dans la reproduction généralisée et le redouble dans son traitement de l'image. Warhol, moraliste, traite de la catastrophe, de la mort, de l'insensibilité. Lichtenstein, sceptique, peint des tourments amoureux, des œuvres d'art et des coups de pinceaux. L'œuvre de Lichtenstein est moins intense et moins pénétrante que celle de Warhol ; mais sa distance ironique, sa froideur rigoureuse, son appel à la sensibilité collective, en font une entreprise qui n'est naïve qu'en apparence. Roy Lichtenstein tient autant du Douanier Rousseau que de Frank Stella…

Le Bon goût Pop

« Quand je fais un Mondrian ou un Picasso, explique-t-il, j'essaie de réaliser un Picasso ou un Mondrian commercialisé, ou encore une toile publicitaire de l'expressionnisme abstrait. » Par les techniques publicitaires, la simplicité de son iconographie et l'extrême lisibilité de ses images, Lichtenstein incarne le désir pop de trouver un accord avec le public. Mais là encore, il se positionne à l'opposé de Warhol, c'est-à-dire du côté du bon goût : là où les *Disasters* et les *Electric Chairs* de Warhol mettaient en relief la morbidité cachée de la « culture pop », faite de fascinations malsaines et de vulgarité agressive, les comics de Lichtenstein se placent sur le terrain de l'hédonisme, de l'anodin et du confort. Le projet warholien est par essence scandaleux, comme l'était celui de Manet : tous deux dégagent un parfum de mort, car ils paraissent également indifférents à la tragédie qu'ils donnent à voir. Ce que Bataille écrit de l'Olympia pourrait s'appliquer à Marylin : elle « se distingue mal d'un crime ou du spectacle de la mort ; tout en elle glisse à l'indifférence de la beauté ». Roy Lichtenstein est à la fois plus expressionniste et plus discret : on pourrait le rapprocher du Picabia du « Manifeste du bon goût ». Prônant l'immédiateté visuelle (et la duplicité historique), Picabia entendait réaliser « la peinture la plus jolie possible, une peinture imbécile, susceptible de plaire aussi bien à mon concierge qu'à l'homme évolué, une peinture qui n'irait pas chercher dans les musées ce que les conservateurs y ont enterré ». Chez lui comme chez Lichtenstein, on retrouve la même affectation : définir la beauté en termes de plaisir et de séduction, affirmer la qualité en tant que succès public. Jeff Koons se fait aujourd'hui l'écho de préoccupations similaires : « Si un arbre tombe dans la forêt sans que personne ne soit là pour l'entendre, produit-il réellement un son ? Est-ce que l'art existe s'il ne participe pas à la socialisation ? » Lichtenstein en particulier et le Pop art en général prennent le concept de goût au pied de la lettre : c'est la version socialisée, concrète, du jugement du goût, c'est-à-dire la consommation, qui va servir à fonder le concept « industriel » de la beauté. Comment témoigner de son goût sinon en choisissant ? À partir de ce syllogisme, Lichtenstein fait de son art un art de la consommation. Images de comics, tableaux de maître et produits de série sont ainsi traités sur un plan unique, celui de la disponibilité, de l'availability. L'artiste les a choisis, mais vous pouvez les choisir à votre tour : et il les a choisis, pour l'essentiel, dans le sens de la somme des choix du public. Le regardeur s'avère ici co-responsable de la « beauté ». En cela, le travail de Haim Steinbach, même s'il s'agit encore d'un « art de consommateur », ne s'inscrit pas exactement dans la problématique du pop : Steinbach traite moins de l'objet en tant que produit de consommation de masse que de l'hypothèse du connaisseur... Sur ses rayonnages des antiquités côtoient des objets de série. S'ils se répètent rythmiquement, c'est moins du point de vue du supermarché que de celui du rangement domestique. L'acte de choisir, chez Steinbach, renvoie à une stratégie individuelle, tandis que chez Lichtenstein, le choix est communautaire. Ce glissement sémantique correspond au passage de l'industriel au post-industriel : le culte de la différence s'est substitué à l'obsession de la standardisation, la communication de masse fait lentement place à l'interactivité, l'appropriation pop au piratage et au sampling. L'œuvre de Lichtenstein se voulait la critique ironique de l'utopie consumériste américaine, qui présentait le communisme comme l'enfer de l'impossibilité du choix.

Vitesse et narration

En puisant dans la bande dessinée, Lichtenstein fait allusion à une narration. À part quelques toiles de Warhol à ses débuts (Dick Tracy), c'est un cas unique dans le Pop art, qui se réfère à l'univers immobile de la publicité, au hiératisme sériel de la présentation commerciale. Les emprunts de Lichtenstein aux comics relèvent, pour une grande part, de la visualisation de l'ultra-rapide : coup de poing fracassant, explosion, tir de mitrailleuse, etc. C'est-à-dire la représentation de la vitesse pure à l'aide du maximum de conventions arbitraires. La vitesse de « l'événement » représenté va de pair avec la qualité du regard qu'il requiert : c'est la vitesse qui fonde la peinture de Lichtenstein. En cela, on pourrait prétendre qu'elle se rattache au grand récit de la modernité. Mais la vitesse, en tant que sujet, est mise ici en jeu d'une manière diamétralement opposée à celle, disons, de Goya et Manet, en qui certains historiens voient l'axe constitutif de la modernité picturale. Goya, en exécutant rapidement les cartons de tapisserie pour les manufactures royales, a effectivement construit son style sur sa vitesse de touche. Manet, en juxtaposant de larges coups de brosse, puis les impressionnistes, en prônant la vitesse du pinceau comme seule apte à saisir l'impression, ont largement contribué à lier le nouvel ordre pictural à la rapidité. Pollock en sera le point d'orgue. Mais si, de Goya à l'Action Painting, la vitesse a été un facteur d'autonomisation de la peinture, peu à peu dégagée des impératifs de la ressemblance, Lichtenstein boucle ironiquement la boucle de la modernité vite : là où la rapidité dissolvait la ressemblance, il essaie, après les futuristes, de trouver la ressemblance du rapide… Il donne de la vitesse une image, et une image méticuleuse, la mettant à distance de facto alors qu'il la célèbre dans son iconographie. En ce sens, Lichtenstein annonce le travail de Gerhard Richter : ses *Brushstrokes*, « toiles publicitaires de l'expressionnisme abstrait », même si elles viennent après les premiers essais de Richter, pourraient lui servir de programme. Dès 1962, avec *Blam*, on trouve chez Lichtenstein le matériau idéologique des *Brushstrokes* : doute ironique porté sur la possibilité de représenter le temps, et donc l'être ; en peinture, annihilation de l'expression individuelle. Le Moi que manifeste Lichtenstein à travers ses toiles se réduit au pouvoir de choisir, puis à la suspension de ce choix. Il est clair que le projet de Richter, « faire de la photographie avec d'autres moyens », pourrait se comparer à celui de Lichtenstein.

La standardisation des sentiments

Lichtenstein n'emprunte pas à la bande dessinée que son univers héroïque et guerrier. Il glane aussi les images des tourments amoureux, des angoisses cheap et autres déprimes insignifiantes qui font les délices des quotidiens à grand tirage et des publications à l'eau de rose. Il est tout aussi fasciné par la bluette que par la vaillance tonitruante qui plaît tant à l'Amérique profonde. En fait, il décrit la rhétorique sentimentale dans laquelle nous sommes pris, le glossaire de sensations simples auquel chacun peut compatir. Lichtenstein bâtit les allégories misérables de la standardisation des émotions humaines, réduites à une grille, une trame hors de laquelle toute communication immédiate est impossible. Il s'agit d'ailleurs d'un phénomène plus général : établir un panel, une fourchette, des figures est plus facile, plus rapide, que d'appréhender la singularité, d'envisager la complexité abyssale de l'être. La trame peinte par laquelle

Lichtenstein présente ses images est peut-être la métaphore (ou la métonymie) de la trame psychologique qui régente la communication. On peut pressentir avec lui que « la géométrie est devenue le réel de notre univers », comme l'écrira Peter Halley vingt-cinq ans plus tard. L'organisation est, selon les propres termes de Lichtenstein, le « principal problème » traité par son œuvre. En répercutant la structure de la trame sur l'iconographie qu'il sélectionne, il pose les jalons théoriques de l'abstraction psychologique des années 1980.

Le musée imaginaire désenchanté

L'art moderne ? Il est « extrêmement romantique et irréaliste. Il ne se nourrit que de l'art. Il est utopique ». Une condamnation sans appel, de la part de celui qui clame haut et fort sa haine sarcastique de l'utopie, éphémère par essence, et dont le consumérisme est la cible privilégiée. Mais Lichtenstein, réaliste et antiromantique, élabore un anti-illusionnisme qui s'appuie justement sur les procédés de l'illusion à grand tirage. Anti-utopiste, il puise des motifs chez deux des artistes les plus utopistes de la modernité, Fernand Léger et Piet Mondrian. La méthode critique de Lichtenstein serait-elle l'irascibilité ? « Je suis anti-expérimental et anti-contemplatif, avoue-t-il, anti-nuance, anti-fuite-loin-de-la-tyrannie-du-rectangle, anti-mouvement et lumière, anti-mystère, anti-qualité-de-la-peinture, anti-zen et anti-toutes-ces-brillantes-idées qui précèdent les mouvements artistiques et que chacun comprend si bien. »

La froideur sarcastique de ce programme rappelle le nihilisme pictural d'Ad Reinhardt. Et pourtant, Lichtenstein ne peint pas des monochromes : son principal outil de désillusion, c'est l'image. Lichtenstein est l'artiste du musée imaginaire désenchanté. Tout dans son œuvre s'insurge contre la supposée transcendance et l'autonomie de l'art. On a vu que son grief essentiel contre l'art moderne réside dans l'illusion d'un art autarcique (« Il ne ne nourrit que de lui-même ») : alors, pourquoi Lichtenstein reprend-il constamment les chefs-d'œuvre de la modernité, des compositions de Mondrian aux *Futuristic Paintings* ? Entre

1962 et 1964, il peint une série de reproductions d'œuvres de Monet, Cézanne et Picasso en leur appliquant la monumentalité « publicitaire ». On retrouve dans ses récents murals des références à Léger, Picasso, aussi bien qu'à Matisse et aux arts déco. Lichtenstein aplatit le musée imaginaire, nivelle les styles en leur appliquant un procédé unique : la reproduction et son corollaire, le changement d'échelle, sont les principes mêmes du musée imaginaire tel que théorisé par Malraux. Et le style de Lichtenstein est indissociable de la trame, qui est l'instrument du changement d'échelle et de la reproduction mécanique. Les vignettes de comics, les pin-up de calendrier et les chefs-d'œuvre modernes sont ainsi placés sur un pied d'égalité, et ce à l'aide des techniques qui permirent le musée imaginaire. L'œuvre de Roy Lichtenstein en désigne les effets pervers, en exhibe la monstruosité sous-jacente et dénonce nonchalamment l'idéalisme transcendantal qui le fonde.

Mimétisme critique

L'œuvre d'art se trouve désormais conditionnée par sa reproductibilité technique, comme l'annoncèrent Walter Benjamin et André Malraux. « L'œuvre d'art, écrivait Benjamin, ne peut que perdre son aura dès qu'il ne reste plus en elle aucune trace de sa fonction rituelle. » L'œuvre de Lichtenstein se déploie à partir de la notion de reproduction, dont elle mime les modalités (trame peinte, couleurs pures, simplification des formes). Comme si elle tentait de reconstituer l'aura autour des éléments de sa destruction, de refonder une « fonction rituelle » de l'art qui serait un rituel de proximité : la consommation comme communion, comme « office ». Au sein de la religion démocratique américaine, la consommation fait figure de lieu communautaire. Le pop se réapproprie l'image dans un ici et maintenant du regard et non plus de la main. Ce mouvement est parallèle à celui de la photographie, sur laquelle se fonde la pratique picturale de Lichtenstein. Sa technique de production comme de reproduction ne se basent pas directement l'une sur l'autre, comme Benjamin le disait du cinéma, mais tendent à se confondre, et la reproduction tend à devenir le sujet de la production…

Andy Warhol voulait « être une machine », tandis que Lichtenstein observe la machine de l'extérieur. Quand il

« reproduit » Mondrian, le peintre de l'ordre géométrique et de l'utopie de la présence, il n'y ajoute que la trame, c'est-à-dire la notion de reproductibilité. « Une image n'est qu'un espace dans lequel diverses images, dont aucune n'est originale, s'affrontent et se confrontent », écrit Sherrie Levine. En tant qu'appropriation manuelle des images d'un monde mécanisé, le travail de Lichtenstein constitue une réflexion sur la place et la fonction du geste dans l'art contemporain, qu'il semble l'expression figée de l'être « congelé » dans sa grimace (*Brushstrokes*) ou bien un mimétisme critique du fonctionnement de la reproduction (*Non-objective Paintings*). Dans les deux cas, l'aura n'est plus le fait de la production artistique, mais du regard qui suspend l'image.

[1] *Cf.* Nicolas Bourriaud, « L'héritage de l'indifférence », in *Artstudio*, no 6.

[2] In *Roy Lichtenstein*, Rome, Éditions internationales, repris dans *Art Press*, n° 106.

Formes usagées.
Actualité du Nouveau réalisme (2007)

Le Nouveau réalisme ? Connais pas… De la part des artistes français d'aujourd'hui, pour ne pas parler de leurs homologues étrangers, l'on pourrait s'étonner de l'absence quasi totale de références au mouvement fondé par Pierre Restany le 27 octobre 1960, jour où « les nouveaux réalistes ont pris conscience de leur singularité collective », comme en atteste leur laconique manifeste. Contrairement au Pop art, le mouvement français semble n'avoir aucune postérité déclarée et n'être guère revendiqué par les artistes. Pourtant, du succès de la récente rétrospective d'Yves Klein organisée par le Centre Pompidou au succès critique posthume de Raymond Hains, en passant par l'intérêt toujours vivace du public et du marché envers les œuvres de Jacques Villeglé, unique français présent dans le nouvel accrochage du Moma, mais aussi Jean Tinguely ou Christo, il apparaît clairement que les artistes qui composaient le groupe des nouveaux réalistes ne sont aucunement tombés dans l'oubli. Certes, ils n'ont guère été soutenus par les institutions françaises (à l'exception de l'exposition organisée par le musée d'Art moderne de la Ville de Paris en 1986) qui, jusque dans les années 1990, insistèrent sur le mouvement Supports-Surfaces au détriment du Nouveau réalisme, coupant ainsi la France du débat international – en ne faisant pas valoir des arguments esthétiques qui auraient sans doute mieux été entendus à l'étranger que la *post-painterly abstraction* à la mode de chez nous.

Mais, au fond, le Nouveau réalisme souffre d'avoir été le dernier mouvement d'avant-garde canonique : autodéclaré, doté d'un manifeste, managé par un théoricien doublé d'un promoteur ambitieux, il fut bâti sur le modèle du surréalisme ou du lettrisme, tel un prototype du modernisme pur et dur. À ses côtés, le Pop art donne une image à la fois plus ouverte et plus floue, moins codifiée, et surtout plus disponible à l'interprétation critique que ne le permettent les théories de Pierre Restany, qui procurèrent au Nouveau réalisme une voix à la fois puissante et intimidante. Dans les années 1960, si l'on compte par dizaine les théoriciens du Pop art, qui pourrait nommer un second porte-parole du mouvement auquel appartinrent Klein et Hains ? La précision produit parfois dans le milieu de l'art une certaine rancœur : ainsi ne fut-il jamais question que d'adhérer ou pas aux thèses de Restany, pas vraiment d'y contribuer.

Appropriation

Mais, au-delà de sa reconnaissance en tant que mouvement, ce sont les problématiques du Nouveau réalisme qui demeurent pertinentes : « méthodologie de l'expression à partir du geste appropriatif », selon la formule de Pierre Restany, il croise aujourd'hui le thème majeur – et « recodé » par le simulationnisme américain des années 1980 – de l'art d'appropriation. Au moment de la création de ce groupe pourtant tiraillé entre affichistes (Hains, Dufrêne, Villeglé, Rotella), appropriationnistes de l'objet (Arman, Raysse, Tinguely, Spoerri, Christo) et l'épopée monochrome solitaire d'Yves Klein, le coup de génie de Restany fut de poser le ready-made comme le principe d'un nouveau vocabulaire, plutôt que de le cantonner, comme l'auraient voulu et les nostalgiques et les adversaires de Marcel Duchamp et du mouvement Dada, à un chapitre de l'histoire de l'art. La réalité urbaine et industrielle, explique-t-il, constitue notre environnement naturel, les artistes doivent y puiser les bases de leur lexique. Les éléments qui composent cette « réalité sociologique » sont dotés d'une « autonomie expressive » qui permet leur utilisation brute, augmentée de figures de style personnelles : accumulation, recouvrements, compression, découpage, montage… Chacun des nouveaux réalistes se distingue ainsi par un principe de composition, un geste qui délimite un territoire : ce système de pensée, on s'en rendra compte en 1978 avec le *Manifeste du naturalisme intégral* qui suivra l'expérience amazonienne de Restany, s'approche d'une « pensée sauvage » par laquelle l'individu créateur fait corps avec son environnement et développe une pensée territoriale.

Cette insistance sur le geste, élevé à la valeur d'une signature-logo, rend difficile toute filiation formelle : on ne continue pas Pollock. Il est tout aussi ardu de s'inspirer d'Arman ou de Klein sans tomber dans le pastiche, le clin d'œil ou la citation. Certains artistes ont, en revanche, utilisé l'un ou l'autre comme autant d'outils de production, mais sans jamais effacer la référence à l'original, bien au contraire : Sylvie Fleury a ainsi exposé plusieurs versions « customisées » des expansions de polyuréthane réalisées par César, tandis que Bruno Peinado, avec *Rainbow Warrior* (2004), les recouvrait de coloris psychédéliques. Adel Abdessemed, lui, a réalisé la compression d'un avion, lui donnant la forme d'une pâtisserie traditionnelle (*Borek*, 2005). Trop codées par la présence d'une individualité-territoire, les formes produites par les artistes du Nouveau réalisme incitent au pastiche ou à la citation davantage qu'à une continuation. En cela, le Pop art se situe rigoureusement à l'opposé : même les techniques warholiennes les plus vintage se voient aujourd'hui utilisées par des artistes comme Wade Guyton, Kelley Walker, Seth Price ou Meredith Sparks, sans que leur travail ne verse dans la parodie. C'est qu'Andy Warhol ou Roy Lichtenstein n'ont finalement pas fondé leur œuvre sur un « geste expressif » aussi exclusif que la compression ou l'accumulation, mais sur les registres plus neutres d'une technologie et d'un répertoire iconographique ainsi que sur des postures « cool », là où le Nouveau réalisme fait aujourd'hui figure d'expressionnisme industriel.

Sociologie

Sur le plan international, il est clair que le Nouveau réalisme souffre, en terme d'influence, de la comparaison avec le rouleau compresseur du Pop art, dont les principes de composition inspirés du packaging et les cadrages « zoomés » sont devenus la matrice visuelle dominante de l'art contemporain. Mais l'on se soucie peu du fait que les deux mouvements partent de postulats différents, voire inverses, à partir de cette réalité commune qu'est la consommation de masse : ainsi, si le Pop art prend comme base iconographique l'univers de l'emballage publicitaire, du rayonnage de supermarché ou du produit tel qu'il sort de l'usine, le Nouveau réalisme (mis à part Martial Raysse, dont la *Raysse Beach* de 1962 pourrait passer pour une œuvre pop) porte son attention sur les mécanismes de la consommation sociale des produits industriels. Que ce spectacle de la consommation soit anonyme, comme dans les *Poubelles* ou les *Accumulations d'Arman*, ou personnalisé, comme dans les *Tableaux-reliefs* de Spoerri où se voient souvent consignés les nom des convives dont le repas est devenu image, c'est toujours le produit industriel usagé (ou détérioré, dans le cas des affichistes) qui forme le vocabulaire de base du Nouveau réalisme : ils sont du côté de la nature morte. Un art du constat. Le Pop art, lui, repose sur une iconographie du désir, de l'incitation à la consommation, du stimulus visuel, dont on retrouvera les traits agrandis dans le simulationnisme des années 1980. Le grand projet du Nouveau réalisme fut la constitution d'une archéologie du présent, à travers les aventures de la production de masse et son usage social. Le travail de Villeglé, cette « comédie urbaine » qui retrace l'histoire de France depuis la fin de la Seconde Guerre mondiale telle que relatée par le « lacéré anonyme », apparaît ici comme emblématique. Benjamin Buchloch voyait ainsi dans les travaux de Hains, Villeglé et Rotella une remise en question radicale de la figure de l'artiste par le groupe-sujet social. Villeglé représente pour Buchloch, l'introducteur d'une attitude entièrement nouvelle : « En niant consciemment son rôle traditionnel, il cède la place au geste collectif de productivité qui, dans le contexte historique de Villeglé, était celui d'une agression muette contre l'état d'aliénation imposée [...][1]. » Cette notion de « production anonyme », poursuit Buchloch, a ouvert la voie aux démarches de Stanley Brouwn, Marcel Broodthaers ou Bernd et Hilla Becher, en anéantissant dans sa pratique la notion d'auteur et en réduisant celui-ci à une fonction de collecteur, associé objectif de la production collective. De cette problématique, on peut dire qu'elle est plus que jamais présente aujourd'hui, nombre d'artistes se présentant comme les compilateurs, les analystes ou les remixeurs de la culture de masse ou de la production médiatico-industrielle. S'ils ne présentent aucune caractéristique formelle du Nouveau réalisme, des artistes comme Mike Kelley, Jeremy Deller ou Sam Durant s'inscrivent dans les traces de Raymond Hains ou Jacques Villeglé.

Déchets

L'archéologie du présent insiste toutefois, teintée notamment de préoccupations écologiques : invité à la Tate Gallery, Mark Dion a ainsi exploré le fond de la Tamise au pied de l'institution britannique, recrutant des volontaires pour collecter dans la boue fluviale le moindre artefact s'y trouvant (pipes, objets en plastique, vieilles chaussures ou coquilles d'huîtres), afin d'exposer l'histoire culturelle et industrielle de Londres (*Tate Thames Dig*, 1999). La problématique de Dion semble fort éloignée de celle d'un Spoerri, dont l'esthétique est pourtant très proche : c'est celle de la crise environnementale globale et des relations sociopolitiques entre les pays riches et le tiers-monde. Toutefois, la méthode de l'un s'apparente à celle de l'autre. Dan Peterman est saisi par des questions similaires à celles de Dion, mais son œuvre semble structurellement plus proche des principes formels du Nouveau réalisme. Certaines œuvres de l'artiste américain, comme *Plastic Economies* (2004) ou *Excerpts From the Universal Lab* (2000), évoquent ainsi directement celles d'Arman ou de César : une myriade d'éléments de rebut réunis dans une composition géométrique. Plus généralement, le travail de Peterman porte lui aussi sur le déchet comme symptôme d'une crise de la société de surabondance, en agglomérant canettes métalliques ou débris plastiques d'une manière sans doute plus méticuleuse et plus « propre » que ses aînés. On le voit, nous sommes loin de la célébration de la « nature industrielle moderne » qui sous-tend d'optimisme technologique les manifestes de Pierre Restany : le déchet est aujourd'hui perçu par les artistes sous l'angle du désastre écologique. Néanmoins, une autre archéologie du présent s'organise, au-delà de l'industrie du retraitement du déchet, avec les travaux d'une Carol Bove ou d'un Jacques André. À leur sujet, c'est davantage d'une généalogie critique qu'il faudrait parler. L'une des œuvres de ce dernier, *La Fièvre des achats*, résulte d'une « tentative d'épuisement de stocks » de livres et de disques rares, menée à Bruxelles en 2003. L'artiste belge, qui se présente parfois comme « demandeur d'emploi », a également collecté, et agrandi sur fond blanc, dix-neuf tampons administratifs réservés aux chômeurs (*Social abstraction*, 2005)... Quant à Carol Bove, elle récupère des rebuts culturels, mais en tant que documents, voire indices, afin de recréer un contexte culturel révolu (le mouvement hippie et la contestation révolutionnaire des années 1965-1975) lui permettant de poser un regard critique sur notre présent.

Accumulations

Il est troublant de constater que les principes formels du Nouveau réalisme jouissent aujourd'hui d'un véritable regain de vitalité dans le cadre de problématiques de revendications identitaires, comme si le lexique industriel basique formé par Arman, César, Villeglé ou Spoerri reprenait toute sa pertinence dans des pays non occidentaux qui accèdent à l'abondance postindustrielle. Subodh Gupta a ainsi réalisé pendant plusieurs années de simples accumulations d'ustensiles en fer blanc issus du quotidien indien, qui, comme celles d'Arman, magnifient l'objet par sa répétition. Toutefois, les sculptures de Gupta relèvent également d'une esthétique fascinante, hypnotique, qui tient à la fois du contexte hindouiste dont est issu l'artiste et de l'influence des sculptures en acier chromé de Jeff Koons. Qu'importe, l'univers monumental, simple et brutal des formes des nouveaux réalistes correspond souvent à l'affirmation identitaire telle qu'elle se manifeste aujourd'hui chez les artistes issus de l'immigration ou des pays du tiers-monde. Les déchets, les tas d'objets accumulés, la mécanique, le zoom sur de minuscules détails : moyens plastiques pour dépeindre une économie au moment où elle génère un maximum de misère et un maximum de richesse. George Adeagbo, ou plus occasionnellement

Pascale Marthine Tayou et Barthélémy Toguo, emploient la forme de l'accumulation ou de la sérialité pour traiter les objets manufacturés. L'identité culturelle passe par le traitement plastique de l'environnement présent ou passé de l'artiste, et la répétition/accumulation permet de faire image avec des riens.

Chez Adel Abdessemed, c'est l'agrandissement qui est devenu une méthode de prédilection : *Pluie noire* (2006) se compose ainsi de cinquante-et-un forets de perceuses, en marbre noir, qui plongent le visiteur dans un environnement inquiétant. Kader Attia utilise également l'accumulation dans ce cadre identitaire : format basique, elle lui permet de décaler les références culturelles et d'instaurer un dialogue inconfortable entre deux cultures. *Moucharabieh* (2006) est un enchevêtrement de menottes de police formant un motif rappelant les fenêtres de l'architecture maure ; *Arabesque* (2006) est un texte écrit dans une variante géométrique de l'arabe, composé de matraques de CRS. Le travail d'Attia présente une certaine parenté formelle avec celui d'un autre artiste entre deux mondes, Kendell Geers, dont les empilements de barbelés (*Akropolis Redux, Director's Cut,* 2004) ou de cadenas (*Security Blanket,* 2003) dépeignent un univers sécuritaire, agressif et ségrégationniste.

Usage

Le point de rupture entre le Pop art et le Nouveau réalisme fut sans doute l'opposition entre la valeur d'usage et la valeur d'échange, l'objet disponible et l'objet consommé. De ce point de vue-là, les années 1980 furent pop : de Jeff Koons à Haim Steinbach en passant par Ashley Bickerton, la perfection immaculée de l'objet de série primait, articulée autour d'une problématique du désir et de sa (non) consommation. Ce n'est qu'à la toute fin de la décennie qu'apparurent, telles des météorites, les sculptures trash de Cady Noland, fragments de la mémoire occultée de l'Amérique, replaçant pour un temps le déchet au centre du débat artistique. Puis, directement inspiré par la théorie marxiste, John Miller utilise, au début des années 1990, la couleur marron comme métaphore excrémentielle, dans des tableaux et sculptures boueux où la peinture recouvre grossièrement des objets de rebut. Depuis lors, cette opposition entre usage et échange semble s'être dissoute, comme si l'art de la dernière décennie, et plus encore celle en cours, avait opéré entre ces deux notions une sorte de synthèse : dans les gigantesques installations de John Bock, Bjarne Melgaard, Sarah Sze ou Jason Rhoades, produits flambant neuf et détritus répugnants se côtoient. L'accélération de l'économie capitaliste, à l'ère de la globalisation, a rendu indistinctes les frontières entre production et consommation, produit packagé et rebut, de même que la vie des objets s'allonge et se complexifie par le phénomène de la customisation ou la mode du vintage. Comme s'il n'y avait désormais qu'un pas entre les boîtes de soupe Campbell de Warhol et celles, ouvertes, d'un Spoerri. *L'Hommage à New York* (1960) de Jean Tinguely, colossale sculpture autodestructrice, prend ici des allures de prophétie ; il n'est d'ailleurs pas indifférent qu'à cette œuvre, les installations d'un Jason Rhoades ou les décors d'un John Bock fassent souvent penser, par leur composition en capharnaüm et leur allure précaire. On pourrait également citer Daniel Spoerri, dont les *Tableaux-reliefs* des années 1960 constituent un modèle de préhension de la réalité, analogue à la photographie. Son *Triple Multiplificateur d'art* (1969-1971) pourrait ainsi être comparé à certaines pièces (les plus muséales) réalisées par Rirkrit Tiravanija sur un modèle identique. La convivialité gastronomique est un thème qui leur est commun, mais l'œuvre du Thaïlandais, loin du productivisme de Spoerri, ne se matérialise pas dans des objets types.

Mais, là encore, c'est moins dans la forme que s'effectue la postérité du Nouveau réalisme que dans un faisceau de thématiques et d'intuitions esthétiques. Ne serait-il pas fastidieux de se livrer à un exercice de repérage d'analogies formelles qui, hors des exemples cités plus haut, se réduisent à l'hommage, la parodie ou témoignent d'une méconnaissance de cette période de l'histoire de l'art ? Le Nouveau réalisme a tout à gagner aujourd'hui à se fondre avec le Pop art dans une nouvelle histoire de l'art de l'après-guerre, moins américano-centriste, qui redonneraitleur pleine valeur aux tensions créatrices entre les deux mouvements.

[1] Benjamin Buchloch, *Essais historiques*, t. 2, Villeurbanne, Art édition, 1992, p. 44.

Villeglé politique (2007)

L'histoire de l'art classique, lorsqu'elle aborde la question des fonctions de l'art dans la cité, insiste sur le fait que l'œuvre trouve sa justification première dans la catharsis, la purgation des passions collectives ou individuelles. L'artiste fait passer sur le plan matériel des forces inconscientes et obsédantes, tout comme les sociétés produisent des images afin d'exorciser leurs démons. Lorsque les représentations du diable apparaissent à la fin du Moyen Âge dans les écoles monacales, on s'accorde à penser qu'elles servent d'exutoire à des instincts réprimés par la règle des institutions religieuses. C'est la métaphore électrique qui rend le mieux compte de cette théorie de l'art : l'individu porterait en lui une charge en surtension, qui doit s'écouler de manière productive, canalisée par un objet social. On voit bien qu'il s'agit là d'une situation de déséquilibre entre l'individu et la communauté, et que l'art a pour fonction de rétablir des rapports harmonieux entre les deux. L'énergie de l'individu est contenue et réprimée par les règles sociales – qui relèvent de la morale ou de la politique, l'une ne va pas sans l'autre. On pourrait même avancer qu'avec Malaise dans la civilisation, Sigmund Freud signe un véritable traité d'énergétique, définissant morale et politique comme des appareillages qui permettent à l'énergie individuelle de se déverser dans les bons canaux, de se décharger d'une manière acceptable. La primitive « guerre de tous contre tous » décrite par Thomas Hobbes s'apparentait à un mouvement brownien ; la politique de la cité, c'est son rôle, lui substitue des lignes, des cercles, des figures prévisibles. Or, tout au long du XXe siècle, c'est ce rapport qui s'est inversé. Les formes de vie sociale sont devenues bien plus chargées, tumultueuses, mouvantes, que celles des individus, l'extérieur plus intense que l'intérieur. Inversion de la charge électrique : si le surréalisme revenait à l'ordre du jour, serait-il social davantage que psychologique ? L'artiste, qui traquait hier ses mouvements intérieurs, peut désormais se contenter d'enregistrer passivement les traces d'une réalité devenue en soi tout aussi intéressante et débridée, sinon plus, que sa propre imagination.

L'art des siècles précédents n'avait, bien entendu, pas pour unique fonction de canaliser ces énergies enfouies : il avait aussi, entre autre, une fonction documentaire – représenter le prince ou le commanditaire, fixer un événement pour l'éternité. Toutefois, ce rôle documentaire passait par l'interprétation subjective de l'artiste, et la contrainte qu'induisait ce rôle lui permettait de témoigner en même temps de cet événement et de son propre caractère, de la réalité extérieure tout comme des méandres de sa psychologie. C'est avec l'invention du cinéma en 1895 que la touche picturale perd sa fonction documentaire au profit d'une ingénierie industrielle de l'image « vraie ». En effet, le cinéma, comme l'écrivait Pier Paolo Pasolini, est la « langue écrite de la réalité ». Le cinéma a apporté l'enregistrement du mouvement, mais surtout, en poussant à bout la logique de la photographie, la possibilité de représenter le réel en dehors de toute médiation linguistique. Quand on place des objets ou des corps devant un objectif, ceux-ci s'y impriment en nous donnant l'illusion de la réalité. L'un de ses premiers grands théoriciens, André Bazin, parlait de « réalisme ontologique » pour qualifier l'image cinématographique : tout film constitue un documentaire sur les conditions de son propre tournage, une parole dont l'enregistrement serait la loi première. Puisque l'artiste peut exprimer la réalité au moyen de la réalité elle-même, il n'a plus besoin d'inventer un signe pour décrire un objet et peut se contenter de le montrer. Ce ce que fit Marcel Duchamp. Son ready-made est la première œuvre cinématographique en son principe, car Duchamp utilise la possibilité purement « cinématographique » de signifier à travers la réalité elle-même, le musée étant son mode d'enregistrement. L'idée d'une « autonomie expressive du réel », selon les termes par lesquels Pierre Restany a structuré en 1960 le mouvement des nouveaux réalistes, va ainsi pouvoir s'imposer. Jacques Villeglé, qui en fit partie, se souvient : « Le point de départ de mon travail remonte vraiment à janvier 1947 : je me promenais avec Raymond Hains à Nantes [...]. Dans cette ville en ruines, cette Loire très large, le pont transbordeur et les scies mécaniques des usines créaient un spectacle total. Comme on pensait beaucoup cinéma, on avait d'abord songé à le filmer. Mais on s'est dit que dans une salle de projection, on manquerait d'air frais et notre vision serait réduite. C'est certainement mon plus vieux souvenir : j'ai senti qu'il fallait prélever la Nature telle qu'elle était et ne pas essayer de la transposer[1]. »

Tracés, relevés, enregistrements

« Il y a du rapt dans l'acte de prendre. L'action prime sur la pensée[2] », avoue-t-il. L'activité artistique exerce sur le monde, afin de le saisir, une violence symbolique : comme le disait l'un de ses amis japonais à André Malraux, « la peinture européenne a toujours voulu attraper les papillons, manger les fleurs et baiser les danseuses. » Après l'invention de la photographie, la peinture est volontiers assimilée au déclenchement d'un dispositif d'enregistrement, des Meules de foin de Monet, méthodiquement saisies à heure fixe, jusqu'aux Polaroïd de Warhol. Cézanne voyait ainsi le cerveau de l'artiste comme un « appareil enregistreur », et Matisse expliquait que « la main d'un dessinateur doit répondre avec la même sensibilité aux choses présentes et à leur éclairage que l'aiguille d'un sismographe aux frémissements de la terre ». Le XXe siècle a fait de l'activité artistique un ensemble de processus de capture du réel. L'artiste a ainsi assumé la responsabilité symbolique de formes produites par la pluie, le vent, une usine, des passants anonymes, d'autres artistes, voire par la société tout entière. Ces dispositifs qui prennent la réalité au piège de sa « force plastique inconsciente », selon l'expression de Nietzsche, manifestent la ruse immémoriale de l'art, et les stratégies qu'il déploie pour maîtriser la réalité. Francis Picabia se contenta de figurer un œil sur une peinture intitulée *L'Œil cacodylate*, la surface restante se voyant occupée par les signatures des convives de la fête qui se déroulait ce soir-là au Bœuf sur le toit. Les Peintures de sable d'André Masson ou les Frottages de Max Ernst tentèrent de se placer sous la dictée plus ou moins dirigée de l'aléatoire naturel. Les nouveaux réalistes développèrent systématiquement cette stratégie d'appropriation : Yves Klein accrocha une toile peinte sur le toit de sa voiture, de manière à ce que la peinture fraîche y reçoive l'empreinte du vent pendant le trajet de Paris à Nice (*Vent Paris-Nice*, 1960). Klein définissait d'ailleurs ses Anthropométries, pour lesquelles il dirigeait des « femmes-pinceaux » trempées dans le pigment bleu, comme des « marquages d'instants spirituels pris au piège ». Plus explicite encore, Daniel Spoerri donna à ses œuvres, reliefs de repas fixés à même la table, le nom générique de *Tableaux-pièges*. Collecte systématique d'instants, la méthode de Spoerri aboutit à la présentation des restes absurdement figés de l'activité la plus banale et éphémère qui soit : la prise de repas. N'importe lequel de nos gestes produit un « matériau » personnalisé, unique, pour ainsi dire signable : le repas de Duchamp ne sera pas le même que celui d'Arman, et c'est pourquoi Spoerri intitule le plus souvent ses *Tableaux-pièges* d'après le nom des personnes qui les ont, littéralement, produits. Citons encore, parmi les œuvres de cette époque destinées à « piéger » le réel, les Empreintes digitales de Piero Manzoni ou les relevés de traces de pneu effectués par Robert Rauschenberg (*Tyre Print*, 1953).

Bref, lorsque Villeglé commence, dès 1949, à collecter des affiches lacérées en tant qu'œuvres d'art, il se situe dans le mouvement même de l'Histoire. Ces créations collectives que sont les affiches lacérées (mais le cadrage, lui, n'appartient qu'à l'artiste) renvoient à l'histoire de la modernité, au mot d'ordre stipulant que la poésie devait « être faite par tous, non par un », au dédain surréaliste pour la signature ou aux manifestes situationnistes – bref, à toute une histoire de la défétichisation de l'auteur se faisant récoltant ou récipiendaire, simple appareil d'enregistrement de processus qui lui sont extérieurs.

« Je suis une machine », disait Warhol. L'histoire du modernisme dans sa totalité est celle des procédés par lesquels l'artiste objective le geste, celle de la découverte de moyens objectifs de transférer du pigment sur une toile, de Malevitch à Frank Stella. Historiser : c'est le maître mot du modernisme. Villeglé ne perd jamais une occasion de rappeler que « tout le monde travaille pour lui » : c'est la foule anonyme des rues dont la voix est recueillie par le format du tableau, la voix des graphistes, des imprimeurs, des publicitaires, des industriels, des équipes de colleurs, des passants qui arrachent ou maculent l'imprimé ; toutes ces voix, de la plus humble à la plus puissante, s'entrecroisent et se confondent sur le tableau final.

Les affiches lacérées de Villeglé ont généralement été lues à travers l'unique prisme du Nouveau réalisme, comme un acte d'appropriation de la nature urbaine, un « coup » que l'on situe historiquement, par rapport au Pop art ou à l'impasse dans laquelle la peinture se trouvait à l'époque. Mais au-delà des histoires de l'art bien ordonnées, leur auteur avoue volontiers avoir conservé par devers lui une sorte d'ambition inavouée, celle de produire une œuvre qui serait à son temps ce que la « Comédie humaine » de Balzac représentait pour le sien : un roman total, une forme de « concurrence à l'état civil », l'expression exhaustive et vivante d'une époque par des moyens artistiques. Bref, une « Comédie urbaine », selon l'expression de l'artiste. Et, en effet, on trouve dans l'œuvre de Villeglé toutes les valeurs, toutes les strates sociales, tous les mouvements qui traversent son temps : les formes, les images, les mots, les typographies, les idéologies, les gestes, les formes, les techniques, le droit, tout est là. À travers un matériau éphémère, l'affiche publique, et un geste de braconnage urbain, la collecte sauvage (une « apathie créative » pour reprendre l'expression de Bernard Lamarche-Vadel), Villeglé réinvente la peinture d'Histoire, de la même manière que Balzac sut transformer en cycle romanesque l'épopée quotidienne de son époque. Qui aura su, mieux que Jacques Villeglé, représenter la France d'après la Seconde Guerre mondiale ? Qui a déployé une telle ambition et créé une polyphonie si riche, relevant à la fois de l'archéologie et de l'esthétique, de l'art et du document ? Cet « ensemble hypermnésique[3] », selon la définition de l'auteur, fonctionne toutefois comme un récit d'essence démocratique : « L'impact politique de l'affiche, précise Villeglé, se manifeste par la déchirure. Le geste du lacérateur anonyme s'interpose dès lors entre la signification monolithique voulue par le concepteur du slogan et les "regardeurs" que vous êtes. L'esthétique, le pluralisme, l'ironie, la sauvagerie se superposent à la barbarie du mot d'ordre[4]. » Un bond hors de l'utilitaire, un refus de la manipulation : dans la « comédie urbaine » de Villeglé, le passant anonyme aura éternellement le dernier mot face aux appareils d'État. Au-delà des matériaux iconographiques qu'il recueille et de l'anecdote qu'il délivre, là se situe la politique dans son travail.

Il ne faut pas avoir peur de le dire, le Nouveau réalisme fut sur bien des points en avance sur le Pop art, moins engoncé dans des affaires de style, moins attaché à la notion d'auteur, parfois plus audacieux dans la composition, mais surtout porteur d'un projet politique moins ambigu. Chez Raymond Hains ou Jacques Villeglé, il s'agit ainsi moins de l'usage impersonnel et collectif des formes que de leur utilisation individuelle : l'auteur anonyme et invisible des formes qu'ils s'approprient en tant qu'œuvres, c'est la ville elle-même. Ce qui est montré dans leurs travaux, mais aussi dans ceux de Spoerri, d'Arman ou de César, c'est le stade ultime du processus de la production, l'acte de consommer et non pas la consommation abstraite. Le sujet commun des nouveaux réalistes et des artistes pop est certes la consommation, mais ces derniers exposent les signes et les conditionnements visuels – la publicité, le *packaging*, l'étalage – qui accompagne la consommation de masse. En récupérant des objets déjà usagés, en fin de cycle, les nouveaux réalistes se présentent, quant à eux, comme les premiers paysagistes de la consommation, les auteurs des premières natures mortes informelles de la société industrialisée. Plutôt que de porter leur regard sur la sphère de l'achat, comme le firent Andy Warhol, Tom Wesselmann ou James Rosenquist, ils montrent des foulesqui broient, dévorent et déchiquettent. À la valeur d'échange et au fétichisme du produit, ils préfèrent la valeur d'usage, qui est une manière de persister à représenter l'humain, l'individu, en face des grands appareils de production. « L'intérêt de l'appropriation, avoue Villeglé, peut être phénoménologique, sociologique, etc. Mais il est et restera au premier chef du domaine de la surprise poétique. Ma disponibilité devant l'inattendu, mon approche de la réalité qui froisse l'esthète devraient effacer la discordance entre le monde et l'esprit dans lequel l'art se meut[5]. » Ce qui constitue l'œuvre de Villeglé, c'est la déchetterie d'une activité humaine fondamentale, la communication. Le vrai sujet de Villeglé, c'est l'être humain pris dans le système productif capitaliste, dans les rets du cycle production/consommation, dans la surabondance visuelle et matérielle. On peut envisager le capitalisme, comme le fait Mehdi Belhaj Kacem, en tant que « monopole absolu de l'excès, y compris en son sens bataillien, celui de la fête, de l'orgie dionysiaque [...] ; l'excès est dans la superstructure et nulle part ailleurs. [...] Le déchet, il n'est pas en dehors du capital, il est le produit et l'effet direct de cette surabondance. Le déchet – on le voit dans une partie de l'art contemporain – n'est pas une alternative au capital, mais son produit même[6]. »

Le flâneur

Marcher ? Une activité improductive, voire nocive – c'est du moins ce que martelèrent les théoriciens du travail industriel, Taylor, puis Ford. Or, les grands artistes du XXe siècle ont problématisé la flânerie, la promenade, l'errance. Depuis 1960, Stanley Brouwn fait de la marche à pied le matériau de base de son activité artistique. Déposant sur le trottoir des feuilles de papier blanc, il enregistre la trace des passants anonymes des grandes agglomérations. Par la suite, il décomptera le nombre exact de ses pas dans les pays qu'il visite : Algérie, 136 774, Espagne, 143 419... Puis, demandant son chemin aux gens qu'il rencontre, il suit les différents itinéraires qu'on lui propose, parfois contradictoires, avant de les relever scrupuleusement sur papier. Il se voit ainsi télécommandé, « agi » par des acteurs anonymes. À partir de la fin des années 1960, les relevés de voyage, les matérialisations de parcours se multiplient : outre ses fameuses *Date Paintings*, qui figurent la date de leur réalisation dans la langue du pays où il se trouve, On Kawara réalise à partir de 1968 une série intitulée *Location*, pour laquelle il consigne sur des tableaux la longitude et la latitude exactes du lieu où il se trouve. Son système de classeurs achève de documenter ses moindres faits et gestes : *I went* rend compte de ses déplacements au cours de la journée, au stylo-bille rouge, sur le plan des villes où il réside. Douglas Huebler se livre, lui aussi, à ce type d'activités quasi notariales, mais il imagine des procédures plus complexes que celles de Kawara. Sa *Location Piece #1*, réalisée en 1969, se constitue d'un documentaire sur un voyage aérien entre New York et Los Angeles. Les photographies, prises du hublot de l'avion « sans rechercher à prendre une vue "intéressante" », correspondent aux treize états traversés. Une carte du réseau d'American Airlines et l'énoncé écrit du projet complètent l'ensemble.

L'œuvre entière de Villeglé dresse une sorte de topographie : ses œuvres portent le nom de la rue où les matériaux furent prélevés, accompagné d'une date. En cela, son travail pourrait s'apparenter, davantage qu'il n'y paraît au premier abord, à ceux de Brouwn, Kawara ou Huebler, en ce qu'ils racontent, en tout premier lieu, les déplacements de leur auteur et une cartographie de sa ville. Familier de la bohème parisienne de l'après-guerre, habitué de ces cafés de la rive gauche où Guy Debord et les lettristes apprenaient à vivre l'art plutôt qu'à en fabriquer, Villeglé a toujours vécu et travaillé d'une manière nomade. Il s'agit d'arpenter le territoire urbain afin d'y braconner des formes. « Le peintre est prisonnier de son atelier, contrairement à ma mobilité. Mon regard investigateur doit conserver toute sa disponibilité[7]. » Comment préserver cette denrée devenue précieuse, la subjectivité, face à la redoutable objectivité des choses et des produits ? En flânant, antidote à la réification. En se tenant disponible, à l'écoute des signes. Cette faculté seule lui permet de voir ce qui se dissimule dans la trame urbaine : « Dans le choix du cadrage, si l'affiche est grande, il n'y a parfois même pas le recul nécessaire pour l'apprécier. Le ravisseur doit deviner ce qu'il ne fait qu'entrevoir à travers les obstacles de la rue, camion garé sur le trottoir ou autres[8]. »

Au fil de ses flâneries, il se heurte à des objets impalpables : au système juridique, par exemple, avec de nouvelles pratiques d'enlèvement d'affiches qui repoussent soudain son territoire hors de Paris ; ou encore au politique : on apprend que « sous l'impulsion de Michel Rocard, premier ministre, les lois du 15 janvier et du 10 mai 1990 interdisent aux candidats de recourir aux services de publicité commerciale durant les trois mois précédant une élection[9] ». Ainsi se transforme le paysage urbain, par une somme de petites décisions. Villeglé explore les interstices de la cité, les terrains vagues, les impasses, les non-lieux, les bouches d'égout de la communication. En cela, il est l'héritier d'une tradition inaugurée par les surréalistes et systématisée par l'Internationale situationniste, des « promenades » aux « dérives ». Paysan de Paris, il collecte des signes, les isole, les recadre parfois : ces signes nous parlent de nous, ils pourraient même s'apparenter à des symptômes. Villeglé observe, puis analyse et classifie. Il ne discourt jamais depuis la place du maître, mais se tient à nos côtés, spectateur lui-même d'une œuvre qui s'élabore au sein du chaos dans lequel nous évoluons sans trop y penser. Ce flâneur professionnel semble se présenter comme le coauteur de son œuvre, un accompagnateur, tel un psychanalyste qui écouterait attentivement le discours de la ville et le ponctuerait de brefs prélèvements, détourant telle figure révélatrice, comparant des récurrences, mais assumant telle quelle l'incroyable masse des signes qu'il aurait suscitée. Sa posture face à la création, face à son environnement, face au travail des autres, constitue en soi un véritable manifeste politique.

[1] Robert Fleck et Hans-Ulrich Obrist, entretien avec Jacques Villeglé, in cat. *Sans lettre ni figure. Affiches lacérées 1951-1968*, Paris, galerie Georges-Philippe et Nathalie Vallois, 2003.
[2] Bernard Lamarche-Vadel, *Villeglé. La présentation en jugement*, Paris, Marval, 1990, p. 65.
[3] Jacques Villeglé, *Carrefour politique*, Calignac, Vers les Arts, 1997, p. 16.
[4] *Ibid.*, p. 75.
[5] Jacques Villeglé, *La Traversée urbi et orbi*, Paris, Transédition, 2005, p. 26.
[6] Mehdi Belhaj Kacem, *Pop philosophie. Entretiens avec Philippe Nassif*, Paris, Denoël, 2005.
[7] Bernard Lamarche-Vadel, *op. cit.*, p. 71.
[8] *Ibid.*, p. 65.
[9] Jacques Villeglé, *Carrefour politique*, *op. cit.*, p. 15.

Wang Du et l'économie de l'information
(2004)

« N'importe qui peut s'improviser caméraman et penser qu'il fait un plan. Dans le temps, on avait une boîte Kodak et on faisait deux, trois photos. Il y avait beaucoup d'humilité face à ça. Aujourd'hui, il n'y a plus de différence entre celui qui possède un caméscope et un Stanley Kubrick. Maintenant, c'est le spectateur qui doit faire la différence. » L'activité de ce spectateur, auquel Jean-Luc Godard rêve dans les colonnes du quotidien *L'Équipe*, n'est pas très éloignée de celle de nombreux artistes d'aujourd'hui. Il y a un travail à faire, et ce travail consiste à regarder les images, à lire les informations : on dépasse alors le cadre du spectacle, de la réactivité, pour aborder le domaine de la production – ou, plus exactement, de la postproduction.

Jean-François Lyotard parlait de la photo d'amateur comme de la « consommation des capacités d'images contenues dans l'appareil » : au lieu de produire, on consomme ; nous ne faisons que matérialiser le potentiel des appareils fournis par le système productif, sans jamais matérialiser le nôtre. Les images constituent désormais l'arrière-plan des loisirs, une décoration furtive et oiseuse. Les images ne sont plus nourries par une « force de travail » propre, l'industrie est là pour nous en abreuver.

Que devient la notion de travail lorsque n'importe quelle activité professionnelle peut se voir dupliquée par un artiste ? Son champ se redéfinit et fait passer au premier plan la notion de responsabilité : nous devrions tous nous sentir responsables des images, au moins en tant que destinataires. Autrement dit, les recharger en « force de travail ». Lorsque Pierre Huyghe photographie des individus qui rebouchent les trous dans la chaussée (*Posters*), il parle, lui aussi, de l'idée de responsabilité, et de cette fiction qui voudrait qu'il existe un espace public. Lorsque Wang Du déclare : « Moi aussi je veux être un média. Je veux être le journaliste après le journaliste », il s'insère dans la chaîne de l'emploi, et les formes qu'il produit sont les dérivées d'un travail. Il postproduit l'information. Wang Du se présente ainsi comme le responsable de ces données, en se postant à l'extrémité du processus de production du visuel ambiant, tel un ouvrier sur une immense chaîne de montage. Fabriquant des sculptures, artisanalement, à partir d'images publiées par les médias, qu'il recadre celles-ci ou qu'il en reproduise fidèlement l'échelle et les cadrages originaux, il surfe sur une économie préexistante dont il questionne la validité, la nature et les présupposés. Cette stratégie, on pourrait la qualifier de *corporate shadowing*, dans le double sens du terme anglais : mimer les structures professionnelles, mais aussi les prendre en filature. Bruno Serralongue, lui, se rend sur les lieux de l'événement, sans aucune accréditation professionnelle, afin d'en tirer des images. Il se positionne en amont, à l'origine de la chaîne. Tout artiste doit, en dernière instance, se positionner sur un point de cette chaîne, formulant ainsi une fonction possible pour la pratique artistique : ré-écrire le montage social en lui redonnant une consistance humaine. L'installation de Wang Du, *Réalité jetable* (2000), se compose de pages de magazines et de journaux, d'images entrevues et bloquées par un acte de préhension : elles passent, et quelqu'un doit les arrêter. Cet arrêt sur image correspond à la nature du lien social contemporain, qui est la circulation à grande vitesse des produits et de l'argent. Rien ne nous permet plus de nous identifier à une idéologie, à une image, à un quelconque signe, et le mouvement seul semble légitimer la participation de chacun au grand spectacle centripète de la société postindustrielle. Que se passe-t-il donc lorsque Wang Du décompose ce mouvement ? Nous voilà dépaysés, placés en face d'un niveau de réalité insoupçonnable, qui nous apparaît comme étranger. C'est au visiteur de l'exposition qui devra s'évertuer à recomposer le mouvement perdu, de s'acclimater à ces formes exotiques, de reconstruire des liens avec elles, et, par transitivité, de questionner ses propres liens avec le monde tourbillonnant dont elles sont issues. Les modèles sont là, éparpillés sur le sol, disponibles comme le sont les déchets, photocopies souillées offrant le triste spectacle du disparate et de l'inutile, formant une gigantesque décharge à ciel ouvert dont l'artiste serait le chiffonnier.

Stratégie en chambre (1999) se présente ainsi comme une gigantesque image en volume, une image à traverser, composée de plusieurs tonnes de journaux publiés pendant le conflit au Kosovo, une masse informe au sommet de laquelle émergent les effigies sculptées de Bill Clinton et Boris Eltsine, une masse gonflée de figures issues de l'actualité, que survole militairement un essaim d'avions en papier-journal. La force du travail de Wang Du provient de sa méthode : il rend quantifiable l'information qui voudrait se dérober à la matérialité. En un mot, il restitue le volume et le poids de l'événement, le transforme en un spectacle du spectacle. Le magasin d'images sculptées qu'il déploie relève d'un artisanat de la communication ; c'est un métier à réinventer, qui s'approche davantage de la fonction du griot dans la tribu traditionnelle africaine que de l'industrie occidentale de l'événement. Le griot, c'est celui qui se réapproprie la parole, qui revient aux origines. Le travail de Wang Du se situe du même côté, celui de l'oralité, de l'incarnation de la parole. En fournissant une chair palpable à l'abstraction imagée de l'information, il charge les signes les plus furtifs d'une densité qui fait d'eux de possibles objets d'échange. Chacune de ses sculptures appartient au domaine du troc puisque l'équivalent général abstrait (ici l'argent, là l'image médiatique) en est d'emblée exclu. Il troque une image contre une autre, il échange la forme obtenue contre une valeur artistique. Wang Du aborde ainsi l'enjeu majeur des pratiques de la postproduction : la réécriture et la mise en circulation des données, la lutte contre la confiscation symbolique des signes.

Walead Beshty et la prosopopée
(2010)

« Achète-moi. » La publicité nous a familiarisé avec cette interjection et ses multiples dérivés. Par ces messages où le produit s'adresse directement au consommateur, il s'agit de présenter celui-ci comme un être vivant, susceptible de déclencher des réflexes de sympathie. Cette figure rhétorique par laquelle l'auteur prête la parole à un objet absent ou inanimé – qu'il s'agisse d'une personne défunte, d'une abstraction ou d'une chose – s'appelle la prosopopée. Dans un monde où les rapports entre les personnes s'effectuent par l'intermédiaire des choses, ainsi que Karl Marx définissait le travail social dans l'économie capitaliste, il apparaît logique que ce type de ventriloquie fasse officiellement partie de la rhétorique dominante. Or, si elle imprègne le discours de la marchandise, elle représente également un outil essentiel pour les pratiques artistiques contemporaines, à l'intérieur desquelles elle fonctionne comme l'envers critique, comme la contradiction portée à ce discours.

Dans l'art conceptuel, et plus particulièrement dans les travaux réalisés par Robert Barry, John Baldessari, Joseph Kosuth, Daniel Buren ou Lawrence Weiner, on trouve maints exemples d'œuvres d'art en forme de prosopopée, analysant les conditions de leur apparition en tant qu'œuvres à l'intérieur d'un contexte dont les composantes sont elles-mêmes méticuleusement énoncées. Par exemple, *Card File* (1963) de Robert Morris se compose de cartes plastifiées documentant la réalisation dudit fichier. Lorsque Joseph Kosuth réalise *Five Words In Blue Neon* (1965), il montre exactement ce qu'annonce le titre de l'œuvre et ce que le regard peut lire : cinq mots en néon bleu. 100 % *Abstract* (1968) de Mel Ramsden, du groupe Art & Language, énonce, en lettres noires sur fond blanc, la liste des composants chimiques qui concourent à tracer l'inscription que déchiffre le regardeur, et le fond sur lequel elles figurent. L'œuvre d'art vise à une transparence absolue, sous la forme d'un discours critique sur lui-même. Sans aller systématiquement jusqu'à faire coïncider le contenu manifeste de l'œuvre et son énoncé, ni forcément à archiver rigoureusement les éléments qui entrent en jeu dans sa production matérielle, l'art conceptuel a fait de la prosopopée, conçue comme un discours de vérité sur l'objet d'art, l'instrument d'une émancipation vis-à-vis des conditionnements liés à la culture du marketing. *What you see is what you get* : on ne peut pas en dire autant des produits de grande consommation.

La différence essentielle entre les deux modes de la prosopopée, marchande et artistique, réside dans le fait que dans la première, l'objet se présente comme un acteur enrôlé dans une fiction, opérant dans le registre du rêve, de l'enjolivement et du travestissement, afin de mieux camoufler les traces matérielles de la production concrète de cet objet. L'on retrouve les traces de cette dénégation dans l'imaginaire du cinéma hollywoodien : l'enfant-machine du *A. I. Intelligence artificielle* de Steven Spielberg refuse d'admettre qu'il est et restera un robot ; le personnage de Buzz Lightyear, dans *Toy Story I*, est un jouet fermement persuadé qu'il correspond à sa description publicitaire et son usage imaginaire, avant de découvrir sur son corps l'inscription

« made in Taiwan »… Métaphores des écrans de fumée mis en place par la production de masse, ces exemples cinématographiques montrent le fonctionnement de la prosopopée, relais de l'idéologie : l'objet répète le discours fictionnel par lequel il a été configuré. Comme l'expliquait Louis Althusser, l'idéologie fonctionne comme une voix qui interpelle l'individu en lui assignant un rôle qu'il doit reconnaître pour sien, elle est la « "représentation" du rapport imaginaire des individus à leurs conditions réelles d'existence[1] ».

L' art conceptuel, lui, utilisait la prosopopée sous la forme d'un documentaire objectivant, voire démystifiant : décomposée en éléments simples (matériaux, processus, contexte de monstration…), l'œuvre se présente ainsi comme un sujet qui énonce ses constituantes. Contrairement à l'objet de la prosopopée marchande, ce sujet est « sans phrases », pour employer l'expression par laquelle Georges Bataille qualifiait l'entreprise picturale d'Édouard Manet, à l'opposé de l'éloquence verbeuse qui caractérisait l'art allégorique de son temps, à l'époque ou le glacis et le modelé représentaient les outils d'une fiction par laquelle la peinture refusait de se présenter pour ce qu'elle était, à savoir des formes et des couleurs assemblées sur un plan, afin de mieux faire parler une autre voix à travers elle : et cette voix, c'était celle de l'idéologie. Ce sujet qui parle dans la peinture de Manet ou dans l'art conceptuel, c'est l'art lui-même, qui « dit la vérité » sur sa nature. Je place l'expression entre guillemets, car, comme l'expliquait Lacan, la vérité, on ne peut pas la dire toute… Mais la prosopopée artistique montre que l'objet peut prendre la parole pour s'opposer à celle de la marchandise, en laissant le regardeur libre là où le consommateur se voit aliéné, en lui permettant de se constituer en conscience critique là où le spectateur est sommé de consommer. L'art conceptuel invente littéralement la notion de traçabilité, devenue, trente ans plus tard, le pilier de l'économie orientée vers l'écologie : le produit prend la parole pour raconter son histoire et énoncer son origine. La gestion globale du « bétail humain » se base aujourd'hui sur la traçabilité : les traces d'ADN (c'est-à-dire le corps biologique énonçant son identité, la cellule humaine comme ventriloque) permettent ainsi d'élucider les crimes et de régler scientifiquement tout différend concernant filiation et hérédité. Les « réplicants » imaginés par Philip K. Dick dans *Blade Runner* sont des robots qui ne se distinguent de l'être humain que par l'absence d'émotion, et par l'implant d'une mémoire artificielle, qui fonctionne comme celle des êtres humains. L'objet de consommation occupe dans nos vies la place du « réplicant » : ce n'est d'ailleurs pas un hasard si les thèmes de Philip K. Dick, obsédé par la frontière qui sépare l'humain et le non-humain, sont devenus si populaires aujourd'hui.

Mais ce n'est plus en fétichisant l'humain, par l'exaltation du geste ou de la trace, que l'art exerce sa pleine fonction critique : paradoxalement, l'attitude de l'artiste minimal et conceptuel des années 1960 pourrait aisément être prise pour un éloge de la réification. Harold Rosenberg, dans un texte de 1967, *Defining Art*, parle ainsi de l'art minimal comme d'un « esthétisme délibérément déshumanisé » (« deliberately deshumanized aestheticism »), opinion soutenue par la citation des propos de Tadaaki Kuwayama : « Idées, pensées, philosophie, raisons, significations, même l'humanité de l'artiste ne rentre pas du tout dans mon travail. Il y a seulement l'art lui-même. C'est tout[2]. » Dans l'art contemporain, les êtres cherchent plutôt les moyens de collaborer avec les choses, quitte à les imiter…

« Spimes » et formes-trajets

Le réseau Internet est aujourd'hui devenu le bras armé d'une extension sans précédent de la prosopopée marchande, à partir du codage des produits. Nous sommes aujourd'hui entourés d'objets, de machines et de réseaux qui « parlent » tout autant que nous-mêmes, au point de couvrir la voix humaine dans un espace social de plus en plus livré à la concurrence généralisée. Et cette compétition concerne au premier chef les énoncés qui traversent ledit espace social, la sphère du discours constituant même le poste avancé de cette lutte. Il ne serait pas absurde de dire que le rêve ultime du capitalisme s'accomplira lorsque la rumeur créée par les produits de consommation, générée par des machines, cristallisée par des nuages de buzz (coup médiatique) et prolongée par le bla-bla promotionnel, interpellera directement le consommateur et entretiendra avec lui un dialogue constant… Le « capitalisme sans friction », si souvent évoqué par Bill Gates, pourrait se décrire comme un monde où, par l'intermédiaire de la technologie, l'être humain sera réduit à un rôle de médiateur entre des discours générés par des produits occupant la totalité du paysage des échanges inter-humains. Les médias contemporains, qui relaient les discours du marketing et propagent l'information plus souvent qu'ils n'y réagissent, sans parler de produire un discours critique, se positionnent déjà sur cette ligne. La télévision fonctionne sur le principe du « rire en boîte » inclus dans la bande sonore des séries télévisées : on ne rit pas soi-même, les choses le font pour nous. Bruce Sterling, dans son essai sur le design, *Shaping things*[3], invente le terme de « spime » pour qualifier une nouvelle génération d'objets succédant aux artefacts, aux machines et aux produits, objets « dont la structure informative est si irrésistiblement étendue et riche qu'ils sont considérés comme les incarnations matérielles d'un système immatériel », liés à diverses fonctionnalités et donnant accès à toute une gamme de services[4]. Sterling prend l'exemple d'une bouteille de vin reliée à un site Internet qui permet au consommateur d'apprendre l'histoire de la bouteille ou du cépage, d'organiser des dégustations avec ses amis ou d'apprendre l'italien…

Au cours des deux dernières décennies, la spectaculaire densification de la ventriloquie marchande, et le nombre grandissant de techniques qu'elle mobilise, a entraîné une transformation de la manière dont l'œuvre d'art se présente pour former un discours sur elle-même, ainsi qu'un bouleversement dans l'articulation entre l'image et son processus de production. On peut distinguer deux principaux modes de résistance à l'invasion de la sphère du discours humain par l'ingénierie discursive marchande : la première consiste à étendre la dimension humaine au sein même de l'œuvre d'art et de son domaine de réception ou de transmission, tendance que j'ai identifiée en 1995 sous le vocable d'« esthétique relationnelle[5] » ; la seconde consiste à s'installer au cœur de la machinerie, à collaborer avec les réseaux, les formats et les outils qui forment aujourd'hui la sphère du pouvoir économique et idéologique. Le travail de Walead Beshty apparaît représentatif de cette attitude, dans la mesure où il explore de nouvelles modalités de la prosopopée, dans le cadre d'une interrogation critique des technologies de la reproduction et de l'iconographie – et plus précisément, par la mise en ligne des objets, des formes, des images et des outils artistiques qu'il utilise. « En ligne » n'est bien évidemment pas à entendre au sens littéral : il s'agit ici de la connexion de ces images à des systèmes, de leur couplage avec divers appareils de production et de diffusion, depuis le développement de la pellicule photo jusqu'à son passage à la douane…

L'art conceptuel entendait mettre à plat les constituantes de l'œuvre d'art et de son contexte par la dématérialisation et l'approche analytique de l'œuvre d'art, dans des sociétés structurées par l'essor de la consommation de masse. Or, les pratiques des années 2000 se développent dans un contexte radicalement différent : l'art est arrivé à l'ère de sa reproductibilité/duplication ontologique, de sa dissémination et de sa digitalisation générale, dans un univers lui-même immatérialisé où l'information a supplanté la production industrielle dans le rôle de fer de lance économique. L'espace-temps emblématique de l'œuvre contemporaine, c'est désormais le réseau et les multiples systèmes qui quadrillent le paysage social ; sa forme-type, les déplacements qu'organise l'artiste à l'intérieur de ces systèmes, que je désigne sous le vocable de « forme-trajet ». L'incessant passage des signes d'un format à l'autre, d'une dimension à une autre, sous l'égide de la digitalisation et du scan, constitue le point commun d'une nouvelle génération d'artistes qui réhabilitent certains principes du modernisme tout en déplaçant la question du médium. Si la question centrale de la peinture moderniste fut celle du médium dans ses relations avec l'histoire, l'on pourrait dire que pour Beshty et quelques autres, elle réside dans des pratiques de post-production de signes connectés à des formats fournis par le système général de production (ordinateurs, caméras, écrans de contrôle, technologies ou structures sociales diverses…). Beshty prend ainsi pour point de départ, afin de s'en détourner, une situation qu'il décrit comme « circulation sans fin de purismes dans une culture de la copie »…

Les systèmes comme médiums

La manière dont Walead Beshty connecte le dispositif photographique à un ensemble de procédures de contrôle ou de transport (rayons X d'aéroport, entreprises de transport…) et son souci de travailler la photo, non pas comme un médium, mais comme un système, vont dans le sens de ce « modernisme hors médium », hypertexte, dans lequel les signes forment ou désignent un trajet davantage qu'un espace-temps fixe. Formellement parlant, c'est cette « reprise » assumée des enjeux fondamentaux du modernisme, adaptés à l'ère globalisée et digitalisée, que je désigne sous le terme altermoderne. Le travail de Beshty commence par la prise de conscience de la dissémination de la photographie – de sa mise en réseau, en quelque sorte : « Immergée dans une dispersion numérique ou idéologique au gré d'une multitude d'instrumentalisations discursives, sa prétendue dissolution est devenue si complète que si la photographie fut jamais quelque chose, elle ne l'est plus (à supposer qu'elle "soit" quelque chose aujourd'hui), devenant un "vide" ou le site d'une "mort"[6]. »

Cette attitude délibérément « intermédia[7] » et cette critique de l'outil en fonction de ses modes de diffusion et de distribution rapprochent Besthy d'un groupe d'artistes dont font partie Seth Price, Kelley Walker, Wade Guyton, Meredith Sparks, Peter Coffin ou Scott Myles. Le scanner et Internet sont les outils emblématiques de cette génération. Et même si Beshty ne les utilise pas dans son travail d'une manière manifeste, ils représentent aujourd'hui les outils sans lesquels celui-ci ne serait tout simplement pas pensable ou conceptualisable, de la même manière que la peinture impressionniste ne le serait pas sans l'invention de l'appareil photo. Chacun à leur manière et avec des procédés différents, ils travaillent à partir de la pulvérisation de l'œuvre d'art : celle-ci ne se réduit plus à la présence d'un objet ici et maintenant, mais se donne à appréhender comme un réseau signifiant dont l'artiste élabore les contours et organise la progression dans le temps et l'espace. Autrement dit, la forme de l'œuvre s'apparente à celle d'un circuit.

Le travail de Walead Beshty, quoique centré sur le processus photographique, ne repose nullement sur une simple exploration des propriétés de ce médium. En revanche, on pourrait présenter sommairement les œuvres de l'artiste comme se constituant d'images ou d'objets qui se « souviennent » de leur état précédent ou initial, qui ont mémorisé ou archivé leur trajet. La série *Fedex® Kraft Boxes* le montre d'une manière explicite. Beshty réalise tout d'abord des boîtes en verre Securit plus ou moins transparentes, selon la taille standard des emballages du coursier international Fedex, qui se charge de leur transport vers les lieux d'exposition. Au cours de leurs multiples voyages, ces sculptures/marchandises subissent les aléas de la manutention des colis en transit, et les éclats et dommages plus ou moins importants s'accumulent sur les surfaces vitrées. Ici, la forme est littéralement produite par son insertion dans un système de distribution (Fedex), et par sa capacité à enregistrer un trajet. La série des *Sided Pictures*, dans laquelle Beshty transforme, en le dépliant, un objet tridimensionnel en un plan, procède de la même logique : la prise de vue photographique ne consiste pas en la restitution d'un réel, mais en l'invention d'un rapport entre celui-ci et l'outil employé, ainsi qu'en l'organisation d'un trajet entre un état et un autre, comme c'est le cas dans la traduction ou dans la topographie. Les *Sided Pictures* sont produites par l'exposition à la lumière d'un papier photosensible plié, et ici, c'est le procédé photographique lui-même qui joue ce rôle de système, dévolu dans les *Fedex® Kraft Boxes* à une entreprise de transport de marchandises. Le système productif général produit des formes, sans cesse : l'ensemble de ces formes constitue un médium à part entière. La politique des titres pratiquée par Beshty reflète cette dissémination du médium : *Six-Sided Picture (CMYRGB), Kodak Ultra 3, December 21st, 2006, Valencia, CA*, est un intitulé qui couvre l'ensemble des facteurs intervenant dans le processus de production, et décrit en dernière instance une situation : la forme de l'objet initial, les couleurs choisies par l'artiste (du C de cyan au B de blue), le type de pellicule, la date, le lieu…

Dans un texte largement commenté, et intitulé de manière quasi programmatique « Dispersion », Seth Price écrit que « de plus en plus de médias étant disponibles à travers ces archives sauvages [internet], la tâche de l'artiste se transforme en une activité de packaging, production, recadrage et de distribution ; un mode de production analogue, non pas à la création de biens matériels, mais à la production de contextes sociaux, à partir de matériaux existants[8] ». D'une certaine manière, chaque œuvre de Beshty est la résultante d'une situation. « Mon travail ne se réfère pas à quelque chose d'absent[9] », précise-t-il, niant ainsi la fonction primordiale de la photographie. Les images qu'il produit ne s'inscrivent pas dans une relation de dépendance au réel, mais le tour de force de Beshty consiste à ne pas enfermer pour autant sa pratique dans un solipsisme orienté sur le médium. Ses œuvres parlent du monde contemporain, à partir de la photographie envisagée comme système.

Du réel pour les outils contemporains

Il ne s'agit donc pas pour Beshty de prolonger, d'aucune façon que ce soit, l'idée de la photographie comme « image de la réalité », mais au contraire de disséminer ses effets, de distordre le rapport (idéologique) que nous établissons spontanément entre l'image et son référent, à partir de ses spécificités matérielles. Comme il l'écrit, « on peut concevoir la production d'images comme porteuse d'une possibilité démocratique, représentant un rituel quotidien du compromis mis en œuvre avec des degrés divers de conscience, mais néanmoins présente en tant que force persistante. Ce n'est plus une entité spectrale : nous sommes à la fois à l'intérieur et à l'extérieur de l'image, l'une de ses composantes et l'un de ses producteurs ; une hiérarchie stratifiée n'est pas nécessaire dans notre relation à l'esthétique[10]. »

Loin de l'idéal scientifique de l'image photographique, considérée, au XXe siècle, comme produisant la vérité visuelle sur un monde dont il suffisait de prélever des fragments significatifs, Walead Beshty élabore des images dans lesquelles la photographie se présente avant tout comme un système chimique, économique, technique et idéologique. De ce point de vue, son travail se situe davantage dans le sillage des expérimentations de Sigmar Polke ou des monochromes d'Olivier Mosset que dans celui des paysages numériques d'un Andreas Gursky ou du conceptualisme d'un Christopher Williams. Si les modernistes de l'entre-deux guerres utilisaient le papier argentique en tant que récepteur d'une réalité concrète, qu'il s'agisse des rayogrammes de Man Ray ou des photogrammes de László Moholy-Nagy. Beshty ne nie finalement pas cette objectivité, il la met au carré. Ainsi les *Pictures Made by My Hand with the*

Assistance of Light fonctionnent-elles sur le registre de l'empreinte que le procédé photographique génère mécaniquement : c'est la photographie qui parle elle-même, pas le réel, mais elle est l'hologramme absolu par lequel le monde se raconte, une sonde qui s'imprègne de son environnement. En effet, en laissant « parler » l'image photographique, une fois de plus, Beshty ne se réfugie pas dans une exploration néo-moderniste de ses possibilités en tant que médium, mais il trace un portrait sensible et aiguisé de son contexte historique, évoquant les mouvements de la marchandise et les systèmes de contrôle aussi bien que la géopolitique contemporaine.

Le meilleur exemple de cette méthode, qui représente un tournant dans l'œuvre, pourrait se trouver dans la série *Iraqi Mission, Berlin,* initiée en 2005. En lisant le journal, Beshty a tout d'abord découvert l'existence d'un bâtiment appartenant à l'ancienne représentation diplomatique irakienne auprès du gouvernement est-allemand. L'immeuble a été abandonné, squatté et ravagé par le feu, mais il demeure néanmoins protégé par la législation internationale. Entre deux statuts, dans un « geopolitical limbo, a sovereignty free zone » (limbes géopolitiques, zone libre de souveraineté) selon les termes de Beshty, il s'agit d'une sorte d'interzone que nul pouvoir n'est en mesure de revendiquer. Walead Beshty documente sa visite par une série de prises de vue. Mais à l'aéroport en partance pour les États-Unis, il omet de sortir les pellicules de son sac et les fait accidentellement passer dans le détecteur à rayons X du contrôle de sécurité. Une fois celles-ci développées, il s'aperçoit que cette erreur a voilé ses films et qu'un filtre de couleurs moirées apparaît sur les images, gardant ainsi la mémoire de leur déplacement. Une anomalie administrative devient alors anomalie formelle, née de la soumission de l'image à la détection policière et au contrôle frontalier. « Elles sont à la fois la perception de l'acte de voyager par le film, et un marqueur des frontières, les mêmes lois internationales qui ont placé l'ambassade dans une situation si étrange[11] », explique-t-il. L'une des caractéristiques primitives de la photographie est le fait que si l'on bouge l'appareil pendant la prise de vue, l'image sera floue. Or, avec la série *Iraqi Mission, Berlin* ou les *Travel Pictures de Beshty*, c'est l'image elle-même, en tant que processus chimique, qui se déplace matériellement dans l'espace, non pas le corps du photographe.

L'espace social contemporain, perçu à travers le travail de Walead Beshty, pourrait ainsi se décrire comme un kampfplatz où l'être humain est aux prises avec un appareil de contrôle machinique/administratif, un champ de bataille où choses et êtres luttent pour prendre l'ascendant ou le retrouver. Slavoj Žižek aborde la question non pas sous l'angle de l'interaction avec l'inhumain, mais sous celui d'une « interpassivité » générée et gérée par la machine : « Comment résoudre cette ambiguïté : interagir avec la machine ou bien laisser la machine agir pour moi ? […] L'impact vraiment inquiétant des nouveaux médias ne résiderait pas dans le fait que les machines nous arrachent la part active de notre être, mais, à l'exact opposé, dans le fait que les machines digitales nous privent de la passivité de notre vécu : elles sont "passives" pour nous[12]. » Résumons-nous : les œuvres de Walead Beshty énoncent clairement qu'elles se déplacent, qu'elles sont soumises aux lois qui régissent les mouvements des objets comme des personnes. Elles sont produites dans le cadre de situations spécifiques rigoureusement énumérées, dans lesquelles se combinent l'activité d'un individu et un ou plusieurs systèmes qui canalisent cette activité. La forme finale est le résultat d'un dispositif que l'on pourrait, avec Zizek, rapprocher du concept d'interpassivité. C'est en tout cas dans ce sens-là que l'on peut interpréter les propos qui suivent : « La question la plus urgente pour la photographie ne concerne plus les significations inhérentes qu'elle peut contenir […] mais comment des photographies spécifiques peuvent construire et organiser l'espace social d'une manière concrète et immédiate[13]. » Analogues aux « spimes » de Bruce Sterling, ses œuvres constituent des réseaux ; et nous ne sommes plus leurs regardeurs – mais les systèmes qui les reçoivent et, parfois sans le savoir, les disséminent à leur tour.

[1] Louis Althusser, *Positions (1964-1975)*, Paris, Les éditions sociales, 1976, p. 114.

[2] Harold Rosenberg, « Defining Art », in Gregory Battcock (dir.), *Minimal Art, a Critical Anthology*, New York, E. P. Dutton, 1968, p. 304. (« Ideas, thoughts, philosophy, reasons meanings, even the humanity of the artist do not enter into my work at all. There is only the art itself. That is all. »

[3] Bruce Sterling, *Shaping Things*, Cambridge, The MIT Press, 2005. Trad. fr. : *Objets bavards, l'avenir par l'objet*, Limoges, FYP éditions, 2009.

[4] *Ibid.*, p. 14.

[5] N. Bourriaud, « Towards a relational aesthetics », in *Documents sur l'art*, n° 6, printemps 1995. Repris dans *Esthétique relationnelle*, Dijon, Les presses du réel, 1998.

[6] Walead Beshty, « Abstracting Photography (notes on the problem of allegorical critique) ». http://theexposureproject.blogspot.com/2008/10/walead-beshtys-abstracting-photography.html (« Subsumed in a digital or ideological dispersal at the whim of a multitude of discursive intrumentalizations, its supposed dissolution has become so utterly complete that whatever photography once was, it no longer is (if it "is" at all), becoming a "void" or the site of "death". »

[7] Je reprend ici, mais d'une manière positive, le terme mis en avant par Rosalind Krauss dans *A Voyage On the North Sea. Art At the Age Of Post Medium Condition*, Londres, Thames & Hudson, 1999.

[8] Seth Price, *Dispersion* [2002], autoédité ; fac-similé réédité par 38th Street Publishers, New York, 2008, p. 13. (« With more and more media readily available through this unruly archive [the internet], the task becomes one of packaging, producing, reframing, and distributing ; a mode of production analogous not to the creation of material goods, but to the production of social contexts, using existing material. »)

[9] W. Besthy, « On the conditions of production of the multi-sided pictures works. »

[10] W. Beshty, « Abstracting Photography (notes on the problem of allegorical critique) », *op. cit.* (« The production of images can be understood as containing a democratic possibility, representing a daily ritual of compromise enacted with various levels of awareness, but present nonetheless as a lingering force. No longer a spectral entity, we find we are both inside and outside of the picture, one of its parts and one of its producers ; a stratified hierarchy is not needed in our relationship to aesthetics. »)

[11] « They were both a way the film saw the act of travel, and they were a mark of international borders, the same international laws that put the embassy in such an odd situation. »

[12] Slavoj Žižek, « Le sujet interpassif », conférence au Centre Pompidou, *Traverses* 3, 1998.

[13] W. Beshty, « Abstracting Photography (notes on the problem of allegorical critique) », *op. cit.* (« The question most urgent for photography is no longer what inherent meaning it may contain [...] but how specific photographs construct and organize social space in a concrete and immediate way. »)

Colophon

Édité par Les presses du réel

CONCEPTION GRAPHIQUE
Gavillet & Rust, Genève

RÉALISATION
Patricia Bobillier-Monnot

POLICE
Genath

Achevé d'imprimer sur les presses
de l'imprimerie Standartu
Dépôt légal : 2e trimestre 2018
N° d'impression : 180853
Imprimé en Europe

Documents – Documents sur l'art 11 :
Nicolas Bourriaud, *Formes et trajets. Tome 2 : Topologies*

Ce livre est le onzième volume
de la collection « Documents – Document sur l'art »,
consacrée la publication en français d'écrits critiques.

Cette collection a été fondée par
Lionel Bovier et Xavier Douroux.

PUBLIÉ PAR
Les presses du réel
35, rue Colson
F - 21000 Dijon
E info@lespressesdureel.com
www.lespressesdureel.com

EN COÉDITION AVEC
JRP | Ringier Kunstverlag AG
Limmatstrasse 270
CH - 8005 Zurich
E info@jrp-ringier.com
www.jrp-ringier.com

ISBN 978-2-84066-762-9 (Les presses du réel)
ISBN 978-3-03764-459-1 (JRP | Ringier)

Distribution Les presses du réel

FRANCE ET BELGIQUE
Les presses du réel, 35 rue Colson, F-21000 Dijon
info@lespressesdureel.com

Distribution JRP | Ringier

SWITZERLAND
AVA Verlagsauslieferung AG,
Centralweg 16,
CH–8910 Affoltern a.A.,
avainfo@ava.ch,
www.ava.ch

FRANCE
Les presses du réel,
35 rue Colson,
F–21000 Dijon,
info@lespressesdureel.com,
www.lespressesdureel.com

GERMANY AND AUSTRIA
Vice Versa Distribution GmbH,
Potsdamer Str. 93,
D–10785 Berlin
info@viceversaartbooks.com,
office@viceversaartbooks.com,
www.viceversaartbooks.com

UK AND OTHER EUROPEAN COUNTRIES
Cornerhouse Publications, HOME,
2 Tony Wilson Place,
UK–Manchester M15 4 FN,
publications@cornerhouse.org,
www.cornerhousepublications.org

USA, CANADA, ASIA, AND AUSTRALIA
ARTBOOK | D.A.P.,
75 Broad Street, Suite 630,
US–New York, NY 10004
orders@dapinc.com,
www.artbook.com

Disponibles

DOCUMENTS—DOCUMENTS SUR L'ART (EN FRANÇAIS)

René Berger, *L'art vidéo*, 2014
ISBN : 978-2-84066-761-2 (Les presses du réel)
ISBN : 978-3-03764-389-1 (JRP | Ringier)

Catherine Chevalier et Andreas Fohr, *Une anthologie de la revue Texte zur Kunst de 1990 à 1998*, 2011
ISBN : 978-2-84066-235-8 (Les presses du réel)

Marie de Brugerolle, *Premières critiques*, 2010
ISBN : 978-2-84066-401-7 (Les presses du réel)

Jean-Michel Bouhours, *Quel cinéma*, 2010
ISBN : 978-2-84066-389-8 (Les presses du réel)

Catherine Grenier, *Sophie Ristelhueber. La guerre intérieure*, 2010
ISBN : 978-2-84066-388-1 (Les presses du réel)

Daniel Birnbaum, *Chronologie*, 2007
ISBN : 978-2-84066-165-8 (Les presses du réel)
ISBN : 978-3-905770-98-8 (JRP | Ringier)

Diedrich Diederichsen, *Argument son*, 2007
ISBN : 978-2-84066-140-5 (Les presses du réel)
ISBN : 978-3-905829-00-6 (JRP | Ringier)

Stéphanie Moisdon, *Stéphanie Moisdon*, 2007
ISBN : 978-2-84066-205-1 (Les presses du réel)
ISBN : 978-3-90582-915-0 (JRP | Ringier)

Hans Ulrich Obrist, *...dontstopdontstopdontstopdontstop*, 2007
ISBN : 978-2-84066-222-8 (Les presses du réel)
ISBN : 978-3-905829-14-3 (JRP | Ringier)